一期一會 일기일회

표지와 본문 그림 ⓒ Fumiko Hori
표지와 본문 디자인 _ 행복한물고기 HappyFish

법정 스님 법문집 · 1

一期一會

일기일회

문학의숲

일러두기

1. 이 책은 그동안 법정 스님이 대중과 학인을 상대로 법문한 내용을 글로 옮긴 것이다. 서울 성북 동 길상사에서 행한 정기법회 법문, 여름안거와 겨울안거 결제 및 해제 법문, 부처님오신날 법 문과 창건법회 법문 등이 근간을 이루고 있으며, 원불교 서울 청운회와 뉴욕 불광사 초청법 회, 교보문고 및 맑고향기롭게 대구와 광주 초청 특별강연 법문 등이 포함되었다.

2. 법문은 모두 시간 순으로 싣되 가장 최근의 것이 앞쪽에 오도록 하였다. 1권에는 2009년 4월 19일 봄 정기법회 법문부터 2003년 5월 8일 부처님오신날 법문까지 모두 43편을 실었으며, 2003년 4월 20일 봄 정기법회 법문부터는 다음 권으로 이어진다. 1권에 싣지 못한 2009년 5월 2일 부처님 오신날 법문, 2008년 12월 14일 길상사 창건 11주년 법문, 2007년 8월 27일 여름안거 해제 법 문, 2006년 12월 5일 겨울안거 결제 법문, 2006년 8월 8일 여름안거 해제 법문, 2006년 5월 12일 여름안거 결제 법문, 2006년 4월 16일 봄 정기법회 법문도 다음 권에 싣는다.

3. 각 법문의 제목은 스님의 의견과 법문의 내용을 토대로 편집부에서 새로 달았으며, 제목 아래에 법문이 이루어진 날짜와 법회명을 달았다. 또한 각 법문 첫머리에는 법문이 행해진 날의 풍경과 그 주변의 기억할 만한 일들을 실었다.

4. 본문에 쓰인 용어 가운데 정확한 이해를 위해 간략한 설명이 필요한 경우에는 그 옆에 풀이를 달아 두었다. 또한 보다 깊이 있는 해설이 필요한 경전, 인물, 용어, 개념 등은 책의 맨 뒤에 따 로 모아 가나다순으로 수록하였다.

법정 스님의 법문을 책으로 펴내며

서울 성북동에 위치한 작고 아름다운 절, 계절마다 한두 차례씩 수많은 사람들이 법당과 절마당에 모여든다. 멀리 강원도 오두막에서 어스름 새벽에 길을 나서 세상으로 나오는 법정 스님의 법문을 듣기 위해서다. 봄에는 향기로운 꽃그늘 아래서, 여름에는 장맛비를 피해 천막을 치고서, 가을에는 마음까지 물들이는 단풍나무 아래서, 그리고 겨울에는 차가운 대기에 울리는 풍경 소리나 예고 없이 흩날리는 눈발 속에서 청중은 스님의 말씀에 고요히 귀를 기울인다. 이 모임이 아름다운 것은 그 말씀의 행간에 침묵이 있고, 서로 귀 기울이고 같이 느끼면서 존재의 기쁨을 함께 누리기 때문이다. 그 말과 침묵은 우리를 삶 앞에서 더 경건하고 맑게 만드는 힘을 지니고 있다.

법문 장소는 때로 명동성당으로, 뉴욕 맨해튼으로, 세종문화회관으로, 청도 운문사와 원불교 대강당으로 옮겨졌다. 그럴 때마다 멀리서 찾아온 청중들로 발 디딜 틈이 없었다. 하나같이 아름다운 얼굴들이었다. 스님은 이러한 대중법회가 성격에 맞지 않지만, 사람들의 은혜에 의존해 살아가는 승려로서 세상에 조금의 역할이라도 하기 위함이라고 하셨다.

법문 속에는 "몹시 춥거나 더울 때는 어떻게 해야 하는가?"를 묻는 제자가 있고, "추울 때는 추운 곳으로 가고, 더울 때는 더운 곳으로 가라."고 일깨우는 스승이 있다. 그 스승의 입을 빌려 스님은 말한다. "삶 자체가 되어 살아가라. 그것이 불행과 행복을 피하는 길이다." 한 수행자가 어떤 것이 가장 대단한 일인가를 묻자, 스승은 홀로 우뚝 대웅봉에 앉으라고 설한다. 저마다 자신이 몸담아 사는 장소에서 홀로 우뚝 앉을 수 있다면, 우리는 진정 깨어 있는 존재이다.

장소에 상관없이 법문의 주제는 이것이다.

"삶에서 가장 신비한 일은 지금 이 순간 우리가 살아 있다는 사실이다. 왜냐하면 모든 것은 생애 단 한 번뿐인 인연이기 때문이다."

삶이란 무엇인가? 우리가 순간순간 살고 있는 이 삶은 무엇인가? 무엇을 위해 우리가 살아야 하는가? 나는 진정 인간답게 살고 있는가? 이런 근원적인 물음을 지녀야 한다고 스님은 말한다.

우리는 때로 어부의 그물에 갇힌 물고기처럼 어쩔 줄 몰라 한다. 삶의 애증과 희로애락이 우리를 가두고, 욕망이 빈틈없는 그물 속으로 우리 영혼을 몰아간다. 불타고 있는 집 안에 앉아 있으면서도 시간이 촉박함을 깨닫지 못한다.

법문마다 스님은 일깨운다.

"언제 어디서 자기 생의 마지막 날을 맞이할지 알 수 없다는 자각을 잃지 않아야 한다. 언제 어디서 살든 한순간을 놓치지 말라.

그 순간이 생과 사의 갈림길이다."

그리고 출가 수행자들에게 말한다.

"죽은 화두를 가지고 헛되이 시간을 보내지 말라. 순간순간 깨어 있어 바로 그 자리에서 살아 있는 화두를 가지고 정진하라. 나는 무엇이며 어디에서 와서 어디로 가고 있는가."

이 깨우침의 말씀들이 작은 절마당을 넘어 세상에 널리 가닿도록 하기 위해 우리는 이 법문집을 펴낸다. 먼저 우리는 법정 스님의 법문들을 가능한 한 전부 모았다. 여기에는 많은 분들의 도움이 있었다. 그들은 소중히 간직하고 있던 스님의 육성이 담긴 자료들을 기꺼이 빌려 주었다. 낡은 카세트테이프와 오래된 비디오테이프에서부터 최근의 고화질 영상과 엠피스리 파일까지 그 모양과 형식도 다양했다. 우리는 번호를 매겨 가며 날짜별로 수집한 뒤, 한 글자도 빠짐없이 글로 옮겨 적었다. 음질이 좋지 않은 자료는 여러 사람이 돌려 들으며 정확을 기했다. 우리가 받아 적은 내용은 최종적으로 스님께서 직접 문장을 다듬고, 내용을 보완했으며, 일부 표현을 오늘에 맞게 정리하셨다. 병중임에도 불구하고 몇 차례에 걸쳐 두 권이나 되는 분량을 꼼꼼히 읽으셨다.

각 법문의 서두에는 그날의 풍경을 담았다. 무상이 신속하고 찰나마다 변화해 가는 현상계이지만, 법문에 녹아든 계절과 시간을 기록해 두기 위해서다. 어느 법문에서 스님은 말씀하신다. 삶에서 가장 신비한 일은 지금 이 순간 우리가 이렇게 살아 있다는 사실이라고.

말은 행이 뒤따라야만 진정성을 갖는다. 그렇지 않으면 그 말한

자는 공허한 조언자이며 한낱 앵무새에 불과하다. 말과 삶이 일치하는 이와 동시대를 살아가고 있는 우리는 행복하다.

1956년 당대의 선승 효봉 스님의 제자로 출가한 이래, 법정 스님의 삶은 지금까지 철저한 '수행자의 자세'와 '무소유'의 실천으로 일관되어 왔다. 시대가 어두웠을 때 승려로서는 유일하게 함석헌, 장준하, 김동길 등과 함께 민주화 운동에 참여했으며, 한글대장경 역경위원과 불교신문사 주필, 송광사 수련원장을 역임했으나, 1970년대 후반 그 모든 것을 떨치고 송광사 뒷산에 손수 불일암을 지어 홀로 살았다. 그러나 명성을 듣고 찾아오는 이들이 많아지자 다시 출가하는 마음으로 1992년 강원도로 떠나, 심지어 제자들에게조차 거처를 알리지 않고 오늘에 이른다.

우리 시대 삶의 교과서로 일컬어지는 〈무소유〉를 비롯해 〈서 있는 사람들〉 〈버리고 떠나기〉 〈산에는 꽃이 피네〉 〈살아 있는 것은 다 행복하라〉 〈아름다운 마무리〉 등의 여러 저서들에서 얻어진 인세 수입도 다 어려운 이웃에게로 돌아갔다. 일정 금액이 모일 때마다 스님은 "이 돈은 수행자에게는 지나친 재산이다."라며 필요한 이들에게 나누어 주었다. 그래서 정작 자신이 중병에 걸렸을 때는 치료비 일부를 절에서 빌려 써야만 할 정도였다. "수행자의 삶은 칼날 위에 서 있는 것과 같다."는 것이 스님의 변함없는 정신이다. 병이 재발하자 많은 비용이 드는 치료를 거부하고 그 돈으로 가난한 사람들을 도우라고 하셨다. 예나 지금이나 화장지를 절반으로 잘라서 쓰고, 종이 한 장도 허투루 버리지 않으신다. 스님의 붓글씨를 선물로 받은 이들은 그것이 물건을 쌌던 포장지에 쓰인 것을 보고 놀란다. 어쩌면 그러한 삶이 더 가치 있는 법문인지도 모른다.

살 만큼 살다가 세상과 작별할 때 생에서 남는 것은 무엇인가? 결국 홀로 있는 자신 외에는 아무것도 남지 않는다고 스님은 말한다. 삶을 소유물로 여기기 때문에 우리는 소멸을 두려워한다. 삶은 소유가 아니라 순간순간의 있음이다.

지난겨울, 폐렴으로 병원에 입원했을 때 스님은 찾아온 제자들에게 말씀하셨다.

"내게 주어진 시간이 그리 많지 않다. 그런데 그 시간을 무가치한 것, 헛된 것, 무의미한 것에 쓰는 것은 남아 있는 시간들에 대한 모독이다. 또 얼마 남지 않은 시간을 긍정적이고 아름다운 것을 위해 써야겠다고 순간순간 마음먹게 된다. 이것은 나뿐 아니라 모두에게 해당되는 일이다. 우리 모두는 언젠가 이 세상에 없을 것이기 때문이다."

그러나 우리는 우리의 스승이 육체의 건강을 회복해 더 오래 우리 곁에 머물기를, 다시 여러 계절을 더 맑은 가르침으로 채워 주기를 바라며 이 법문집을 펴낸다.

2009년 봄
덕인, 덕현, 덕진, 류시화

차례

삶 그 자체가 되면 불행과 행복의 분별이 사라진다.

삶 자체가 되어 살아가는 일, 그것이

불행과 행복을 피하는 길이다.

번뇌 밖에 따로 깨달음이 있는 것이 아니다.

이 세상 밖 어딘가에 천국이 있다고 우리는 흔히 믿고 있지만,

바로 이 현실 세계에서 천국을 이룰 수 있지

현실을 떠나서는 어떤 것도 존재하지 않는다.

자신과 진리에 의지해 꽃을 피우라

2009년 4월 19일 봄 정기법회

꽃처럼 피어난 눈부신 봄날, 곧 있을 부처님오신날을 위해 미리 걸어 놓은 수많은 연등 아래 이른 아침부터 3천여 명의 청중이 절 마당을 가득 메웠다. 봄의 전령사 매화와 영춘화는 이미 피었다 지고, 며칠 전 내린 봄비로 산벚과 철쭉이 만개했다. 이날 법문 시작 전 차를 마시는 자리에서 스님은 "봄 법회에 설 때마다 가슴이 설렌다. 우리 생애에서 이런 기회가 영원히 주어지는 게 아니다. 언젠가는 나도 이 자리를 비우게 되리란 걸 안다."고 말해 좌중을 숙연하게 했다. 법문하는 중간중간 멀리서 오색딱따구리가 울고, 도중에 목소리가 잠기자 스님은 "변성기가 돌아왔는지 목소리가 변했는데, 이제야 철이 드나 보다."고 했다. 흩날리는 꽃잎들 속에서 법회가 끝났다. 법회 다음 날엔 곡우답게 많은 봄비가 내렸지만, 스님이 사는 강원도 산골에는 여전히 눈이 내렸다.

제가 말하지 않더라도 눈부신 봄날입니다. 이런 자리에서 다시 만나게 되어 감사하고 다행스럽게 생각합니다. 이런 기회가 우리 생애에서 늘 주어지는 것은 아닙니다. 모두가 한때이기 때문에 이런 자리에 설 때마다 고맙게 여겨지고, 언젠가는 내가 이 자리를 비우게 되리라는 것을 예상하게 됩니다. 그래서 더욱더 오늘의 만남이 고맙고 기쁘게 느껴집니다.

요사이 절에 연등이 많이 걸려서 꽃과 잎을 제대로 볼 수 없는데, 꽃을 머금은 나무와 풀들이 이 봄을 맞아 저마다 자신의 꽃을 활짝 펼치고 있습니다. 나무들도 최초로 잎을 피울 때는 각자 자신의 특성과 기량을 마음껏 발휘하면서 자기만의 빛깔을 내뿜습니다. 여름이 깊어지면 다 같은 초록색이 되지만, 처음 잎이 펼쳐질 때는 그 나무가 지닌 독특한 빛깔을 내놓는 것입니다. 가지마다 돋아나는 잎들도 그 나무가 지닌 특성을 마음껏 내보이면서 찬란한 봄을 이룹니다.

봄이 와서 꽃이 피는 것이 아니라 꽃이 피어나기 때문에 봄을 이루는 것입니다. 흔히 우리들은 봄이 오면 꽃이 핀다고 생각하기 쉽지만, 꽃이 피어나기 때문에 봄이 오게 됩니다. 꽃이 없는 봄을 우리는 상상할 수 없습니다. 만일 이 대지에 꽃이 피지 않는다면 봄 또한 있을 수가 없습니다. 지구의 미래를 걱정하는 사람들은 침묵의 봄을 두려워합니다.

요즘처럼 세계가 과소비로 치닫는다면 언젠가는 침묵의 봄이 올 것입니다. 레이첼 카슨이 쓴 〈침묵의 봄〉이라는 책도 있습니다. 해마다 우리가 계절을 맞이하지만 그때마다 많이 다르지 않습니까? 금년만 하더라도 봄인데 벌써 여름 날씨를 보이고 있습니다. 또 어떤 때는 늦은 봄까지도 눈이 내립니다. 예상하기 힘든 기상이변입니다. 현재 지구에 살고 있는 우리들 자신이 그렇게 만들고 있기 때문입니다.

꽃은 우연히 피지 않습니다. 계절의 변화에 따라서 꽃이 피고 지는 것 같지만, 한 송이 꽃이 피기까지의 그 배후에는 인고의 세월이 받쳐 주고 있습니다. 참고 견딘 세월이 받쳐 줍니다. 모진 추위와 더위, 혹심한 가뭄과 장마, 이런 악조건에서 꺾이지 않고 꿋꿋하게 버텨 온 나무와 풀들만이 시절인연을 만나서 참고 견뎌 온 그 세월을 꽃으로 혹은 잎으로 펼쳐 내는 것입니다.

이와 같은 꽃과 잎들을 바라보면서 우리들 자신은 이 봄날에 어떤 꽃을 피우고 있는가 한번 되돌아볼 수 있어야 합니다. 꽃이나 잎을 구경만 할 게 아니라 나 자신은 어떤 꽃과 잎을 피우고 있는지 이런 기회에 살필 수 있어야 합니다. 꽃으로 피어날 씨앗을 일찍이 뿌린 적이 있었던가?

준비된 나무와 풀만이 때를 만나 꽃과 잎을 열어 보입니다. 준비가 없으면 계절을 만나도 변신이 일어나지 않습니다. 준비된 사람만이 계절을 만나서, 시절인연을 만나서 변신을 이룰 수가 있습니다.

주관적인 견해인지 모르겠지만, 매화는 반개半開했을 때가, 벚꽃은 만개滿開했을 때가 가장 아름답습니다. 또 복사꽃은 멀리서 바라볼 때가 환상적이고, 배꽃은 가까이서 보아야 꽃의 자태를 자세히 알 수 있습니다. 매화는 반만 피었을 때 남은 여백의 운치가 있고, 벚꽃은 남김없이 활짝 피어나야 여한이 없습니다. 반만 핀 벚꽃은 활짝 핀 벚꽃에 비해서 덜 아름답습니다. 복사꽃을 가까이서 보면 비본질적인 요소 때문에 본질이 가려집니다. 봄날의 분홍빛이 지닌 환상적인 분위기가 반감되고 맙니다. 이렇듯 복사꽃은 멀리서 보아야 분홍빛이 지닌 봄날의 환상적인 분위기를 누릴 수 있고 배꽃은 가까이서 보아야 꽃이 지닌 맑음과 뚜렷한 윤곽을 느낄 수가 있습니다.

꽃에 대한 이러한 견해는 꽃이나 사물만이 아니라 인간사에도 적용할 수 있습니다. 멀리 두고 그리워하는 사이가 좋을 때가 있고, 가끔씩은 마주 앉아 회포를 풀어야 정다워지기도 합니다. 아무리 좋은 친구 사이라 할지라도 늘 함께 엉켜 있으면 이내 시들기 마련입니다. 때로는 그립고 아쉬움이 받쳐 주어야 그 우정이 시들지 않습니다.

요즘은 높은 산, 낮은 산 할 것 없이 산벚꽃이 장관을 이루고 있습니다. 늦은 봄부터 초여름에 이르는 이 계절에 산벚나무가 온 국토에서 찬란한 꽃을 피우고 있습니다. 산벚꽃을 볼 때 나무의 지혜를 생각하지 않을 수 없습니다. 또 자연의 조화와 신비 앞에 숙연해지기까지 합니다.

식물은 태어나면서부터 죽을 때까지 한자리에 붙박여서 살아가야 할 숙명을 지니고 있습니다. 자신의 위치에서 한 치도 옮겨 갈 수 없기 때문에 꽃과 씨앗으로써 자신의 공간을 넓힙니다. 현재의 산벚나무들은 사람의 손으로 심어서 가꾼 것이 아닙니다. 만일 사람의 손으로 심어서 가꾼 나무들이라면 그렇게 자연스럽지 않습니다. 줄을 맞추어서 심었거나 하면 무엇인가 거부감이 들 텐데, 자연이 뿌려 놓은 나무들이기 때문에 조화를 이루고 있습니다. 산벚꽃 자신이 꽃과 씨앗으로 펼쳐 놓은 것입니다. 꽃은 벌들을 불러들여서 열매를 맺게 합니다. 버찌가 달짝지근한 것은 벚나무 자체의 필요에서가 아니라 새들을 불러들이기 위해 그런 조화를 부리고 있는 것입니다. 새들은 그 버찌를 따 먹고 소화되지 않은 씨앗을 여기저기 배설해 놓습니다. 배설된 씨앗에서 튼 움이 온 산에 벚꽃을 피우게 됩니다.

여기에 자연의 조화와 신비가 있습니다. 이와 같은 식물의 지혜를 우리는 배울 수 있어야 합니다. 이 또한 봄날의 은혜라 할 만합니다.

불자들이 습관적으로 가장 많이 외우는 〈천수경〉이 있습니다. 절에 법회가 있을 때마다 〈천수경〉과 〈반야심경〉은 빼놓지 않고 외우지 않습니까? 뜻을 생각하면서 외우면 참 좋은 법문인데, 건성으로 따라 외우면 별 의미가 없습니다. 이 〈천수경〉에 '도량이 맑고 깨끗해서 더러움이 없으면 도량신道場神이 상주한다.'는 가르침이 나옵니다.

어느 절이나 그 도량을 보살피고 지키는 도량신이 있습니다. 이것은 어김없는 사실입니다. 미신이라고 생각하지 마십시오. 도량신이 그 도량에 사는 사람이나 그곳에 드나드는 사람들을 낱낱이 보살피고 지켜 줍니다.

신앙심이 지극한 사람들은 일주문에 들어서자마자 그 도량이 지닌 분위기를 감지할 수 있습니다. 식識이 맑은 사람들, 정신이 맑고 투명한 사람들은 어떤 절이든지 도량에 들어서자마자 그 절의 분위기나 신성성을 감지할 수 있습니다. 도량신은 그 도량의 귀한 존재는 사람이든 나무든 그 도량에 머물도록 받아들입니다. 그러나 그 도량에서 필요로 하지 않는 존재는 거부합니다.

분명히 알아 두십시오. 도량신은 그 도량에 필요한 존재는 사람이든 나무든 무엇이든지 다 받아들이는데, 그 도량에 더 이상 필요하지 않는 존재는 거부합니다.

이런 현상은 굳이 예를 들출 것도 없이 반세기 남짓 크고 작은 도량의 은혜를 입고 살아온 저 자신의 체험적인 진실입니다. 개인의 의지만 가지고는 어떻게 해 볼 수가 없습니다. 도량신은 눈에 보이지는 않지만 모든 것을 주관합니다. 그 도량신의 의지가 개인의 의지에 작용해서 모든 일이 이루어지도록 만드는 것입니다.

승가의 생명력은 더 말할 것도 없이 청정성에 있습니다. 여기서 말한 청정성은 진실성을 의미하기도 합니다. 곧 승가의 생명력은 청정성과 진실성에 있습니다. 길상사를 가리켜 '맑고 향기로운 근본 도량'이라고 합니다. 저는 이 말을 들을 때마다 이 절이 과연 맑고 향기로운 도량인가 하는 의문을 갖습니다. 이 절에 사는 스님들과 신도들, 또는 이 절을 의지해서 드나드는 불자들의 삶이 저마다 맑고 향기로운가, 맑고 향기롭게 개선되고 있는가, 스스로 물어야 합니다. 맑음은 개인의 청정과 진실을 말하고, 향기로움은 그 청정과 진실의 사회적인 영향력, 메아리입니다. 도량에서 익히고 닦은 기도와 정진의 힘으로 자기 자신은 물론, 가정이나 이웃에 어떤 기여를 하고 있는지 시시로 점검해야 합니다.

절이 생기기 전에 먼저 수행이 있었습니다. 절이 생기고 나서 수행이 시작된 것이 아닙니다. 절이 생기기 전에 수행이 있었습니다. 그러니 절이나 교회를 습관적으로 다니지 마십시오. 절에 다닌 지 10년, 20년 되었다는 신도들을 보면, 다 그런 것은 아니지만 습관적으로 절이나 교회에 다니는 경우가 매우 많습니다. 이분들은 절의 재정에는 보탬이 될지 모르지만 각자의 신앙생활의 알맹이에는 소홀합니다. 절이나 교회를 습관적으로 다니면 안 됩니다. 습관적으로 다니니까 극단주의자들이 "종교는 마약이다."라고 이야기하는 것입니다.

깨어 있어야 합니다. 왜 절에 가는가? 왜 교회에 가는가? 그때그때 스스로 물어서 어떤 의지를 가지고 가야 합니다. 그래야 자기 삶이 개선됩니다. 삶을 개선하지 않고 종교적인 행사에만 참여한다고 해서 신자가 될 수 있는 것이 아닙니다. 이것을 명심하십시오. 무엇 때문에 내가 절에 나가는가, 무엇 때문에 내가 교회에 나가는가 그때그때 냉엄하게 스스로 물어야 합니다. 그렇지 않으면 일상적인 타성에 젖어서 신앙적인 생활을 하지 않는 사람들보다 훨씬 어리석은 짓을 할 수가 있습니다.

길상사가 생긴 지 10년이 지났습니다. 그동안의 여러 불자들의 신심과 정성으로 현재와 같은 절이 되었습니다. 그러나 진정한 도량은 눈에 보이는 건물만으로 이루어지지 않습니다. 건물은 한때 존재하다가 없어집니다. 절이 있기 전에 먼저 수행이 있었습니다. 건물이 있기 전에 먼저 진리 추구가 있었습니다. 도량은 눈에 보이는 건물로만 이루어지지 않습니다. 도량에 사는 사람들과 도량을 의지해서 드나드는 여러분의 삶이 맑고 향기롭게 개선되어야만 비로소 도량다운 도량으로 거듭날 수 있습니다.

스님들은 한때 머물다가 떠나가는 나그네들입니다. 스님들한테는 원래 자기 집이 없습니다. 물론 자기 절도 있을 수가 없습니다.

절은 개인의 소유물이 될 수가 없기 때문입니다. 그러나 재가불자들은 자신뿐 아니라 자자손손 대를 이어 가면서 그 도량을 가꾸고 보살핍니다. 표현을 달리하자면, 신앙심이 지극한 여러 불자들이 곧 그 도량의 수호신입니다. 이런 도리를 분명하게 알아 두시기 바랍니다.

10년이면 강산도 변한다는데, 길상사도 이제는 안팎으로 변할 때가 되었습니다. 이 도량에 인연 맺은 여러분 각자의 삶이 나날이 맑고 향기로워져야만 이름 그대로 맑고 향기로운 근본 도량이 될 수 있다는 사실을 깊이 명심하시기 바랍니다.

거듭 말씀드립니다. 재가불자들이 승단에 귀의하는 것은 그 청정성 때문입니다. 청정성과 진실성이 승가의 생명력입니다. 스님들과 개인적으로 친분을 이루고 있다고 해서 세속적인 인정에 매달리지 마십시오. 흔히 "나만 믿고 살라."고 하면서 신도들에게 무책임한 말을 하는 사람들이 더러 있습니다. 중은 믿을 것이 못 됩니다. 자기 집도 떠나온 이들을 어떻게 믿습니까? 언제 변할지 모르는데, 믿을 게 따로 있지, 그런 데 속지 마십시오. 그것은 불교가 아닙니다. 부처님의 가르침이 아닙니다. "우리는 어디에 의지해서 살아야 합니까?"라는 질문을 받고 부처님이 "나만 믿고 살라." 같은 소리는 절대 하지 않았습니다.

부처님은 이렇게 말씀하셨습니다.

"자기 자신을 의지하고 진리에 의지하라. 자기 자신을 등불로 삼고 진리를 등불로 삼으라."

그 밖의 것은 다 허상입니다. 여기에 불교의 참 면목이 있습니다. 다른 것은 다 허상입니다. 자귀의 법귀의$_{自歸依}$ $_{法歸依}$, 의지하고 기댈 것은 자기 자신과 진리밖에 없다는 가르침입니다.

이 눈부신 봄날, 새로 피어나는 잎과 꽃을 보면서 무슨 생각들을 하십니까? 각자 험난한 세월을 살아오면서 참고 견디면서 가꾸어 온 그 씨앗을 이 봄날에 활짝 펼치시기 바랍니다.

봄날은 갑니다. 덧없이 갑니다. 제가 이 자리에서 미처 다 하지 못한 이야기는 새로 돋아나는 꽃과 잎들이 전하는 거룩한 침묵을 통해서 들으시기 바랍니다.

법문 자리에 돈 애기 들이지 말라

2009년 2월 9일 겨울안거 해제

　한 달 반이나 빨리 찾아온 포근한 봄 날씨가 연일 계속되어, 이 날 도량을 찾은 이들의 표정과 옷차림에서는 겨울의 무거움과 움츠림을 찾아보기 힘들었다. 그래도 제법 쌀쌀한 아침 공기 때문인지 풍경 소리가 더욱 청명하게 울렸다. 열흘 전 심한 폐렴으로 일주일 동안 입원 치료를 받은 스님은 아직 바깥 활동을 할 상태가 아니었지만, 법회 약속을 지키기 위해 올겨울 거처인 남쪽 섬에서 올라왔다. 법문이 시작되고 5분쯤 지나서는 찬바람이 들어와서 기침이 나는 스님을 위해 법당문을 닫게 되었다. 법당 앞마당의 청중들이 안에 있는 스님의 얼굴을 볼 수 없게 되자, 스님은 "발성기에 고장이 나서 부득이 문을 닫아 가렸습니다."라며 미안한 마음을 전했다. 대다수 청중들은 비디오가 설치된 설법전에 들어가 화면으로 스님을 만났지만, 몇몇 청중들은 그 자리에 남아 문 너머에 계신 스님을 느끼며 말씀을 경청했다.

　새해 복 많이 받으셨습니까? 수많은 말 중에서도 하필이면 새해 인사로 복을 받으라고 하는 까닭은 우리들 삶에서 복이 그만큼 중요하기 때문일 것입니다. 이 험난한 세상에 복이 우리를 받쳐 주지 않는다면 제대로 살 수가 없습니다. 우리 스스로는 의식하지 못했지만 복이 우리를 받쳐 준 덕분에 오늘 여기 이렇게 모일 수 있었습니다.

새해 달력을 바꾸어 걸어 놓은 지 어느새 한 달 하고도 아흐레가 되었습니다. 금년 365일 중에서 이미 9분의 1이 지나갔습니다. 세월이 덧없다는 소리를 실감합니다. 지나가는 세월을 두고 옛사람들은 전광석화電光石火와 같다고 했습니다. 번개나 부싯돌의 불이 번쩍이는 찰나처럼 몹시도 짧음을 비유한 말입니다. 이런 표현이 나온 것도 실제로 시간의 덧없음을 깊이 체험했기 때문일 것입니다.

저는 지금까지 이런 표현을 관념으로만 듣고 그 실체를 절감하지는 못했었습니다. 이 자리에 오신 분들도 대개 시간에 대해서는 관념적으로만 인식하고 있을 듯합니다. 그런데 지난겨울 눈병을 앓으면서 저는 시간에 대한 인식을 새로이 했습니다. 병원에서 안약을 처방하면서, 한 가지 약을 한 시간 간격으로 넣으라는 지시를 했습니다. 그 한 시간이 얼마나 빨리 지나가는지, 지나가는 것이 아니라 훌훌 빠져나간다고 표현해야 더 맞을 정도였습니다. 마치 모래를 한 움큼 쥐었을 때 손가락 사이로 스르르 빠져나가듯 순식간에 사라져 버렸습니다. 시계를 들여다보면서 시간마다 안약을 넣다 보니 하루가 훌쩍 지나갔습니다.

보통 때는 이렇듯 흘러가 버리는 시간을 구체적으로 의식하지 못한 채 관념으로만 그 덧없음을 의식했지만, 막상 내 몸으로 부딪쳐 보니 그렇게 재빨리 빠져나갈 수가 없었습니다. 이런 사실

26

앞에 저는 정신이 번쩍 났습니다. 그러면서 내게 남은 시간의 잔고에 대해 다시금 생각하게 되었습니다.

시간의 덧없음이 굳이 노년에만 해당되지는 않습니다. 남녀노소 가릴 것 없이 누구에게나 똑같이 하루 24시간이 주어지고, 그 24시간은 쏜살같이 지나갑니다. 순간순간의 삶이 얼마나 엄숙한 것인지, 정신이 번쩍 들지 않을 수 없습니다. 이같이 귀중한 시간을 매 순간 어떻게 맞이하며 보내고 있는지 깊이깊이 살펴보아야 합니다. 우리는 그 시간 속에서 살기도 하고, 죽기도 합니다.

또한 살아가면서 이와 반대로 우리 자신이 시간을 살리기도 하고, 죽이기도 합니다. 친구를 만나서 서로에게 유익하고 정다운 자리를 이루었다면 그것은 시간을 살리는 일이 되고, 쓸데없는 소리나 하고 남의 흉이나 보면서 서로에게 도움이 되지 않는 자리를 가졌다면 그것은 시간을 죽이는 일입니다. 똑같이 주어졌음에도 잘 쓰면 시간을 살리는 게 되고, 무가치하게 흘려보내면 그토록 귀중한 시간도 죽이는 것이 된다는 소리입니다. 그러므로 우리는 누구를 만날 때 시간을 살리고 있는지 죽이고 있는지 안으로 살펴볼 수 있어야 합니다.

연쇄살인 사건과 용산 참사로 인해 모처럼 맞이한 새해 첫머리가 시작부터 얼룩지고 있습니다. 이 같은 끔찍한 뉴스를 되풀이해서 접하다 보면 우리의 일상도 그만큼 얼룩지게 됩니다. 이런 것은 결코 시간을 살리는 일이 못 됩니다. 올 한 해 시간의 덧없음을 화두 삼아 복된 순간을 이룰 수 있도록 우리 다 같이 정신 바짝 차리고 사십시다. 우리에게 주어진 남은 시간을 헛되이 낭비하지 말고 보다 알차게 살 수 있도록 정진하십시다. 새해 복 많이 지으십시오.

오늘이 맺은 것을 푸는 해제일이라 한 가지 곁들이겠습니다. 평소에 제가 마음에 두고 있던 생각인데, 해젯날이고 해서 풀어 버리려고 합니다. 이곳에 처음 절이 만들어졌을 때는 잘 아시다시피 여러 가지로 어설프기 짝이 없었습니다. 그간의 여러 불자들의 정성과 주지스님을 비롯한 절을 운영하는 소임자들의 노고 덕에 오늘 같은 번듯한 도량이 되었습니다. 지장전과 식당이 세워지고 설법전과 종각, 정낭(화장실)이 정비되었습니다.

이 절을 처음 만들고 창건법회 할 때 저는 가난한 절이 되었으면 좋겠다고 말씀드린 바 있습니다. 절이나 교회가 너무 흥청망청하기 때문에 조촐한 절이 되었으면 싶어 가난한 절을 표방했던 것입니다. 그러나 이제는 누가 봐도 가난한 절은 결코 아닙니다. 제가 보건대 넘치기 직전에 이르렀습니다.

제가 이 자리에서 법문을 하고 나면 그 끝에 으레 불사를 내세워 돈 이야기를 꺼내는데 그때마다 몹시 곤혹스럽습니다. 물론 절을 운영하는 입장에서는 부득이 사람들이 많이 모였을 때 불사의 내용을 알리지 않을 수 없을 것입니다. 그러나 그 방법을 달리해야 합니다. 제가 방법을 제시하겠습니다. 길상사의 경우, 달마다 나오는 소식지가 있습니다. 거기에 얼마든지 불사의 내용을 알릴 수 있습니다. 또 일주문 안에 게시판이 있습니다. 게시판에 실으면 됩니다. 그렇게 하면 신성한 법회를 돈 이야기로 먹칠하지 않을 수 있습니다.

한 사람은 돈 이야기를 꺼내서 신도에게 부담 주지 말라고 하는데, 다른 한 사람은 그럼에도 돈 이야기를 해야겠다고 하니, 둘이서 미리 짜고 하는 수작 같아서 듣는 쪽에서는 부담과 불쾌감을 동시에 지니게 됩니다. 모처럼 절에 와서 그동안 쌓인 짐을 부리고 가려는데, 도리어 짐을 지고 가는 결과가 된다고 하는 불자도 있습니다.

법회는 이름 그대로 처음부터 끝까지 법다운 모임이 되어야 합니다. 그날 들은 법문 내용을 차분히 음미하면서 마음에 담아 두어야 합니다. 그런데 법문 끝에 바로 돈 이야기를 꺼내는 것은 법회와 법문에 대한 일종의 모독입니다. 이런 일은 이 절뿐만이 아닙니다. 어느 절이나 교회 할 것 없이 상식화되고 일상화되어 있습니다. 인습화되어 있습니다. 이것은 반드시 시정되어야 합니다. 지금이 어떤 때입니까? 경제적으로 가장 어려워서 정말로 못 살겠다는 때 아닙니까? 경제를 살리겠다고 나온 사람들조차 어쩔 줄 몰라 하며 쩔쩔매고 있습니다. 직장에서 쫓겨나고 일자리를 잃어 가는 사람들이 부지기수입니다. 세상이 어려울 때는 절이나 교회에서 어려움을 나누어 가져야 합니다. 그렇지 않고 떵떵거리기나 한다면 절도 교회도 아닙니다. 세상이 나아질 때까지 적어도 이 도량에서만이라도 불사가 중단되어야 합니다.

절의 종에 금이 갔더라도 소리를 낼 수 있으면 종으로서 기능할 수 있습니다. 문제는 종소리가 좋고 나쁘고를 따지는 데 있지 않고 종소리에 간절한 염원이 담겨 있는가, 담겨 있지 않은가에 있습니다. 종을 치는 사람에게 그 종을 통해서 간절히 염원하는 바가 있다면 그 염원이 듣는 사람에게 그대로 전달됩니다.

제 나이도 있고 건강도 전만 못해서 이런 자리에 앞으로 자주 나오지 못할 것 같은 마음에, 그동안 속에 고였던 말을 오늘 쏟아 놓았습니다. 이 이야기를 서운하게 듣지 말고 또 다른 법문으로 받아들였으면 합니다. 거친 말을 써서 대단히 죄송합니다.

추울 때는 추위가 되고 더울 때는 더위가 되라

2008년 11월 12일 겨울안거 결제

　겨울이 아니라 해도 전 세계에 불어닥친 경제 한파로 모두의 마음이 움츠러든 이날, 동안거 결제일을 맞아 스님은 옛 선사의 말을 빌려 "추울 때는 추위가 되고 더울 때는 더위가 되라."고 했다. 그것이 추위와 더위를 피하는 비결이라고. 90일 동안의 이 안거 기간에 수행자들은 산문 출입을 끊고 오롯이 자기 존재와 마주해야 한다. 강원도 오두막 생활 17년째인 스님은 이해 겨울을 남쪽 지방에 마련한 임시 거처에서 나기로 했다. 힘든 투병 생활 끝이라 잠시 산중을 떠나 있어야 했고, 또한 '묵은 곳을 털고 새로워지기 위함'이었다. 법회 다음 날에는 스님의 새로운 산문집 〈아름다운 마무리〉가 문학의숲 출판사에서 나왔으며, 〈산에는 꽃이 피네〉가 12월 초 중국의 21세기 출판사와 대만의 탄쉬 출판사에서 동시 출간되었다.

　여기 성북동은 아직 가을이 한창이지만, 제가 사는 강원도 쪽엔 이미 겨울이 시작되었습니다. 북쪽 산골짜기에서는 눈이 내리고, 개울에는 벌써 얼음이 얼었습니다. 같은 땅인데도 이렇듯 계절의 차이가 있습니다.

　가끔 사람들이 저에게 겨울에 그 추운 강원도에서 어떻게 지내느냐고 걱정의 말들을 합니다. 전에는 긴장감이 있어서 추위가 견딜 만했는데, 지금은 늙은 탓인지 추위가 약간은 두렵습니다.

하지만 추울 때는 추워야 하고, 더울 때는 더워야 합니다. 겨울에 춥지 않고 덥다면 이상한 일입니다. 또 한여름에 덥지 않고 춥다면 그 역시 이변입니다. 겨울은 겨울답게 추워야 하고, 여름은 여름답게 더워야 합니다. 인간만이 사는 세상이 아니기 때문입니다. 그런 계절 변화 속에서 식물과 동물이 자라고, 곡식과 과일이 열매 맺습니다. 겨울에는 어느 정도 추위가 있어야 생태계가 온전하게 보존됩니다. 겨울이 춥지 않고 더우면 생활비는 덜 들지 모르지만, 이상난동으로 인해 생태계에는 큰 이변이 찾아옵니다.

〈벽암록〉에 다음과 같은 문답이 있습니다.

그때는 날이 무척 더웠던 모양입니다. 한 수행자가 동산洞山 선사에게 이렇게 묻습니다.

"몹시 춥거나 더울 때는 어떻게 해야 합니까?"

진리의 세계에 대해 묻고 있지만, 거창한 물음이 아닌 지극히 일상적인 질문을 던지고 있습니다. 날씨가 무더울 때면 대개 피서를 가지 않습니까? 또 추울 때는 따뜻한 곳을 찾아 남쪽으로 내려가기도 합니다.

날씨가 몹시 더운 날 한 수행자가 절의 큰스님을 찾아가서, "이렇게 무더운 날에는 어떻게 해야 합니까?" 하고 묻고 있는 상황입니다. 문답이 행해진 시대는 당나라 때이니까 벌써 1,100여 년 전의 일입니다. 선풍기도 에어컨도 없던 시절입니다. 어떻게 해야 더위를 피할 수 있겠습니까?

동산 선사가 말합니다.

"추위와 더위가 없는 곳으로 가면 되지 않는가?"

그러자 제자가 다시 묻습니다.

"어느 곳이 추위와 더위가 없는 곳입니까?"

선사의 답입니다.

"추울 때는 그대 자신이 추위가 되고, 더울 때는 그대 자신이 더위가 되라."

이것이 추위도 더위도 없는 곳입니다. 더위를 피하려면 나 자신이 직접 더위가 되라는 것입니다. 추위를 피하려면 옷만 껴입고 불만 땔 것이 아니라 나 자신이 추위가 되라는 것입니다. 그러면 더위도 추위도 미치지 않는다는 소식입니다.

추위니 더위니 하는 것은 어디까지나 분별입니다. 삼복더위 속에서도 일에 열중하면 더위를 모릅니다. 겨울에도 마찬가지입니다. 일에 열중하면 추위를 잊습니다. 이것은 누구나 경험할 수 있는 일입니다. 제가 불일암에 살 때의 일입니다. 몹시 더운 어느 여름날, 그때는 사람들이 많이 찾아오지 않았기 때문에 내의 바람으로 부엌에 앉아 똑딱거리며 가구를 하나 만든 적이 있습니다. 무더운 날이었지만, 그 일에 열중하느라 전혀 더위를 느낄 수 없었습니다.

할 일이 없어서 한가하게 일기예보에나 관심 갖는 사람들이 더위와 추위에 약합니다. 일에 열중하는 사람들에게는 더위도 추위도 없습니다. 쇠가 녹아 끓는 용광로 앞에서 일하는 사람들에게는 더위가 감히 범접할 수 없습니다. 지금도 제철소에서는 그런 일을 합니다. 그분들에게는 감히 더위가 접근할 수가 없습니다. 왜냐하면 자신이 곧 더위가 되었기에 또 다른 더위가 덮칠 수 없는 것입니다.

추위와 더위는 상대적인 비교에 따른, 분별에서 오는 고통입니다. 신문과 방송에서 올여름 중 가장 무더운 날이다, 올겨울 중 가장 추운 날이다 하고 떠드니까 순진한 사람들이 그 말에 넘어가서 자기 의지대로 살지 않고 외부의 정보에 의해 춥고 더운 것을 미리 가불해서 쓰는 것입니다. 그런 비교에서 벗어나면 추위나 더위에 그다지 심각한 영향을 받지 않습니다.

더위를 피하려면 자신이 곧 더위가 되라는 가르침은 우리가 이 세상을 살아가는 데 하나의 길잡이가 되어 줍니다. 나고 죽는 일, 괴롭고 즐거운 일, 얻고 잃는 일, 사랑하고 미워하는 일, 또는 가난과 부 등도 모두 상대적인 비교에서 오는 현상입니다. 그것들에는 절대적인 기준이란 없습니다. 상대적인 비교를 통한 분별일 뿐입니다.

여름철, 사람들은 동해안이나 다른 휴양지에는 더위가 없을 것이라 생각하고 피서를 떠납니다. 그러나 그곳에는 그곳대로 더위가 있기 마련입니다. 추위도 마찬가지입니다.

삶 그 자체가 되면 불행과 행복의 분별이 사라집니다. 삶 자체가 되어 살아가는 일, 그것이 불행과 행복을 피하는 길입니다. 번뇌 밖에 따로 깨달음이 있는 것이 아닙니다. 번뇌와 보리菩提(불교 최고의 이상인 궁극의 깨달음)가 별개의 것이 아니라는 경전의 말씀이 있듯이, 그 둘은 동전의 앞면과 뒷면의 관계입니다. 거죽은 번

뇌이지만 속은 깨달음입니다. 일상의 삶을 떠나서 따로 열반涅槃
(모든 번뇌의 얽매임에서 벗어나 진리를 체득한 경지)이 있는 것이 아닙
니다.

동산 선사의 말은, 이 세상 밖 어딘가에 천국이 있다고 우리는
흔히 믿고 있지만 바로 이 현실 세계에서 천국을 이룰 수 있지 현
실을 떠나서는 어떤 것도 존재하지 않는다는 가르침입니다. 그 분
별을 없애기 위해서 제자에게 추위를 피하려 하지 말고 너 자신이
추위가 되라, 너 자신이 더위가 되라고 설파한 것입니다. 불행과
행복을 피하려 하지 말고, 삶 그 자체가 되어 살아가라고.

온 세상이 하나같이 불황과 경제 위기를 말하고 있습니다. 미국
발 금융 위기를 시작으로 지구 전체가 먹고사는 문제에 직면해 있
습니다. 이 불안함 속에서 사람답게 살기 위해서는 어떻게 행동해
야 하는가? 이것이 우리에게 주어진 과제입니다. 신문 방송에서
경제가 어렵다, 은행에 돈이 없다, 신용이 낮게 평가된다고 보도
하니까 그럴 때마다 우리들 자신도 속으로 기가 죽고 자존심에 상
처를 입습니다.

만약 미국을 비롯해 지구상에 있는 모든 나라들이 경제 불황 없
이 한결같이 고도성장으로만 치닫는다면 그 결과는 과연 어떻게
될 것인가? 한번 상상해 보십시오. 이것은 매우 끔찍한 일입니다.
지금의 경제 위기보다 훨씬 비극적인 결과를 초래할 수 있습니다.
왜냐하면 국가 지도자를 비롯해 모든 사람이 그저 많이 갖고, 많
이 차지하고, 많이 쓰고, 많이 내다 버리는 틀에 갇혀서 그 밖의
것은 생각할 수 없을 것이기 때문입니다.

과연 인류는 그들이 누리는 경제적인 부만큼 행복한가? 스스로 물음을 던져야만 합니다. 우리가 2, 30년 전 연탄 때고 쌀 한두 되 사다 먹던 시절과, 모든 것이 갖추어져 있고 살 만큼 살면서 저마다 차를 몰고 다니는 지금을 비교해 보십시오. 물질적으로는 풍요롭고 편리해졌지만 우리 내면은 그때보다 훨씬 빈곤해졌습니다. 사람이 사람을 믿지 않습니다. 사람이 사람을 꺼립니다. 만약 모든 나라들이 경제적인 어려움을 모르고 원하는 대로 고도성장을 구가한다면 지구환경은 현재보다 더욱 황폐해질 것입니다. 빈부 격차는 더 심각해집니다. 자살률도 올라가면 올라갔지 내려가진 않을 것입니다.

　인간의 행복과 불행은 결코 물질의 많고 적음에 달려 있지 않습니다. 사람이 사람답게 살아가는 데 물질적인 부만이 최우선은 아닙니다. 지금 우리가 사는 세상은 어떻습니까? 인간의 가치는 2, 30년 전에 비해 형편없이 전락했고, 모든 존재가 도구화되었습니다. 이런 현상이 나타난 것은 사람과 사람 사이에 불순물이 끼어들었기 때문입니다. 물질이나 부 같은, 없어도 좋을 불필요한 관념들이 인간과 인간 사이에 가로놓여 있기 때문에 서로 믿지 못하고 꺼리는 것입니다.

　모든 현상은 고정되어 있지 않고 끝없이 물결치며 흐릅니다. 이것이 우주의 리듬이고 실상입니다. 경제적인 불황도 인간들이 스스로 조절할 줄 모르니까, 우주의 리듬과 보이지 않는 손이 그렇게 되도록 율동했기에 발생한 것입니다. 우주가 균형의 파도를 일으키고 있는 것입니다.

그러므로 얻고 잃는 것에 연연하지 말아야 합니다. 얻었다고 해서 좋을 것도 없고, 잃었다고 해서 기죽을 것도 없습니다. 다 한때입니다. 그 당시에는 괴롭고 참기 어려웠던 일들도 지나고 보면 그때 그곳에 나름의 의미가 있었음을 알 수 있습니다. 그때는 도저히 감당할 수 없을 정도로 고통스러웠던 일도 세월이 지나 객관적으로 자기 자신을 돌아보면 그 나름의 의미가 있습니다.

IMF 위기 때도 힘들어서 스스로 목숨을 끊거나 직장에서 쫓겨난 사람이 많았지만, 지금 생각해 보면 무엇인가 까닭이 있어서 그런 시련이 우리 앞에 온 것입니다. 삶에서 일어나는 일들의 의미를 모르면 끝없이 흔들리고 고통스러울 뿐입니다. 하지만 그 의미를 안다면 고통스럽지 않습니다.

온 세계의 경제 위기가 왜 찾아왔는지 그 의미를 꿰뚫어 볼 수 있어야 합니다. 인간의 욕망은 끝이 없고 자제를 모르기에, 어떤 보이지 않는 우주의 소리와 질서에 의해서 이렇게 바로잡아지고 있는 것임을 깨달아야 합니다. 오히려 이것이 인간의 미래를 위해서는 긍정적인 의미가 될 수 있습니다. 너무 넘치기 때문에 자만하지 말라고, 누군가 우리에게 절제의 기회를 주는 것이라고 받아들여야 합니다.

옛 스승의 가르침인 〈보왕삼매론〉에는 다음과 같은 구절이 있습니다.

세상살이에 곤란이 없기를 바라지 말라.
세상살이에 곤란이 없으면

오만한 마음과 사치한 마음이 일어난다.

그래서 옛 스승들이 이르시기를

근심과 곤란으로써 세상을 살아가라 하신 것이다.

이는 순경계順境界(즐겁고 행복한 일)가 아닌 역경계逆境界(괴롭고 슬픈 일) 속에 삶의 깊은 의미가 실려 있다는 가르침입니다. 부와 물질이 넘치면 인간이 오만해지고 사치스러워집니다. 부시 정권 초기에 전 세계가 반대하는데도 불구하고 미국은 이라크를 침공했습니다. 부시 정권 자체가 오만한 정권입니다. 핵무기도 없고 화학무기도 없는데 그것을 빙자해서 이라크를 침공했습니다. 그 결과를 보십시오. 현지 사람들도 많이 희생당했고, 미국 젊은이들도 수천 명이 죽었습니다. 지금도 전쟁이 끝나지 않고 있습니다. 한 정치 지도자의 잘못된 판단과 오만함이 인류 사회에 끔찍한 재앙을 불러왔습니다.

오늘과 같은 미국 사회의 금융 위기도 시발점은 그러한 데 있습니다. 아무 의미 없는 일들에 국민의 돈을 탕진하기 때문에 어떤 우주의 리듬과 손이 건방지게 굴지 말라고 바로잡고 있는 현상이 오늘과 같은 경제 불황입니다.

추위와 더위를 피하려 하지 말고 너 자신이 추위가 되라고 하는 가르침도 같은 의미입니다. 그렇게 되면 추위와 더위도 미칠 수가 없습니다. 행복할 때는 행복에 매달리지 마십시오. 그것도 한때입니다. 자신에게 좋은 일이 있다고 해서 드러내 놓고 좋아하지 말라는 것입니다. 조심스럽게 감사히 받아들일 뿐이지, 그것이 영원히 지속되리라고 생각하지는 마십시오. 또 불행할 때는 불행을 피하려 하지 말고 받아들여야 합니다. 그것은 내 몫이고 내 차지입니다.

때때로 자신의 삶을 바라보십시오. 자신이 겪고 있는 행복이나 불행을 남의 일처럼 객관적으로 받아들일 수 있어야 합니다. 자신의 삶을 순간순간 맑은 정신으로 지켜보아야 합니다. 그렇게 하면 행복과 불행에 휩쓸리지 않고 물들지 않습니다. 그러므로 늘 깨어 있으라고 수많은 영적 스승들이 말하는 것입니다. 깨어 있으라는 말은 자기 삶을 늘 주시하라는 뜻입니다. 자기 삶을 주시하고 있으면 고통과 불행이 따라오지 않습니다.

이 세상이 어떤 세상입니까? 극락도 아니고 지옥도 아닙니다. 참고 견뎌 나가야 하는 사바세계입니다. 거기에 삶의 묘미가 있습니다. 모든 일이 우리 뜻대로 흘러간다면 좋을 것 같지만 오히려 그 결과는 좋지 않습니다. 그렇게 되면 어려움을 모르게 되고, 삶에서 영적인 깊이가 사라집니다.

우리에게 닥친 불행은 한때이며, 내가 불러들인 삶의 매듭입니다. 좋은 일이든 궂은일이든 겸허히 받아들이면서 조심해야 합니다. 어떤 현상이든 객관적으로 주시하라는 것입니다. 거기에 매몰되거나 빠져들지 말고 지켜보아야 합니다.

오늘은 동안거 수행을 시작하는 첫날입니다. 수행의 첫 번째 과제는 자기가 하는 일을 늘 살피는 것입니다. '이 무엇인가?'의 참구가 바로 그 의미입니다. 참선과 염불, 간경看經(독경, 경전을 읽는 것)을 통해서 자기 자신을 주시하라는 것입니다. 스스로를 살피면 어떤 상황에 처하더라도 고통에 짓눌리거나 흔들리지 않습니다. 힘과 지혜가 그 안에서 싹틉니다. 자기 자신을 주시하면서 삶의 의미를 발견할 수 있어야 합니다.

뜻있는 겨울안거가 되도록 우리 함께 정진합시다.

일기일회 -期-會

2008년 10월 19일 가을 정기법회

    법문을 들으러 모인 천진한 아이들처럼 코스모스와 벌개미취가 법당 앞 화단에서 서로 얼굴을 내밀고 있는 가을날, 법회에 앞서 스님은 가까운 이들과 차를 나누는 자리에서 야운野雲 선사의 〈자경문〉에 나오는 구절 "삭비지조數飛之鳥는 홀유이망지앙忽有罹網之殃이다."를 인용했다. 이는 '자주 나는 새는 그물에 걸리는 재앙이 있다.'는 뜻으로, 삶에서 자주 침묵하고, 홀로 있으면서 자신을 들여다보는 시간을 가지라는 가르침이다. 도처에서 온 3천5백여 명의 청중은 법문도 듣고 단풍이 물든 나무 아래를 거닐기도 하면서 맑고 청명한 하루를 보냈다.

    요즘처럼 청명한 가을날이 되면 사는 일이 새삼스럽게 고맙고 풋풋해집니다. 도시에서도 그렇지만 산중에 살면 날씨의 영향을 특히 많이 받습니다. 우중충하고 비바람 치는 날씨에는 마음 역시 흐리고 스산해집니다. 오늘처럼 화창한 날엔 마음이 활짝 열려서 무척 즐겁습니다. 연일 청명한 가을 날씨 덕에 저도 여러 가지로 흥겨운 일상을 지냈습니다. 빨래를 널면서 곧잘 서정주의 '푸르른 날'이라는 시를 외우곤 했습니다.

눈이 부시게 푸르른 날은
그리운 사람을 그리워하자.

저기 저기 저, 가을 꽃자리
초록이 지쳐 단풍 드는데,

눈이 내리면 어이하리야.
봄이 또 오면 어이하리야.

내가 죽고서 네가 산다면
네가 죽고서 내가 산다면

눈이 부시게 푸르른 날은
그리운 사람을 그리워하자.

　이렇게 두런두런 시를 외고 있으면 마음이 더 즐거워지고 사는 일이 새삼 고맙게 여겨집니다. 가을날 외는 시는 마음을 더없이 그윽하게 합니다. 시는 언어의 결정체입니다. 그 안에 우리말의 넋이 살아 있습니다. 나지막이 시를 외고 있으면 우리말의 아름다운 속얼굴이 투명하게 드러납니다. 가끔은 바쁜 일상 속에서 시를 읽으십시오. 지난날 학창 시절에 더러 시를 외우지 않았습니까? 세상 살다 보면 문학에서 멀어져 시가 무엇이고 소설이 무엇이며 산문이 무엇인지 망각하게 됩니다.

때로는 시를 읽으며 자기 삶을 새롭게 가꿀 필요가 있습니다. 시를 읽으면 피가 맑아집니다. 무뎌진 감성의 녹이 벗겨집니다. 험한 세상을 사느라 우리들의 감성이 얼마나 무뎌졌습니까? 달이 뜨는지 해가 돋는지 별이 있는지, 도시의 환경 자체가 우리들 감성을 무감각하게 만듭니다.

우리는 요즘 눈을 뜨기 무섭게 들려오는 우울하고 부정적인 뉴스들에 크게 위축되고 있습니다. 미국발 금융 위기가 어떻고, 외환 사정이 어떻고, 펀드와 증권으로 몇조 원이 날아가고, 농사를 짓지도 않는 사람들이 국민의 쌀 직불금을 받아 가고…… 들리는 소식마다 우리를 몹시 절망하게 만듭니다. 하나부터 열까지 그저 경제와 돈, 물질적인 얘기들뿐입니다. 경제를 살리겠다고 나선 사람들이 경제를 살리기는커녕 널뛰고 있는 경제에 갈팡질팡 쫓기고 있는 실정입니다.

입만 열면 경제를 말하는데 우리는 과연 가진 것만큼 행복한가? 스스로 물을 수 있어야 합니다. 많이 가진 사람은 그만큼 더 행복한가? 그렇다고 해서 많이 갖지 못한 사람들은 다 불행한가? 이와 같은 물음을 자기 자신에게 던져야 합니다.

외부적인 조건만 가지고 행복과 불행을 평가할 수는 없습니다. 많이 가졌으면서도 살 줄 모르면 불행하고, 적게 가졌으면서도 살 줄 알면 얼마든지 행복할 수 있습니다. 행복과 불행은 외부적인 상황이나 조건에만 있지 않고 내적인 수용, 즉 받아들이는 삶의 자세에 달려 있습니다.

요즘처럼 들려오는 소식에 휩쓸리다 보면 우리들 자신이 너무 왜소해지고 무기력해집니다. 살아가는 일에 자신을 잃고 끝없이 방황하게 됩니다. 그러나 이러한 외부적인 현상만이 삶의 전부는 아닙니다. 경제와 물질만이 우리 삶의 전부는 아닙니다. 눈을 안으로 돌리면 보다 긍정적이고 아름다우며 향기로운 영역이 얼마든지 있습니다. 우리가 늘 눈앞의 현실, 밤낮 들려오는 세상 뉴스에만 귀 기울이고 거기에 매몰되면 사는 일 자체가 무기력해집니다. 그런 외압에 짓눌려서 안으로 충분한 잠재력과 가능성이 있음에도 불구하고 그것을 일깨우려 하지 않습니다.

옛사람들은 어떻게 살았는지 그 자취를 살펴보면 후손인 우리들이 배울 점이 참으로 많습니다. 250여 년 전 서울을 배경으로 활동한 장혼張混이라는 선비가 있었습니다. 선비라고 하면 그 당시의 지식인입니다. 장혼 선비는 자신의 〈평생의 소망平生志〉이라는 글에 다음과 같은 내용을 담고 있습니다.

그는 인왕산 아래 옥류동 골짜기에 있는 허름한 집 한 채에 마음이 끌려서 언젠가 그 집을 사들여 꾸미고 싶은 소망에 부풀어 있습니다. 어느 날 그 집을 팔려고 내놓은 것을 알고 집값을 물어보니 엽전으로 5백 냥이었습니다. 250년 전 5백 냥이면 그다지 큰돈은 아니었던 듯합니다.

그래서 그는 이 집을 사들일 생각을 합니다. 집 둘레에는 자신이 평소 좋아하던 나무를 심고, 또 꽃도 가꾸고 채소밭을 일구며 살리라는 꿈에 늘 부풀어 있습니다.

그는 이 책의 부록에서 자신이 꿈꾸는 이상적인 주거 공간에서 어떻게 살겠다는 생활 모습을 낱낱이 제시하고 있습니다. 내가 누리는 행복, 일상에서 쓰는 도구(맑은 소용품 80종淸供八十種), 늘 하는 일, 귀중하게 여기는 책(맑은 책 100권淸寶一百部), 즐기는 경치, 조심할 것 등을 차례차례 나열합니다. 그중에서도 '맑은 복 여덟 가지'를 들고 있는데 그것은 다음과 같습니다.

첫째, 태평시대에 태어난 것. 자신이 태어난 시대가 전쟁이 없고 아주 태평한 시대라는 것입니다. 그때가 소위 문예부흥기라고 할 수 있는 영·정조 시대입니다. 다산茶山 정약용丁若鏞이 살던 시대이기도 합니다.

둘째, 서울에 사는 것. 요즘의 서울에 비하면 대단한 곳이 아니겠지만, 250년 전 서울은 도성으로서 지금처럼 교통도 복잡하지 않고 여러 가지로 살기 좋았던 듯합니다.

셋째, 자신이 다행히 선비라는 신분을 가진 것. 어느 정도 교육을 받았다는 뜻입니다.

넷째, 문자를 대충 이해하는 것. 이는 겸손한 표현입니다. 그는 많은 저술을 남겼으며, 초서와 예서에도 뛰어났습니다.

다섯째, 산수가 아름다운 곳 하나를 차지한 것. 자신이 그토록 꿈꾸던 옥류동 골짜기 집을 사들였기 때문에 이런 표현이 나왔는지도 모릅니다.

여섯째, 꽃과 나무 천여 그루를 가진 것. 직접 심고 가꾸는 꽃과 나무를 아주 많이 가지고 있었던 듯합니다.

일곱째, 마음에 맞는 벗을 얻은 것. 이것은 무척 중요한 일입니다. 마음에 맞는 벗은 매우 든든한 인생의 자산입니다.

여덟째, 좋은 책을 소장한 것.

장혼은 또 이렇게 읊고 있습니다.

"홀로 머물 땐 낡은 거문고를 어루만지고 옛 책을 읽으면서 그 사이에 누웠다가 올려다보면 그만, 마음이 내키면 나가서 산기슭을 걸어다니면 그만, 흥이 도도해지면 휘파람 불고 노래를 부르면 그만, 배가 고프면 내 밥을 먹으면 그만, 목이 마르면 내 우물의 물을 마시면 그만, 추위와 더위에 따라 내 옷을 입으면 그만, 해가 지면 내 집에서 쉬면 그만이다. 비 오는 아침과 눈 내리는 낮, 저녁의 석양과 새벽의 달빛, 이토록 그윽한 삶의 신선 같은 정취를 바깥세상 사람들에게 말해 주기 어렵고, 말해 주어도 그들은 이해하지 못할 뿐이다."

그는 이렇게 '그만而已'이라는 표현을 즐겨 쓰더니 "나의 천명을 따르면 그만이다." 하면서 자신이 사는 집의 이름을 '이이엄而已广'이라고 지었습니다.

지금 이 자리에 계신 여러분도 각자 자기 자신이 어떤 맑은 복을 누리고 있는지 한번 돌이켜 보십시오. 삶 속에서 내가 정말 조촐하게 지니고 싶은 맑은 복이 있다면 어떤 것인지 돌아보십시오. 그런 생각을 할 겨를도 없이 살아왔고, 맑은가 흐린가 하는 분별조차 없이 살았기 때문에 갑자기 생각이 나지는 않겠지만 이다음 한가한 시간에 자신에게 주어진 맑은 복을 어떻게 받아 쓰고 있는지 한번 생각해 보십시오.

이 글을 읽으면서 저는 새삼 저 자신이 몸담고 살아가고 있는 환경을 생각해 보게 되었습니다. 경전이든 누구의 글이든 객관적으로만 읽고 지나치지 마십시오. 자기 자신의 삶을 그 거울에 비취 볼 수 있어야 합니다. 그래야 그 글을 읽는 의미가 있습니다. 그것을 통해서 자기 자신을 읽는 것입니다.

저는 장혼의 '맑은 복 여덟 가지'를 읽으면서 새삼스럽게 저 자신의 처지를 돌아보았습니다. 제가 산중에서 혼자 지내면서도 기죽지 않고 나날이 새로울 수 있는 것 또한 무엇인가 내 뒤에서 나 자신을 받쳐 주고 있기 때문이라는 생각이 들었습니다.

그럼 내 둘레에 무엇이 있는가? 한번 돌아보니 이런 것들이 있었습니다.

첫째, 스승과 말벗이 될 수 있는 몇 권의 책이 있습니다. 고마운 존재들입니다.

둘째, 입이 출출하거나 무료해지려고 할 때 개울물 길어다 마시는 차가 있습니다. '내가 산중에 살면서 차 맛을 모른다면 무슨 재미로 살까?' 이런 생각을 문득문득 하게 됩니다. 단지 차만 마시는 것이 아니고, 그 차를 통해서 자기 자신을 되돌아보고 사물을 관조하는 여유를 갖게 됩니다. 삶의 맑은 여백 같은 것입니다.

셋째, 혼자 사는 사람들은 자칫하면 신경질을 부리고 딱딱하게 굳어지기 쉽습니다. 제가 굳어지려고 할 때 삶에 탄력을 주는 음악이 있습니다. 전기가 들어오지 않는 곳이라서 건전지를 사용하는 조그마한 소리통에서 음악을 듣곤 합니다.

넷째, 제 일손을 기다리는 채소밭이 있습니다.

책과 차와 음악과 채소밭이 제 삶을 녹슬지 않게 받쳐 주고 있다는 사실이 새삼 고맙게 여겨졌습니다. 여러분들도 한가한 시간에 자신의 삶을 녹슬지 않게 받쳐 주고 있는 맑은 복이 몇 가지나

되는지 한 번씩 점검해 볼 필요가 있습니다.

사람은 누구나 바쁜 일상 속에서도 마음 한구석에는 시간적으로나 공간적으로 한적한 삶을 누리고 싶은 꿈을 지니고 있습니다. 누구나 그렇습니다. 자식들 다 키운 뒤 시골에 내려가 조그만 밭이라도 일구면서 한가하게 그동안 살지 못했던 삶을 살고 싶다는 소망들을 갖고 있습니다. 그런 꿈 자체가 우리에게 풋풋한 가슴을 지니게 합니다. 또 그러한 꿈은 우리들의 본능입니다. 꼭 돈 있는 사람만이 아니라, 처지에 상관없이 누구나 그렇게 살고 싶어 하는 본능적인 소망이 있습니다.

앞에서 이야기한 장혼의 〈평생의 소망〉도 그런 꿈의 표현입니다. 언제 현실로 이루어질지 알 수 없는 소망이지만 미래를 설계하고 상상하는 것만으로도 현재의 삶이 여유로워질 수 있습니다. 일상에 찌들지 않고 늘 향기로운 가슴을 지닐 수 있습니다. 꿈이 있기 때문입니다.

소동파蘇東坡는 그의 〈적벽부赤壁賦〉에서 다음과 같이 말하고 있습니다.

저 강물 위의 맑은 바람과 산중의 밝은 달이여,
귀로 들으니 소리가 되고 눈으로 보니 빛이 되는구나.
가지고자 해도 말릴 사람 없고 쓰고자 해도 다할 날 없으니,
이것은 천지자연의 무진장이로다.

맑은 바람과 밝은 달을 즐길 줄 아는 사람은 세상에 그리 흔하

지 않습니다. 또 맑은 바람과 밝은 달이 늘 있는 것도 아닙니다. 젊은 사람들은 그저 '또 달이 떴구나.' 하고 생각할 것입니다. 요즘은 텔레비전을 통해 달을 봐서 그렇습니다. 그러나 나이 든 사람들은 저절로 '내 남은 평생에 둥근 달을 몇 번이나 볼까?' 그런 생각을 하게 됩니다.

한번 지나가 버린 것은 다시 되돌아오지 않습니다. 그때그때 감사하게 누릴 수 있어야 합니다. 또 달은 기약할 수가 없습니다. 이다음 달에는 날이 흐리고 궂어서 보름달이 뜰지 말지 알 수가 없습니다. 달뿐 아니라 모든 기회가 그렇습니다. 모든 것이 일기일회입니다. 모든 순간은 생애 단 한 번의 시간이며, 모든 만남은 생애 단 한 번의 인연입니다.

강과 산은 본래 주인이 따로 없습니다. 그것을 보고 느끼면서 즐길 줄 아는 사람만이 바로 강과 산의 주인이 됩니다. 이와 같이 우리 주변에는 관심을 안으로 기울이면 우리들 삶을 보다 풍요롭게 하는 대상들이 무수히 많습니다. 그런데 눈을 밖으로만 팔기 때문에, 외부적인 상황이나 그 덫에 걸려서 나의 삶과 연결이 되지 않는 것입니다.

우리 둘레에는 이렇듯 무진장한 고마운 자연이 기다리고 있습니다. 우리들을 위하고 감싸 주며 먹여 살리는 자연이 이곳저곳에 널려 있습니다. 그러나 우리가 정신을 물질에만 몰두해 있느라 그것들을 찾아내지 못합니다. 있는지 없는지 관심조차 없습니다.

그렇기 때문에 이 좋은 날, 스스로 목숨을 끊는 사람들이 많습니다. 이 청명한 가을날, 고뇌를 이기지 못해 오늘도 자살하는 사람들이 서른 명은 넘을 것이라고 합니다. 결코 자랑스러운 통계는 아니지만 우리나라 자살률이 세계경제협력기구 국가 중에서 첫째 라고 하지 않습니까? 한 해에만 12,000여 명, 하루로 치면 30여 명이 스스로 목숨을 끊고 있습니다. 단 하나밖에 없는 자신의 귀 중한 목숨을 스스로 반납하고 있는 것입니다.

목숨처럼 귀하고 소중한 것이 어디 있습니까? 단 하나뿐이고 다시 되돌릴 수 없는 일회적인 것입니다. 그런 목숨을 우리는 너 무도 소홀히 여기고 있습니다. 이 순간에도 병원에서 사경을 헤매 며 단 몇 분만이라도 더 생명을 유지하기 위해 산소호흡기를 떼지 못하는 환자들이 있습니다. 그러한 환자의 가족들은 또 얼마나 가 슴 졸이면서 그가 단 몇 분이라도 더 살기를 바라겠습니까?

이런 존엄한 목숨을 너무 손쉽게 포기하고 있다는 사실이 안타 깝습니다. 자기 혼자만을 위해서 살거나 죽는 것은 더 따질 것도 없이 수치스러운 일입니다. 결코 자랑스러운 일이 아닙니다. 개인 적인 이유가 무엇이든, 자기 혼자만을 생각하고 스스로 목숨을 내 던진다는 것은 참으로 부끄러운 일입니다.

사람은 혼자 사는 존재가 아닙니다. 시간적으로나 공간적으로 설령 떨어져 지낸다 하더라도 그는 가족과 친구, 수많은 이웃들과 함께 삶의 흐름을 이루고 있습니다. 자신이 원하든 원치 않든 그 러한 관계를 이루고 있습니다. 함께 어울려 흐름을 이루는 삶의 대열에서 자기 감정대로 이탈하는 것은 결코 명예스러운 일이 아 닙니다.

스스로 목숨을 끊는다고 해서 고통스런 일들이 해결될 수 있습니까? 죽음은 결코 끝이 아닙니다. 또 다른 삶의 시작이라는 사실을 깊이깊이 헤아려야 합니다. 이것은 모든 동서고금의 선각자들이 몇 생을 겪으면서 자기 체험에서 우러나서 하는 소리입니다. 자살은 자신의 목숨을 자신의 손으로 끊는 자해 행위입니다. 스스로 자기를 해치는 행위입니다. 그렇기 때문에 스스로 자신을 해친 자해의 업業을 짊어지고 다음 생으로 건너갑니다. 윤회의 사슬 같은 것입니다. 윤회에는 고통이 따릅니다. 그런데 그 고통에 스스로 자기 목숨을 끊은 자해의 업을 하나 더 추가하는 것입니다.

우리들이 보고 듣고 말하고 생각하고 행동하는 것은 곧 업이 됩니다. 우리 마음속에 그와 같은 씨앗이 뿌려지는 것입니다. 그 씨앗이 어떤 상황을 만나면 예상하지 못했던 결과를 낳습니다. 모든 행위는 일회적으로 끝나지 않고 업이 됩니다. 말이 씨가 된다고 하지 않습니까? 죽고 싶다, 죽고 싶다 하면 결국 죽게 됩니다. 이것이 업의 파장입니다. 누가 어떤 식으로 죽으면 바로 모방해서 죽는 경우가 있습니다. 이것이 바로 업의 파장입니다. 업의 메아리입니다. 이런 업이 인과관계의 고리를 이루고 있습니다. 인과관계의 배후에는 반드시 업이 작용하고 있습니다. 착한 업이든 착하지 않은 업이든 인과관계의 고리를 업이 이루고 있는 것입니다.

업은 그 파장이 있기 때문에 결코 단 한 번으로 끝나지 않습니다. 관성의 법칙처럼 습관화됩니다. 그래서 업력業力이 되고 업장業障으로 굳어집니다. 결코 한두 번으로 종결되지 않습니다.

한 생애를 거치는 동안, 특히 감성이 예민한 젊은 시절에는 한두 번 자살의 충동을 가질 수 있습니다. 지내 놓고 보면 그럴 만한 충분한 이유도 아닌데, 일시적인 고뇌의 늪에 갇혀서 헤어나지 못하고 그런 생각을 한 것입니다.

우리가 겪고 있는 막막한 고통은 언제까지나 지속되지 않습니다. 흐린 날이 있으면 반드시 맑은 날이 있듯이 삶은 고정되어 있지 않고 늘 유동적입니다. 모든 것은 영원하지 않고 늘 변합니다. 외부적인 상황도 변하고 자기 내면적인 생각도 변합니다. 우리의 생각은 늘 변합니다. 어제는 죽고 싶어 하지만 오늘은 살고 싶어 합니다.

자살 충동을 느끼는 사람들은 자신이 겪고 있는 고통이 끝없이 이어질 것 같은 그 순간의 절망감에서 생을 포기하고 도중하차하려 하지만 그것은 한때의 절망일 뿐입니다. 얼마 전에 자살을 해서 세상을 놀라게 한 사람들도 그 막막한 한때의 덫에서 헤어나 맑은 정신으로 인간사를 살필 수 있었다면, 그 잠시 동안의 외곬인 생각에서 벗어나 지금은 보다 넓은 시야로 자신의 삶을 새롭게 시작할 수 있었을 것입니다.

죽으면 무엇이 해결될 것 같은 환상에서 그렇게 하는 것입니다. 누구든 그 한때에 갇혀서 넘어지지 말아야 합니다. 궂은일이든 좋은 일이든 어디까지나 한때의 일일 뿐입니다. 몸이 아프거나 집안에 걱정 근심이 있거나 그 밖에 여러 가지 불행이 있을 때면 그것들이 영원히 지속될 것 같지만 그것은 순간일 뿐입니다. 거듭 말씀드립니다. 모든 것은 고정되어 있지 않고 늘 변합니다. 영원한 것은 아무것도 없습니다.

누구나 세상을 살다 보면 어려운 일을 겪지 않을 수 없습니다.

그런 경우 혼자 해결하려고 하지 마십시오. 혼자서는 일방적인 고정관념 때문에 그 늪에서 헤어나기 어렵습니다. 생각이 맴돌기 때문에 거기서 벗어나기가 힘듭니다. 가까운 친구를 만나서, 그런 친구가 없다면 가까운 절이나 교회를 찾아가서 자신이 홀로 짊어진 짐을 부려 놓아야 합니다. 절과 교회의 문은 항상 열려 있습니다. 종교는 힘들어하는 이들의 자문 역할을 하는 사회적인 존재입니다.

만약 자살하기 전에 좋은 친구나 좋은 스승이 있어 자기 짐을 부려 놓을 수 있었다면, 누구도 그렇게 비극적인 선택을 하지 않았을 것입니다.

사람은 살 만큼 살다가 목숨이 다하면 누구나 몸을 바꿉니다. 부처든 부처의 할아버지든 영원히 사는 사람은 아무도 없습니다. 제 명대로 살다가 갑니다. 마치 헌 차를 버리고 새 차로 갈아타는 것과 같습니다. 이것은 지극히 자연스러운 생명의 현상입니다. 그런데 한때의 극단적인 충동으로 멀쩡한 차를 버리게 되면 새 차는 전에 탔던 차만 못하게 됩니다. 왜냐하면 앞에서도 말한 업의 파장 때문입니다.

이 몸을 버릴 때 모든 일이 해결될 것 같고 새로운 몸을 받아 새 사람이 되어 새 삶을 살면 될 것 같지만, 업이라는 것은 영혼의 그림자처럼 따라다닙니다. 내가 평소에 보고 듣고 말하고 생각하고 행동했던 업의 찌꺼기들이 설령 이 몸을 버린다 하더라도 이다음 생까지 따라옵니다. 업력이란 본디 그렇습니다. 가령 아이들이 몇 살 되지도 않았는데 피아노에 소질이 있거나 하는 것은 이번 생에 익혀서가 아닙니다. 전생에 익힌 잠재력이 때를 만나서 개발이 되어 그렇습니다. 개인차라는 것이 그것입니다.

우리는 지금 살아 있다는 사실에 참으로 감사할 줄 알아야 합니다. 이 삶을 당연하게 생각하지 마십시오. 모든 것이 일기일회, 한 번의 기회, 한 번의 만남입니다. 이 고마움을 세상과 함께 나누기 위해서 우리는 지금 이렇게 살아가고 있습니다.

좋은 가을 맞이하시기 바랍니다.

중노릇하면서 빚만 많이 졌다

2008년 8월 15일 여름안거 해제

음력 7월 15일 백중날이자 양력으로는 8월 15일 광복절인 이 날, 새벽부터 이슬비가 뿌리고 야트막한 산들에는 연무가 어렸다. 법회가 시작될 즈음에는 비가 그치고 날이 무더워졌다. 법당 양옆에는 한여름 더위를 조소하듯 주황색 능소화가 만발했다. 법문 시작 전 스님이 청중을 향해 "지난여름 잘 지내셨습니까?" 하고 묻자 청중은 모두 "네." 하고 대답했다. 그러자 스님은 웃으면서 "대답은 '네.'이지만 힘들었죠? 저도 지난여름 아주 힘겹게 지냈습니다." 하고 말했다. 갑자기 육체에 찾아온 큰 병으로 스님에게는 지난겨울부터 여름까지 무척 고된 시간이었다.

오늘이 여름안거를 마치는 해제일입니다. 90일 전 결제일에 제가 이 자리에서 한 말을 기억하십니까? 아마 더위에 다들 잊었을 것입니다. '하루 일하지 않으면 하루 먹지 않는다―日不作 一日不食.'는 생활 규범으로 널리 알려진 백장百丈 선사의 법문을 소개했었습니다.

"어떤 것이 기특한 일입니까?"

한 수행자의 물음에 백장 스님은 말합니다.

"홀로 우뚝 대웅봉에 앉는다."

대웅산은 백장 스님이 머물던 산 이름입니다. 안거 중에 저마다 자기 삶의 현장에서, 자기 존재 안에 홀로 우뚝 앉아 있었다면 지난여름이 결코 헛된 여름은 아니었을 것입니다.

그럼 어떤 것이 과연 기특한 일인가? 한번 생각해 보십시오. 삶에서 무엇이 가장 기특한, 두고두고 기억할 만한 신비한 일인가?

지금 이 순간 우리가 이렇게 살아 있다는 사실이 기특한 일입니다. 모든 것은 삶에서 시작되고 삶을 바탕으로 이루어집니다. 우리가 살아 있기 때문에 행복도 불행도, 기쁨도 슬픔도 따릅니다. 우리가 살아 있지 않다면 모든 것이 '무無'입니다. 더위든 추위든, 행복이든 불행이든, 걱정이든 근심이든 모든 것이 우리 자신과는 무관계한 일입니다.

그렇지만 몸만 살아 숨 쉬는 것을 살아 있다고 할 수는 없습니다. 그것은 단지 생물학적인 존재일 뿐입니다. 살아 있어도 이미 죽은 사람들이 얼마나 많습니까? 죽은 채로 걸어다니는 사람들이 얼마나 많습니까? 언제 어디서 어떻게 살든, 욕망에 따르지 말고 자기 자신답게 살 수 있어야 합니다.

지금 자신의 삶에 만족하고 있는지 한번 돌아보십시오. 현재의 삶에 만족하는 사람은 많지 않을 것입니다. 지구상의 어떤 나라도 이상적인 국가는 아닙니다. 우리나라를 비롯해 그 어떤 곳도, 돈이 많든 무기가 많든 이상적인 삶을 이루는 터전이 되지 못하고 있습니다. 다들 무엇엔가 쫓기면서 불안하게 살아갑니다.

자신이 무엇을 위해 살고 있는지, 어떻게 살아야 잘 사는 것인지 저마다 가치판단이 분명해야 됩니다. 반드시 어떻게 살아야 한다는 법은 없습니다. 각자의 업이 다르기 때문입니다. 사람이 서로 다르기에 무엇을 위해 사는가도 각각 다를 수 있습니다. 하지만 그 가치판단의 기준은 확고해야 합니다.

더 말할 것도 없이 모든 살아 있는 존재는 행복을 추구합니다. 불행하게 살기를 원하는 사람은 아무도 없습니다. 그럼 지금 우리들 자신은 행복하게 잘 살고 있는가? 각자 스스로에게 물어보십시오. 지금 나는 행복한가?

사람이 행복하게 살아가는 데는 그다지 많은 물질이 필요하지 않습니다. 그럼에도 자신의 분수에 만족하지 않고 더 많은 것을 차지하기 위해 허욕을 부리기 때문에 결국은 불행해집니다.

인간은 누구나 욕망을 가지고 있습니다. 욕망 그 자체가 나쁜 것은 아닙니다. 그 욕망이 때로는 사람을 더 나은 길로 밀어 올리는 추진력이 될 수 있습니다. 의욕이 없으면 나아감과 나아짐이 없습니다. 삶에 탄력을 주기 위해서라도 적당한 욕망이나 욕구는 필요합니다. 그러나 탐욕은 인간을 옴짝 못하게 얽어매고 병들게 합니다. 지금 지구인들이 당면하고 있는 문제도 바로 이 지나친 욕심에서 비롯된 것입니다. 모두가 미국처럼, 서구인들처럼 잘살려고 하기 때문에 이 지구가 견뎌 내지 못하고 있습니다.

현재와 같은 과도한 소비의 경제 형태로는 지구가 몇 개 있어도 모자랄 형편입니다. 아무리 많은 물건을 가지고 편리하게 살아갈지라도 삶의 근본 터전인 이 지구가 망가지면 더는 생존할 수가 없습니다.

오늘날 전 지구적인 환경 재앙은 인간의 탐욕이 불러일으킨 결과입니다. 인류가 정상적인 삶을 누린다면 이 무서운 기후변화 같은 것은 있을 수가 없습니다. 생각할수록 두려운 일입니다. 당장 내일을 예측할 수가 없습니다. 경제가 발전하면 우선은 좋을지 모르지만 그만큼 한정된 지구 자원이 고갈되고 생태계가 파괴되는 반대급부를 치러야 합니다.

제가 살고 있는 강원도가 고랭지입니다. 해발 800미터인데, 올여름 들어서 폭염주의보가 몇 차례 내렸습니다. 그 고산지대에 일찍이 없었던 일입니다. 열대야 때문에 밤에 그 산중에서 잠을 설치기까지 했습니다. 전에 없던 현상입니다. 고랭지가 그 정도이면, 고랭지 아닌 곳은 더 말할 나위도 없습니다. 이 모두가 우리들 자신이 일으킨 변화입니다.

행복의 비결은 적은 것을 가지고도 만족할 줄 아는 데 있습니다. 자기가 담을 수 있는 그릇의 크기를 정확히 알고 그것에 맞게 채워야지, 욕망이 지나치면 넘칩니다. 넘치면 자기 것이 아닙니다. 넘친다는 것은 남의 몫을 내가 가로채고 있다는 뜻입니다. 자기 몫으로 만족하지 않고 남의 몫까지 내가 가로챘기 때문에 넘치는 것입니다. 이 논리를 알아야 합니다.

소위 경제발전을 위해 석유나 석탄 등 화석연료를 너무 많이 쓰는 바람에 지구가 이렇듯 온실처럼 변해 버렸습니다. 거기에는 저 자신부터 책임이 있습니다. 저 역시 온실가스를 만드는 60억 분의 1입니다.

나라마다 기후변화를 두려워하고 그 원인을 잘 알고 있으면서도 개선하려는 노력을 기울이지 않습니다. 경제 살리기만 외쳐도 한 나라의 정치 지도자로 뽑아 주는 그런 세태 아닙니까? 누군들 경제를 살리고 싶지 않겠습니까? 그렇지만 경제는 여러 가지 복합적인 현상이 얽히고설킨 상관관계에서 이루어지는 것이기 때문에 구호만 가지고 경제를 살리고 죽일 수는 없습니다. 그런 헛된 구호에 더 이상 속지 마십시오.

한정된 지구 자원을 가지고 인간들이 끝없는 욕심을 부리면 결국 지구에 파국이 올 수밖에 없습니다. 개인이든 사회든 분수 밖의 욕망은 불행을 자초합니다. 적은 것을 가지고도 고마워하고 만족할 줄 아는 삶의 지혜를 새롭게 터득해야 합니다.

오늘이 승가에서는 여름안거 해제일인데, 일명 '자자일自恣日'이라고 합니다. '자자'란, 안거가 끝나는 날 대중들이 안거 중에 지은 자신의 허물을 서로 고백하고 참회하면서 용서를 비는 일입니다. 부처님 당시부터 전해 내려오는 행사입니다. 해젯날 부처님 스스로 먼저 자기 고백을 했습니다. 누가 잘못을 저질러도 안거 중에는 전혀 탓하지 않습니다. 서로의 정진에 방해되기 때문입니다. 안거를 마치는 날, 자신이 지은 허물을 대중 앞에 고백하고, 지적할 사항이 있으면 지적해 달라고 말합니다. 승가의 아름다운 전통입니다.

오늘이 자자일이기 때문에 저 자신에 대한 이야기를 하겠습니다. 지난 세월을 돌이켜 보니 '중노릇이란 다른 게 아니라 마치 장애물경주 같다.'는 생각을 하게 됩니다. 출가 후 50여 년 동안 장애물경주를 아슬아슬하게 용케도 해 왔다는 생각이 문득 듭니다. 절에 들어와 살면서 이것저것 시주施主(자비심으로 조건 없이 절이나 승려에게 물건을 베풀어 주는 일, 또는 그런 일을 하는 사람)의 물건을 너무 많이 축내며 시은施恩(시주의 은혜)을 무겁게 졌습니다. 이것은 솔직한 저의 고백입니다. 50년을 밥이며 집이며 옷이며 공짜로 얻어 쓰고, 심지어 자동차까지 타고 다니면서 많은 빚을 졌습니다. 오늘 아침 부처님 앞에 차를 올리면서 나 자신을 되돌아보니 참으로 많은 시은을 지며 살아왔습니다. 제가 고생한 것보다는 거저 얻은 것이 너무 많았습니다. 몹시 부끄러웠습니다.

그리고 살아가면서 매사에 좀 더 너그럽지 못하고 옹졸하게 처신한 점을 뒤늦게 후회했습니다. 무엇보다 제가 한 일에 비해서 받은 것이 너무 많다는 사실을 생각할 때 '내가 중노릇하면서 빚만 많이 졌다.'는 고백을 하지 않을 수가 없습니다.

오늘은 해제일이고 또 제가 중이 된 날입니다. 1956년 7월 보름 하안거 해제일에 미래사彌來寺(경남 통영시 산양읍 미륵산에 있는 절)에서 사미계를 받고 중이 되었습니다. 저 자신의 지나온 길을 되돌아보니 방금 말씀드린 것처럼 '시은을 너무 많이 지면서 살아왔구나. 내가 세상을 위해서 한 일보다는 받은 것이 더 많구나. 앞으로 남은 생애 동안 이것을 기억하고 은혜 갚는 일에 좀 더 노력해야 되겠구나.' 하고 생각하게 되었습니다.

자자일이고 해서 이렇게 대중 앞에 고백을 합니다.

남은 여름 건강히 지내십시오.

홀로 우뚝 자기 자리에 앉으라

2008년 5월 24일 여름안거 결제

봄을 지나 여름으로 건너가는 5월 마지막 주, 흰 구름 몇 개가
떠다니는 화창한 날씨 속에 하안거 결제법회가 열렸다. 스님은
"이 5월, 절에 행사가 너무 많아 제가 자주 나타나서 피차 신선감
이 덜합니다."라는 인사말로 법문을 시작했고, 그 말에 청중이 다
함께 웃었다. 스님은 이어서 말했다. "물건이든 사람이든 희소가
치가 있어야 하는데, 너무 헐값에 자주 등장하니까 좀 그렇습니
다. 제가 그동안 병으로 나오지 못해 그걸 갚느라 이 5월에 자주
나오게 되나 봅니다. 오늘 여름안거 결제가 시작되면 이제 한동안
뜸을 들여 가지고 한참 후에나 만날 수 있을 것입니다."

모두 아시다시피 오늘은 여름안거를 시작하는 결제일입니다.
이날부터 90일 동안 우리가 어떤 각오로써, 어떤 결의로써 지낼
것인지 결정하는 날입니다. 제도를 맺는다고 해서 '결제結制'라고
하는데, 앞으로 90일 동안 나에게 주어진 삶을 어떻게 살 것인가
오늘 결정해야 합니다.

어떤 학자(기록에는 엄양嚴陽이라는 사람)가 조주趙州 스님에게 이
렇게 묻습니다.

"저는 모든 것을 버리고 한 물건도 갖지 않았습니다. 이런 때 어떻게 하면 좋겠습니까?"

이것을 어록에 나오는 남의 일로 여기지 말고 우리들 자신의 일로 생각하시기 바랍니다. 내가 불필요한 것을 다 덜어 내었는데, 그동안 가질 만큼 가졌었지만 모두 내려놓고 이제 아무것도 없는데, 이럴 때 어떻게 해야 하는가 이것입니다.

지금 여기 오신 분들이 그렇습니다. 집이나 가구나 가족들을 떠나서 홀몸으로 이곳에 와 있습니다. 지금 이 순간엔 아무것도 가진 것이 없습니다. 이럴 때 어떻게 하면 좋은가 하는 물음입니다.

조주 선사는 답합니다.

"방하착放下着."

이것은 승가의 용어로 '내려놓으라.'는 뜻입니다. 그러자 그 학자가 다시 묻습니다.

"이미 한 물건도 갖고 있지 않은데, 무엇을 내려놓으라는 말씀입니까?"

이 학자로서는 모든 것을 다 버리고 아무것도 없는데, 조주 스님이 새삼스럽게 내려놓으라고 하니까 되묻는 것입니다.

조주 선사의 답입니다.

"그렇다면 지고 가라着得去."

여기서 우리가 생각할 부분은, 이것이 말장난이 아니라는 점입니다. 아무것도 가지고 있지 않다는 생각, 이것을 불교 용어로 '상相'이라고 합니다. 내려놓았다고 해서 내려놓았다는 생각을 가지고 있으면 안 된다는 것입니다. 진정으로 내려놓았다면 그 생각과 관념에서조차 벗어나야 합니다. 그것은 분별이기 때문입니다. 기록에는 학자가 조주 선사의 말을 듣고 크게 깨친 것으로 나와 있습니다.

아무것도 가지고 있지 않다는 그 생각조차 내려놓아야 합니다. 그래야 텅 빈 속에서 무엇인가 움이 틉니다. 그런데 대개의 경우는 그런 상에 집착합니다. 이름에 집착하고, 명예에 집착하고, '왕년에 어떻게 살았는데.' 하는, 이미 지나간 부질없는 과거사에 집착합니다. 그 어떤 것보다 지금 이 순간이 중요합니다.

이것이 진리의 세계이고 선의 세계입니다. 어디에도 매이지 말고 자유로워지라는 소리입니다. 모든 것을 내려놓으라는 말은 모든 것으로부터 자유로워지라는 가르침입니다. 가졌느니 버렸느니, 선하니 악하니, 아름다우니 추하니 하는 일체의 분별들에서 벗어나라는 것입니다.

진정으로 삶을 살 줄 안다면 순례자나 여행자처럼 살 수 있어야 합니다. 그들은 어디에도 집착하지 않습니다. 그날그날 감사하면서, 나눠 가지면서 삶을 삽니다. 집이든 물건이든, 어디에도 집착하지 않는 구도자처럼 살아야 합니다.

십자가의 성 요한도 말하지 않았습니까?

"모든 것을 알고자 하는 이는 어떤 지식에도 매이지 않아야 한다. 모든 것을 소유하고자 하는 이는 어떤 것도 소유하지 않아야 한다. 모든 것이 되고자 하는 이는 어떤 것도 되지 않아야 한다. 그리고 모든 것을 가지려면 어떤 것도 필요로 함 없이 그것을 가져야 한다."

우리들 삶에서 지녔던 것을 때로는 모두 내던져 버릴 수 있어야 합니다. 우리가 한 생애를 살아오는 동안 많은 과정과 곡절을 겪으면서 때로는 내려놓았고, 또 새롭게 갖곤 했습니다. 한 생의 과정이 다 그렇습니다.

버렸더라도 버렸다는 관념에서 벗어나라는 것입니다. 선한 일을 했다고 해서 그 선한 일 자체에 묶여 있지 말아야 합니다. 그렇지 않으면 진정한 버림, 진정한 선함이 아닙니다.

바람이 나뭇가지를 스치고 지나가듯이 그렇게 스쳐 지나가야 합니다. 그렇다고 해서 그 공덕이 어디로 가지 않습니다. 내가 늘 기억한다고 해서 공덕이 있는 것도 아닙니다. 무슨 일에도 매이지 말라는 뜻입니다.

육조 혜능六祖慧能을 눈뜨게 한 구절이 〈금강경〉에 있습니다.

"응무소주 이생기심應無所住 而生其心."

어디에도 머물지 말라, 어디에도 머물지 말고 그 마음을 내라, 어디에도 매이지 말고 그 마음을 일으키라는 말입니다. 움켜쥐었던 것을 놓아 버릴 수 있어야 합니다. 어떤 것을 늘 움켜쥐고 있으면 거기에 갇혀 사람이 시들어 버립니다. 그 이상의 큰 그릇을 갖지 못하게 됩니다.

여러분도 경험했을 것입니다. 병을 심하게 앓으면 모든 게 시들해집니다. 내 몸조차도 주체스러울 때가 있습니다. 그 밖에 책이며 찻그릇이며 이것저것 챙겼던 모든 것들이 다 시시해집니다.

평소에는 그것에 얽매여 있으니까 소중하게 느껴졌는데, 이제 그것으로부터 벗어나서 물음을 던지게 됩니다. 어떤 것이 내 삶에서 가장 중요한 것인가? 어떤 것이 본질적인 것이고 어떤 것이 비본질적인 것인가? 이 생각을 하게 되면 비본질적인 것으로부터 저절로 놓여나게 됩니다.

우리가 살 만큼 살다 보면 언젠가는, 내가 원하든 원하지 않든 모든 것을 내려놓아야 할 때가 반드시 찾아옵니다. 그때 가서 아까워하며 망설일 것 없이, 내려놓는 일을 미리부터 연습해야 합니다. 그래야 진정한 자유인이 될 수 있습니다.

내려놓는 일도 하나의 수행이고 정진입니다. 단지 물건이나 생각을 내려놓는 데서 벗어나 그 자체가 하나의 수행이 될 수 있어야 합니다. 거듭거듭 털고 일어서는 수행이 되어야 합니다.

'하루 일하지 않으면 하루 먹지 않는다.'는 말로 유명한 백장 선사가 있습니다. 스님의 이름은 원래 회해懷海인데 백장산에서 오래 살았기 때문에 산의 이름을 따서 백장 스님이라 부르게 되었습니다.

한 스님이 백장 선사에게 묻습니다.

"어떤 것이 기특한 일입니까?"

경전이나 어록에 나오는 법문을 남의 일로, 과거 어느 선사의 일로 생각하지 마십시오. 지금의 내 삶에 그것을 비춰 보아야 합니다. 나 자신에게 던지는 물음으로 여겨야 합니다.

이때 백장 선사의 답은 간단명료합니다.

"독좌대웅봉獨坐大雄峰, 홀로 우뚝 대웅봉에 앉는다."

백장 선사가 머물던 산 이름을 백장산 또는 대웅산이라고 불렀습니다. 그래서 '홀로 우뚝 대웅봉에 앉는다.'고 한 것입니다. 단순하면서도 분명합니다.

　이것이 안거의 소식입니다. '홀로 우뚝 대웅봉에 앉는다.' 수행하는 사람은 어디에 거처하든 홀로 우뚝 자기 자리에 앉을 수 있어야 합니다. 길상봉에 앉든지 종로봉에 앉든지 혹은 반야봉에 앉든지, 저마다 자신이 몸담아 사는 장소에서 홀로 우뚝 앉을 수 있어야 합니다. 그래야 안거 수행을 할 수가 있습니다.

　직장 생활을 하든 집안일을 하든 바로 그 현장에서 홀로 우뚝 앉을 수 있어야 합니다. 그런 정신으로 살고 그런 정신으로 일한다면 늘 깨어 있게 됩니다.

　'홀로 우뚝 대웅봉에 앉는다.'

　선방에서 정진을 하든, 절의 후원(사찰의 부엌)에서 일을 거들든, 사무실에서 사무를 보든, 달리는 차 안이나 지하철에 있든 언제 어디서나 홀로 우뚝 자신의 존재 속에 앉을 수 있다면 그 삶은 잘 못되지 않습니다.

　이와 같이 여름안거를 한다면, 안거의 기쁨을 시시로 느낄 수 있을 것입니다. 우리 모두 함께 좋은 안거 이루기를 다짐합시다.

하루 낮 하루 밤에 만 번 죽고 만 번 산다

2008년 5월 12일 부처님오신날

해마다 이맘때, 햇차가 나올 무렵이면 산에는 꾀꼬리가 찾아온
다. 스님은 "꾀꼬리 소리 들으면서 햇차를 마시면 차 맛이 향기롭
다."는 말로 불기 2552년 부처님오신날 법문을 시작했다. 절마당
가득히, 키 큰 느티나무 위에도 연등들이 걸리고, 그 아래 모인 5
천여 명의 청중은 저마다 마음속에 등을 켜고 침묵과 새소리 속에
서 법문을 들었다. 저녁에는 환한 연등들 속에서 하모니카 연주회
가 열렸다. 이날 로마 교황청 종교간대화평의회는 부처님오신날을
맞아 전년도에 이어 또다시 축하 메시지를 발표하면서 "불교도들
과 그리스도교도들이 모든 생명 가진 존재를 존중하고 감사하는
마음으로 지구를 돌보자."고 말했다. 스님의 잠언집 〈살아 있는 것
은 다 행복하라〉가 지난주 중국의 21세기 출판사와 대만의 위안류
출판사에서 번역 출간되었다.

요즘 꾀꼬리 소리 들습니까? 꾀꼬리가 다시 찾아왔습니다. 햇
차가 나올 무렵이면 꾀꼬리가 돌아옵니다. 꾀꼬리 소리를 들으면
서 햇차를 마시면 그 차 맛이 훨씬 향기롭습니다.

또 진달래 필 무렵이면 반드시 소쩍새가 찾아옵니다. 헐벗고 황

량해진 이 땅을 그래도 저버리지 않고 철 따라 새들이 돌아온다는 것은 여간 고마운 일이 아닙니다. 해마다 잊지 않고 찾아오는 그 의리와 정상情狀을 생각하면 눈물겹기까지 합니다. 사람은 곧잘 등지고 배신을 하는데 짐승들은 옛정을 잊지 않고 의리를 지킵니다. 자연현상 속에서 우리는 배울 바가 많습니다.

이 시대 같은 불자로서 부처님오신날을 함께 축하하게 된 이 인연에 먼저 감사드립니다. 부처님의 존재가 우리들 삶에 어떤 의미가 있는지 곰곰이 생각할수록 그 은혜에 고마움을 느끼지 않을 수 없습니다.

잘 아시다시피 불교는 부처님의 가르침입니다. 부처님의 가르침일 뿐만 아니라 동시에 우리들 자신이 부처에 이르는 길입니다. 타 종교와 불교의 다른 점이 여기에 있습니다. 타 종교는 교조를 신앙의 대상으로 섬기고 따를 뿐이지 스스로 그 경지에 이를 수 있다는 가르침이 없습니다. 불교는 부처님의 가르침인 동시에 우리들 자신이 부처를 이루는, 부처의 경지에 오르는 길입니다.

석가모니 부처님은 한평생 많은 위대한 가르침을 펼쳤습니다. 그 가운데 핵심은 '자비'입니다. 곧 사랑입니다. 부처님은 자비를 이야기했고 그것을 실천했습니다. 자비의 실천이 있었기에 불교가 종교가 될 수 있었습니다. 자신의 깨달음만을 주제로 삼았다면 불교는 종교로서 존재할 수 없었을 것입니다.

모든 종교는 사랑을 말합니다. 사랑을 말하지 않는 종교는 이 세상에 없습니다. 그러나 대개의 종교는 인간 중심의 사랑에 그칩니다. 이 세상은 인간만 모여 사는 곳이 아니라 만물이 더불어 살아가고 있는 장입니다. 수많은 생명체들이 서로 영향을 주고받으면서 조화와 균형의 관계를 이루고 있습니다. 식물과 동물이 없다면 인간도 생존할 수 없습니다. 식물과 동물이 곁에 있기 때문에 서로 의지하면서 우주적인 조화를 통해 우리가 살아갈 수 있습니다. 그것이 우리가 살고 있는 세상의 이치입니다.

그러나 현 세계의 실상은 한마디로 무자비합니다. 요즘 문제가 되고 있는 미국산 쇠고기 수입 문제만 하더라도 그렇습니다. 미국 소의 광우병이 어디서 왔습니까? 초식동물인 소에게 같은 소의 뼈와 내장을 사료로 먹이기 때문에 소가 미쳐 버린 것입니다. 동양에서는 감히 상상할 수도 없는 일을, 서양 사람들은 몇 푼의 이익을 더 남기는 데 혈안이 되어서 태연히 저지르고 있습니다. 만일 사람에게도 사람의 시체를 먹게 한다면 미쳐 버릴 수밖에 없을 것입니다.

또한 요즘 조류독감 때문에 날짐승들이 큰 수난을 겪고 있습니다. 아직 병에 걸리지 않은 수많은 닭과 오리까지 산 채로 매장하고 있습니다. 인간 중심의 잔인하고 극악무도한 처사가 아닐 수 없습니다. 지금까지 우리나라에서만 무려 6천만 마리가 생매장되었습니다. 오늘 아침 뉴스를 보니까 서울시장이 시내에 있는 모든 가금류, 집에서 기르는 날짐승들을 모조리 살처분, 생매장시키겠다고 합니다. 이런 일을 아무렇지도 않게 기계적으로 자행하고 있습니다.

문제는 모든 것이 여기서 그치지 않는다는 데 있습니다. 이런 일은 반드시 업이 됩니다. 업이 되어 인간 자신의 삶에도 적지 않은 영향을 미칩니다.

자비란 무엇입니까? 자비는 사람에 대한 사랑뿐 아니라 모든 살아 있는 생명체에게 이르는 사랑입니다. 불교 초기 경전인 〈숫타니파타〉에는 여러 경전이 수록되어 있는데, 그중 〈자비경〉에 다음의 내용이 있습니다.

사물에 통달한 사람이 평화로운 경지에 이르러
해야 할 일은 다음과 같다.
유능하고 정직하고 말씨는 상냥하고 부드러우며
잘난 체하지 말아야 한다.
만족할 줄 알고 많은 것을 구하지 않고
잡일을 줄이고 생활을 간소하게 한다.
또 모든 감각이 안정되고 지혜로워
마음이 흐트러지지 않으며
남의 집에 가서도 욕심을 내지 않는다.

이런 경전 구절을 들을 때마다 자신의 삶을 이 가르침에 비춰 볼 수 있어야 합니다. 법문을 듣는 이유는 자신의 삶을 개선하기 위함입니다.

과연 나 자신은 모든 사물에 만족할 줄 아는가? 많은 것을 구하진 않는가? 무엇을 잔뜩 가지고 있으면서도 더 구하진 않는가? 온갖 복잡한 일에 얽혀 허덕이면서 헤어날 줄 모르진 않는가? 과연 생활을 간소하게 하고 있는가? 이것들을 스스로 돌아볼 수 있어야 합니다. 모든 감각이 안정되고 지혜로워 마음이 흔들리지 않는가? 남의 집에 가서도 욕심을 내지 않는가? 자기 분수를 알아서 남의 것에 한눈팔지 않느냐는 물음입니다. 경전에서는 계속해서 말합니다.

마치 어머니가 목숨을 걸고 외아들을 보호하듯이
모든 살아 있는 것에 대해서 한량없는 자비심을 발하라.

모든 살아 있는 것에 대해서 자비심을 가지라는 말입니다. 마치 어머니가 외아들을 보호하듯이 그렇게 무한한 자비심을 발하라는 것입니다.

또한 온 세상에 대해서 무한한 자비를 행하라.
위로, 아래로, 옆으로
그 어떤 장애도 원한도 적의도 없는 자비를 행하라.
서 있을 때나 길을 갈 때나 앉아 있을 때나
누워서 잠들지 않는 한 이 자비심을 굳게 가지라.
이 세상에서는 이런 상태를 신성한 경지라 한다.

여기 '자비심을 발하라.' '자비를 행하라.' '자비심을 굳게 가지라.' 등의 비슷한 표현들이 나옵니다. 이 표현들에 다 깊은 의미가 있습니다. 한마디로 말해 부처는 무엇인가? 자비심입니다. 자비심이 곧 부처입니다. 오늘날처럼 살벌하고 무자비한 세상을, 사람이 살아갈 만한 곳으로 바꾸려면 무엇보다도 자비심이 선행되어야 합니다.

불교 국가인 스리랑카에서는 결혼식 전날 스님들을 집으로 초청해 축복의 의식을 올리는데, 이때 신랑 신부가 스님들과 함께 이 〈자비경〉을 암송합니다. 새롭게 인생의 길에 들어서는 젊은 두 사람이 의지할 교훈으로서 자비의 가르침을 주는 것입니다. 자비를 발하는 것이 이처럼 삶 속에서 실천되어야 합니다.

자비의 '자慈'는 함께 기뻐한다는 뜻이고, '비悲'는 함께 신음한다는 뜻입니다. 남이 잘되는 것을 더불어 기뻐하고, 남의 고통을 그냥 바라보지 않고 더불어 신음합니다. 자비에는 함께 기뻐함과 함께 슬퍼함의 양면성이 있습니다.

저는 20여 년 전 인도와 스리랑카, 태국, 인도네시아, 대만 등지를 순례한 적이 있습니다. 이 나라를 여행하는 내내 새삼 '종교의 본질은 무엇인가?' 하는 의문이 떠나지 않았습니다.

종교의 본질이란 무엇인가?

그러다가 대만에서 며칠 묵으며 그곳 불자들을 만나면서, 그들의 삶을 통해 종교의 본질이 '자비의 실천'이라는 것을 다시금 깨달았습니다. 추상적이고 막연하던 종교의 본질이 다름 아닌 자비의 실천임을 또다시 깨친 것입니다.

그런데 자비의 실천은 혼자서는 불가능합니다. 만나는 대상을 통해서 자비가 실현될 수 있습니다. 마찬가지로 중생이 없으면 부처가 될 수 없습니다. 중생이 있기에 부처를 이루는 것입니다. 만나는 대상으로 인해 비로소 내 안에 잠들어 있는 자비의 움이 틉니다. 때문에 우리가 만나는 이웃은 나를 일깨워 주는 선지식善知識(바른 도리를 가르치는 사람)일 수 있습니다. 그러므로 그때그때 마주치는 타인을 통해서 나 자신이 활짝 열린다는 사실을 늘 기억해야 합니다.

타인을 만나서도 마음이 열리지 않는다면 그것은 평소에 준비가 되어 있지 않기 때문입니다. 수행이란 무엇입니까? 우리가 기도하고 참선하고 경전을 읽는 것은 바로 마음을 열기 위한 준비과정입니다.

이를 위해서는 늘 깨어 있어야 합니다. 그래야 자기가 할 일, 자신의 도리를 망각하지 않고 실현할 수 있습니다. 부처란 깨어 있는 사람이라는 뜻이기도 합니다. 24시간 늘 깨어 있는 존재가 바로 부처입니다.

거듭 강조하지만, 불교는 부처님의 가르침일 뿐 아니라 우리 자신이 부처에 이르는 길입니다. 어느 날 갑자기 한 생각이 일어나 부처가 되는 것이 결코 아닙니다. 수많은 세월을 두고 순간순간 자비의 실천을 통해서, 다시 말해 부처의 행을 통해 부처를 이루는 것입니다.

수행은 승려들만 하는 일이 아닙니다. 누구나 다 해야 하는 것이 수행입니다. 일상의 삶 속에서 타인을 통해 내 마음을 쓰고 타인을 대하는 일 자체가 하나의 수행입니다. 수행은 닦는 행위입니다. 수행을 절에서나 하는 것으로, 또는 승려들만의 전유물로 착각해선 안 됩니다. 일상의 삶 자체가 수행이 되어야 합니다. 무엇이든 수행으로 받아들이면 기분 나쁜 일이나 불행한 일도 참을 수 있는 용기와 지혜가 생겨납니다. 그런 의식으로 깨어 있지 않으면 대상에 늘 한눈팔게 됩니다.

"일일일야 만사만생一日一夜 萬死萬生, 하루 낮 하루 밤에 만 번 죽고 만 번 산다."는 말이 있습니다. 사람은 하루에도 수없이 생사를 거듭합니다. 수행을 하지 않아 깨어 있지 않기 때문에 일어나는 일입니다. 하루하루의 삶 자체가 수행이 되어야 합니다. 이러한 수행을 통해서, 자비의 행을 통해서 인간이 성숙해집니다. 수많은 세월을 지나며 순간순간 새로워지고, 타인과의 관계를 통해서 나 자신을 향상시킬 수 있어야 새롭게 눈이 열리고, 또한 세상을 맞이할 수 있는 기량이 갖추어집니다.

해마다 부처님오신날이 되면 등 달고, 음악회도 열고, 이렇게 모여서 이야기도 듣고 합니다. 이것을 단순한 행사로 여기지 마십시오. 저도 오늘 여기 나오면서, '내가 오늘 어떤 마음을 가지고 사람들을 대할 것인가?' 하고 생각했습니다. 똑같은 되풀이, 그것은 지겹습니다. 언제나 새롭게 시작해야 합니다. 오늘은 어제의 연장이 아닙니다. 새날입니다. 내일 일을 누가 압니까? 그날그날을 새날로 맞이할 수 있어야 합니다. 그래야만 일상에 찌들지 않고 나 자신이 새롭게 움틀 수 있습니다. 해마다 맞는 부처님오신날이지만 오늘 맞는 부처님오신날은 달라야 합니다.

반복해서 말씀드립니다. 삶 자체가 수행이 되어야 합니다. 사랑의 실천을 통해서 거듭거듭 성숙해질 수 있어야 합니다. 그렇게 되면 이 험난한 세상을 살아가는 데 지혜와 용기가 생겨서 휩쓸리지 않고 깨어 있는 정신으로 헤쳐 나갈 수 있습니다.

잠들기 전에 자기 삶을 점검해 보아야 합니다. 오늘 하루, 나는 어떤 수행을 했는가? 오늘 하루, 타인에게 무엇을 베풀었는가? 내 인생의 금고에 어떤 것을 축적했는가?

이렇게 점검한다면 하루하루의 삶이 결코 소홀해지지 않고 날마다 새로운 날을 맞이할 수 있을 것입니다.

이 자리에 모이신 여러분, 성불하십시오.

한 생각이 집을 짓고 한 생각이 집을 허문다

2008년 5월 4일 설법전 점안식

길상사는 역사가 매우 짧으면서도 불교사상 전례 없는 특이한 과정을 거쳐 절이 되었다. 원래 이곳은 1960년대부터 장안의 세력가와 정치인들이 드나들던 '대원각'이라는 이름의 고급 요정이었는데, 그 주인이던 김영한 여사가 10년에 걸친 간청 끝에 법정 스님에게 시주해 1997년 12월 14일 창건법회를 열었다. 건물은 새로 짓지 않는 것을 원칙으로 하여 기존 건물들을 보수해서 썼다. 음식점 본관은 극락전으로, 별채는 설법전으로, 주방은 공양간으로 바뀌었다. 절 우측에 위치한 별채인 기다란 한옥 건물은 요정일 때 단체 손님을 받던 곳으로, 고기 구운 기름때를 벗겨 내고 수련 장소로 사용해 왔었다. 하지만 건물이 낡고 불편하다는 지적에 따라 대대적인 보수를 거쳐 이날 새 불상을 모시고 점안식을 갖게 되었다.

여기 모인 여러분들의 도움으로 이렇게 훌륭한 설법전이 완성되었습니다. 우리가 한 생각을 어떻게 내는가에 따라서 이런 집도 세울 수 있고 또 있던 집도 허물 수 있습니다.

한 생각을 어떻게 내는가가 우리 삶의 가장 중요한 갈림길입니다. 세상의 끔찍한 범죄도 한순간 생각을 어둡게 갖기 때문에 일어납니다. 세상을 밝히는 선행도 한순간 마음을 밝게 지녔기 때문에 좋은 빛을 발하게 됩니다.

내 마음이고 내가 하는 생각이지만 삶을 통해 그 마음과 생각을 어떻게 갖는가가 중요합니다. 생각을 밝게 가지면 내 삶이 밝아지고, 한순간 무엇인가에 휩쓸려 생각을 어둡게 가지면 내 삶이 예측할 수 없을 정도로 어두워집니다.

마음은 먼 데서 찾아지지 않습니다. 바로 내 안에 늘 깃들어 있습니다. 우리가 마음을 밖에서 찾고, 다른 대상에서 찾기 때문에 그 마음이 제대로 꽃을 피우지 못합니다.

거듭 명심하십시오. 우리가 일상의 삶을 통해 한 생각을 어떻게 먹는가에 의해 우리들 삶이 달라집니다.

저는 점안식을 할 때마다 경건해야 하는데도 속으로 웃음이 나옵니다. 점안식 때는 팥을 던집니다. 잡귀들을 몰아내는 것입니다. 또 붓에 먹을 찍어 부처님 눈동자에다 점을 찍는 시늉을 하고, 솔가지 가지고 물을 뿌립니다. 저는 풋중 시절에 처음 이 의식을 보고 속으로 매우 경악하면서 '야, 이거 불교도 무속이구나!' 했는데 지내면서 보니까 그 나름대로 의미가 있음을 알았습니다. 불교뿐만이 아니라 모든 종교적인 의식에는 이렇듯 무속적인 요소가 있고 그 나름대로 다 의미가 있습니다.

여러분도 보시다시피 여기 이 부처님은 '불상'입니다. '부처님의 모습'입니다. 또한 십자가는 예수님이 처형당했던 형틀의 모습입니다.

불상이나 십자가라는 하나의 형상, 외부에 나타나는 형상을 섬기는 것이 곧 우상입니다. 실상實相이 아닌 것은 모두 우상입니다. 하지만 그러한 매개물을 통해 실상을 볼 수 있다면 그 매개물은 단순한 우상이 아니게 됩니다.

원래 부처님 시대에 불상이 있었던 것은 아닙니다. 부처님이 돌아가시고 나서도 금방 불상이 만들어지지는 않았습니다. 부처님의 인상이 너무 강했기 때문에 그 당시 제자들은 감히 부처님 형상을 만들어서 예배하자는 생각을 내지 않았습니다.

그렇게 한참 지내다 보니까, 어떤 상징물이 필요했습니다. 부처님은 보리수나무 아래서 수행해 그곳에서 부처가 되었습니다. 이제 부처님이 안 계시고 너무 허전하니까 보리수나무에 대한 신앙이 생겨납니다. 또한 부처님의 법문과 설법을 상징하는 법륜法輪(진리의 바퀴. 진리를 수레바퀴 모양의 무기에 비유한 것)으로써 부처님을 나타내게 됩니다. 그리고 45년 동안 여기저기 다니면서 가르침을 편 상징으로서 부처님 발바닥을 새겨 예배의 대상으로 삼았습니다.

그러니까 그 당시의 제자들이 부처님을 연상할 수 있는 간절한 매개물로서 보리수나 법륜, 부처님 발바닥 또는 부처님이 앉아서 설법한 좌대 등을 신앙의 대상으로 삼은 것입니다.

그러므로 여기 이 불상은 외형만 가지고 보면 하나의 우상이지만 실상에서 보면, 다시 말해 이러한 매개물을 통해 부처의 실체를 우리 스스로가 인식하게 되면 결코 단순한 사물이 아닙니다.

적멸보궁寂滅寶宮이란 말을 들어보셨을 것입니다. 적멸보궁이 어디에 있습니까?

다시 묻습니다.

적멸보궁이 어디에 있습니까?

부처님의 진신 사리(부처님의 유해에서 나온 사리. 불교에서는 최고의 신앙 대상으로 꼽는다) 모신 곳을 적멸보궁이라 부릅니다. 한국에도 몇 군데 있습니다. 오대산 상원사, 사자산 법흥사, 설악산 봉정암, 양산 통도사, 태백산 정암사 등은 부처님의 진신 사리를 모셨다고 해서 법당에 다른 불상을 설치하지 않습니다. 좌대 같은 것만 놓아두고 아무것도 없습니다. 이곳을 일러 적멸보궁이라고 합니다. 지극히 고요해서 맑고 투명한 보배로운 궁전이라는 뜻입니다. 부처님 계신 자리를 매우 신성시한 표현입니다.

그런데 우리가 늘 바쁘기 때문에 수고롭게 적멸보궁에 다닐 수 없습니다. 오늘 여기 설법전 부처님 점안식에 동참하는 인연으로 이 자리에서 저마다 마음속에 하나의 적멸보궁을 세우십시오. 지극히 고요하고 맑고 투명해서 보배로운 궁전을.

바깥에 있는 부처를 찾지 마십시오. 우리 자신이 곧 부처입니다. 마음속에 적멸보궁을 세워 늘 지니고 있다면 이 험난한 세상을 살아가면서 크게 빗나가지 않습니다. 마음에 중심이 없기 때문에 바깥 현상들에 늘 흔들리는 것입니다.

종교적인 행사도 그렇습니다. 이 외부의 행사를 통해 내 삶이 어떻게 변화해야 하는가, 이것이 나와 무슨 관계가 있는가, 늘 자신의 삶 쪽으로 돌이킬 수 있어야 합니다.

오늘 이 자리에 오신 인연으로 저마다 마음속에 적멸보궁을 지니시기 바랍니다. 그렇게 되면 세상사가 결코 허망하거나 무의미하지 않습니다. 자기 중심이 있기에 무슨 일이 닥쳐도 당당하고 행복하게 살 수 있습니다.

저도 여러분과 이렇게 한자리에 모인 인연으로 새롭게 마음속에 적멸보궁을 모시게 되었습니다.

생명 자체가 하나의 기적

2008년 4월 20일 봄 정기법회

육체에 찾아든 갑작스런 병으로 지난해 10월 가을 정기법회 이후 법문이 중단되었기 때문에 이날 봄 정기법회에는 스님을 만나 말씀을 들으려는 5천여 명의 사람들로 법당과 설법전과 절마당이 발 디딜 틈 없이 가득했다. 많이 여윈 모습의 스님은 정부가 추진하는 한반도 대운하의 어리석음과 위험성을 경고하는 한편, 병 치료차 석 달간 외국에 건너가 생활할 때의 소회를 밝히면서 "모든 것에 감사한다."고 말했다. 청중은 합장으로 답했다. 스님은 투병 기간 동안 체중이 45킬로그램까지 줄어 뼈와 가죽만 남은 부처님 고행상 같았지만 이제 조금씩 회복해 가고 있었다. 스님의 대표 산문선집 〈맑고 향기롭게〉가 이달 초 일본의 메루쿠마루 출판사에서 출간되었다. 번역자 고노 스스무河野進 선생이 책을 들고 한국을 방문했으나 스님의 병환으로 만나지 못하고 발길을 돌렸다.

그간 평안들 하셨습니까? 제가 한 70여 년 이 육신을 끌고 다녔더니 부품이 삐걱거려서 정비 공장에 들어가 정비 좀 하느라고 한동안 이 자리를 비웠습니다. 여러 가지로 많은 걱정을 끼쳐 드려 죄송합니다. 봄이 되니까 알레르기성 천식이 또 찾아와서 밤낮으로 기침을 하게 만듭니다. 말하는 도중에 기침이 나오더라도 이해

81

해 주시기 바랍니다.

지금 산과 강과 대지에 초록이 물들고 있습니다. 살아 있는 무수한 생명들이 꽃을 피우고 잎을 펼쳐 내는 이 눈부신 봄날, 여러분과 이 장소에서 다시 만나게 되어 기쁘고 감사한 마음입니다. 우리들이 지금 살아 있는 것은 당연한 일 같지만, 이것은 하나의 기적이고 커다란 축복이 아닐 수 없습니다.

생명 자체는 실제로 죽지 않는 것이지만, 개체로 보면 단 하나뿐입니다. 우리가 가족과 친구의 죽음을 슬퍼하는 이유는 다시 만날 수 없는 영원한 이별이기 때문입니다. 그러나 우리 시대에 와서 이러한 생명의 존엄성이 크게 손상되고 있습니다. 걸핏하면 어린 생명들을 유괴해 폭행을 가하고 죽입니다. 이유 없이 무작위로 살해합니다. 생명을 다루는 농경사회에서는 감히 생각조차 해 볼수 없던 끔찍한 일들입니다.

씨를 뿌려 새 움이 돋고, 또 어린 싹들이 자라는 과정을 지켜보노라면 우리 안에서 생명의 소중함이 같이 움틉니다. 그런 농경사회에서 생활하다가 흙을 멀리하고 도시에서, 산업사회에서, 정보화사회에서 살다 보니까 인성人性이 너무 메말라져서 인간의 설자리를 잃어버린 것입니다. 옛날보다 소득은 훨씬 많고 가전제품도 많아 편리하게 살고 있지만 인간의 존엄성은 어렵게 살던 그시절에 비해 훨씬 추락했습니다.

육신은 흉기로 살해할 수 있지만 생명의 근원인 영혼은 그 무엇을 가지고도 죽일 수 없습니다. 남을 죽이는 것은 결과적으로 자기 자신을 죽이는 일이 될 뿐입니다.

우리가 몸담고 있는 이 세상은 인간들만 사는 곳이 아닙니다. 겉모습은 다를지라도 수많은 생명체들이 서로 주고받으면서 어울려 함께 살아갑니다. 균형과 조화로 생명의 연결고리인 생태계를 이루는 것입니다. 그런데 현대에 와서 이 땅의 생태계가 커다란 위협을 받고 있습니다. 땅이고 강이고 어느 한 곳 성한 데가 없습니다. 허물고 파헤쳐져 대지가 피를 흘리면서 신음하고 있는 것이 현실입니다.

그런 가운데 정부가 은밀히 추진하고 있는 한반도 대운하 계획은 이 땅의 무수한 생명체를 위협하고 파괴하는 끔찍한 재앙입니다. 대지는 한두 사람의 생각만으로 허물고 파괴할 수 있는 대상이 아닙니다. 어떤 정책과 권력으로도 이 땅을 만신창이로 만들 수는 없습니다. 이 국토는 오랜 역사 속에서 조상 대대로 이어져 내려온 우리의 영혼이고 살이고 뼈입니다. 그리고 우리만 살다 갈 곳이 아니라 후손에까지 물려줄 신성한 땅입니다.

대운하를 만들겠다는 생각 자체가 이 신성한 대지에 대한 무례함이고 모독임을 알아야 합니다. 어떻게 감히 그런 생각을 할 수 있습니까? 이 땅은 무기물, 바위나 흙으로 되어 있지 않습니다. 많은 생명체들이 함께 이 땅을 이루고 있습니다.

살아 있는 강은 이리 구불 저리 구불, 굽이굽이마다 자연스럽게 흘러야 합니다. 강을 직선으로 만들고, 깊은 웅덩이를 파서 물이 흘러가지 못하도록 채워 넣고, 강변에 콘크리트 제방을 쌓아 놓으면 그것은 결코 살아 있는 강이 아닙니다.

그리고 갈수록 잦아지는 국지성 호우는 토막 난 각각의 수로에

범람을 일으켜 홍수 피해를 가중시킬 것임에 틀림없습니다. 1920년대 미국 플로리다 운하가 완공되자마자 홍수가 범람해 2천여 명이 떼죽음을 당한 참사가 있지 않았습니까? 이런 일은 운하의 위험성을 드러냅니다. 운하에는 물을 항상 채워 넣어야 하기 때문에 갑작스런 폭우 때 강이 범람하는 것은 당연한 일입니다.

청계천과 운하는 그 뜻이 전혀 다릅니다. 청계천은 이미 있었던 개천을 복원한 것이고, 한반도 대운하는 멀쩡한 우리 국토를 허물고 파헤치고 토막 내겠다는 지극히 반자연적인 무모한 계획입니다. 일찍이 없었던 이런 위험한 국책 사업이 이 땅에서 이루어진다면 커다란 재앙이 일어날 것입니다.

제가 몸의 부품을 수리하면서 느낀 소감을 이 자리에서 몇 가지 말씀드리겠습니다. 사람은 살 만큼 살면 늙습니다. 또한 때가 되면 다 죽습니다. 영원히 산 사람은 없습니다. 앓고 나면 철이 든다더니 새삼스럽게 둘레의 모든 사람들이 고맙습니다. 저를 에워싸고 있는 모든 사물들이 새삼스럽게 소중하다는 생각이 듭니다.

또한 죽을병이 아닐 경우에는 앓을 만큼 앓으면 낫습니다. 치료하면서 음식을 제대로 먹을 수가 없었습니다. 50일이 넘도록 거의 단식 상태였습니다. 저를 간호한 사람들은 갈비뼈만 앙상히 남은 제 모습이 마치 6년 고행한 부처님 같다고 했습니다. 그때 저의 체중이 45킬로그램을 조금 넘었습니다. 지금은 많이 회복되었습니다.

앓으면서 생각했습니다. '그날그날을 즐겁게 살자.' 내일은 기약할 수 없습니다. 오늘 우리가 만나서, 눈부신 봄날 이렇게 마주 앉아 오랜만에 이야기를 주고받고 있지만 내일 일을 누가 압니까? 하루하루를 잘 살고, 후회 없이 살아야 합니다.

그러기 위해서는 먼저 내 마음이 활짝 열려야 합니다. 우리가 세상을 살아갈 때 가장 어려운 것이 인간관계입니다. 가족과의 관계, 친구들과의 관계, 일터에서의 관계…… 늘 관계가 문제입니다. 그런데 알면서도 실제로는 잘되지 않습니다. 내 마음을 내가 활짝 열 수 있어야 하는데 말은 쉽지만 그렇게 되지 않습니다.

문제를 극복하기 어려울 때마다 이렇게 생각해야 합니다.

'나는 영원히 사는 존재가 아니다. 언젠가는 이 세상과 작별할 것이다.'

'내일 내가 이 세상을 하직할지도 모른다. 살아 있는 이때, 내가 나를 비워야 한다. 타인과의 매듭을 풀어야 한다.'

이런 생각을 철저히 가져야 합니다. 그렇게 하면 저절로 마음의 메아리가 전달되어 상대방의 마음도 풀립니다.

이 바쁜 날, 이 좋은 날, 우리가 절에 와서 이런 행사에 참여하는 것도 세상을 보다 지혜롭고 너그럽게 사는 길을 찾기 위함입니다. 문제는 내가 내 마음을 어떻게 쓰는가 하는 것입니다. 이 세상을 잘 살고 못 살고 하는 것이 거기에 달려 있습니다. 절에서 흔히 마음을 찾는다고 하지 않습니까? 참선하고 염불할 때, 마음을 찾으라고 말합니다. 우선은 눈에 보여야 찾을 것 아닙니까? 지극히 관념적인 소리입니다.

마음을 제대로 쓸 줄 알아야 합니다. 마음을 찾는 일보다 용심用心, 내가 내 마음을 제대로 쓰는 것이 더 중요합니다. 온전하게 쓸 줄 알 때 내 마음이 열리고, 잘못 쓰면 겹겹으로 닫힙니다. 순간순간 마음을 열고 산다면 둘레의 모든 것이 긍정적으로 나를 반깁니다. 나를 받아들입니다.

이 사바세계에 어려운 일 없는 이가 어디 있으며, 어려운 일 없는 집안이 어디 있습니까? 어려운 일을 피하려 하지 말고 그대로 받아들일 수 있어야 합니다. 피하려야 피할 수 없는 것이 이 삶입니다.

이번에 앓으면서 속으로 또 느낀 것이 이것입니다.

'왜 내가 이 나이에 이렇게 중병에 걸려 치료받아야 할까? 그 이유가 무엇인가?'

이렇게 생각하니 모든 것이 그 나름의 의미가 있었습니다. 남들은 앓는데 나만 앓지 않는다면 나 자신이 더없이 오만해집니다.

이 몸을 가지고 이 세상에 태어나면 언젠가는 다 병을 앓게 마련입니다. 생로병사의 숙명입니다.

'좋다, 이 과정을 통해 내가 인간으로나 수행자로나 보다 성숙해지리라.'

이런 생각으로 투병을 하니까, 마음에 여유가 생깁니다. 모든 것을 그대로 받아들이겠다는 생각이 마음을 여유롭게 합니다.

달마達磨 스님의 법문 〈관심론〉에도 나오지 않습니까?

"마음, 마음이여, 알 수가 없구나. 너그러울 때는 온 세상을 받아들이다가도 한번 옹졸해지면 바늘 하나 꽂을 자리 없구나."

온 세상을 다 받아들이다가도, 온 세상을 다 용납하다가도 마음이 한번 뒤틀려 옹졸해지면 바늘 하나 꽂을 자리가 없다는 것입니다. 그것이 우리 마음입니다. 모두를 받아들이는 것은 우리의 본심本心, 본마음이고, 바늘 하나 꽂을 자리 없이 옹색하고 뒤틀린 마음은 내 마음이 아닙니다. 따라서 빨리 비워야 합니다. 뒤틀린 마음을 지니고 있는 나는 본래의 내가 아닙니다. 빨리 비우고 너그러운 마음으로 바꾸어야 합니다.

이와 같이 삶 속에서 마음 쓰는 훈련을 해야만 합니다. 참선하고 염불하고 경전 읽는 것도 내가 내 마음을 바르고 온전하게 쓰기 위해서가 아닙니까? 수행을 통해 내가 내 마음을 활짝 열고 살기 위함입니다. 그 밖의 결과를 바라지 마십시오.

우리가 하루하루 살아가는 이 삶이 학교이고 배움입니다. 우리는 그 목적을 위해서 이곳에 왔습니다. 어제 몰랐던 것을 오늘 배우게 됩니다. 그때 삶의 묘미를 스스로 터득하게 됩니다.

우리는 지금 이렇게 순간순간 살고 있습니다. 이 매 순간을 깨어서 활짝 열린 마음으로 살 수 있어야 합니다. 또 사는 일 자체가 즐겁고 기뻐야 합니다. 그런 과정을 통해 타인과의 관계도 매듭이 풀리고 더욱 깊어질 수 있습니다.

승복 입은 도둑들

2007년 10월 21일 가을 정기법회

속俗이 성聖을 걱정하는 시대가 되었다. 부처님은 생존 시에 한 벌의 옷과 한 개의 밥그릇으로 일곱 집을 탁발해 음식물을 구했고 一衣一鉢 七家食, 그 제자 가섭은 마을 밖 쓰레기장에서 주운 조각난 천을 꿰매서 만든 분소의糞掃衣를 입고 평생을 살았지만, 오늘의 한국 불교는 재물이 넘치고 분쟁이 끊이지 않는다. 구름 한 점 없이 맑은 이날, 연보라색 벌개미취가 하늘거리는 가을 뜨락에 3천여 명의 청중이 운집한 가운데, 스님은 동국대학교 승려들 간의 다툼, 마곡사 비리 주지 구속과 관음사의 주지 다툼, 백담사 공금 횡령 등을 통렬히 비판하면서 '같은 옷 입고 있는 사람'으로서의 참회와 부끄러움을 토로했다. 법회 뒤에는 일본의 저명한 불교 작가 이츠키 히로유키五木寬之 씨가 찾아와 스님과 대담을 나누었고, 스님의 잠언 모음집 〈살아 있는 것은 다 행복하라〉가 일본 레이타쿠 대학교 출판부에서 간행되었다. 이 법회가 끝나고 스님은 몸에 큰 병이 발견되어 이듬해 봄까지 법회에 나오지 못했다.

저는 오늘 이 자리에 서기가 몹시 부끄럽고 민망합니다. 최근 불교 종단 일각에서 주지 자리를 놓고 다투는 작태가 알려짐에 따라, 같은 옷을 입고 있는 한 사람으로서 세상에 대해 실로 면목이 없습니다. 무엇을 위해 부모 형제와 살던 집을 등지고 출가했는지 거듭 묻지 않을 수 없습니다.

주지 자리를 놓고 다투는 이유는 한마디로 출가 정신의 부재에 있습니다. 출가란 단순히 집에서 뛰쳐나오는 것이 아니라 온갖 욕망과 집착에서 벗어남을 뜻합니다. 매 순간 참선하고 기도하고 부처님의 가르침을 받아 지니고 있다면 결코 세속적인 유혹이나 욕망에 넘어가지 않습니다. 안팎으로 자신을 갈고닦지 않고 수행 정진하지 않으면, 그 누구를 막론하고 비리에 물들기 쉽습니다.

더 말할 것도 없이 승가의 생명은 청정함에 있습니다. 그래서 지극한 마음으로 청정 승가에 귀의하는 것입니다. 청정성을 잃었을 때는 더 이상 승가가 아닙니다.

참선과 기도에 몰입하는 수행자의 모습은 실로 거룩하고 아름답습니다. 그에게는 지금 수행하고 있는 그 일 말고는 어떤 욕망도 없기 때문입니다. 그는 그 수행을 통해서 자유와 평안의 경지에 들어갑니다.

그러나 만일 겉으로만 수행자 차림을 하고 속으로는 돈이나 명예를 생각한다면 그는 누가 보아도 결코 아름다울 수 없습니다. 그에게서 무지와 욕망의 기운이 나오기 때문입니다. 그런 사람은 불자가 아니라 가사袈裟 입은 도둑입니다.

서산西山 스님의 〈선가귀감禪家龜鑑〉에 이런 구절이 있습니다.

"돈과 명예를 추구하는 수행승은 초야에 묻혀 사는 시골 선비만도 못하다."

부처님 당시에도 지금과 유사한 일이 있었던 모양입니다. 부처님이 통탄하며 이렇게 말한 적이 있습니다.

"어찌하여 도둑들이 내 옷을 꾸며 입고 부처를 팔아 온갖 악업을 짓고 있는가?"

불쾌한 소리는 그만하고, 오늘은 날씨가 참 좋습니다. 산과 들이 아름답게 물들고, 단풍 구경 가는 사람들이 휴게소마다 넘치고 있습니다. 번잡한 일상사에서 벗어나 아름다움을 찾아나서는 일은 우리들의 삶에 커다란 위안이 될 것입니다. 그래서 오늘은 아름다움에 대해 이야기하려고 합니다.

인간의 삶에 아름다움이 없으면 너무 삭막하고 건조합니다. 오늘 우리들은 돈과 관계된 것에만 눈을 파느라고, 경제 생각만 하느라고 삶의 가장 내밀한 영역인 아름다움을 등지고 삽니다. 아름다움이야말로 삶의 기쁨이고 행복에 이르는 길목입니다. 아름다움을 만나지 못한다면, 우리들 삶이 아름다움으로 채워지지 않는다면, 우리는 결코 행복해질 수 없습니다. 행복은 아름다움이 그 삶을 받쳐 주어야만 도달할 수 있는 영역이기 때문입니다.

그렇다면 아름다움을 소유할 수 있을까?

제가 봉은사奉恩寺(서울 강남구 삼성동에 있는, 794년에 창건된 고찰)에 있을 때의 일입니다. 무슨 글을 읽다가 자극을 받아 백자 항아리를 하나 갖고 싶어졌습니다. 그래서 인사동에 가서 아는 사람을 통해 옛날 항아리를 하나 구했습니다. 약간 금이 갔지만 며칠 동안은 매우 애지중지했습니다. 밤에 자다가도 벌떡 일어나서 불을 켜고 들여다볼 정도였습니다. 그런데 한 달쯤 지나니까 거기 항아리가 있는지 없는지 관심조차 없어졌습니다. 항아리 자체의 아름다음에 매혹된 것이 아니었기 때문입니다. 남도 갖고 있으니 나도 하나 갖고 싶다는 욕심에서 그런 현상이 일어난 것입니다.

아름다움은 결코 소유할 수 없습니다. 남이 가졌다고 해서 충동적으로 가지려고 하면 아름다움과는 거리가 멀어집니다. 소유로부터 자유로울 때 비로소 아름다움을 누릴 수 있습니다.

제가 몇 해 전 경기도 광주에 있는 어느 도예가의 작업장에 갔을 때의 일입니다. 그곳에서 유약을 전혀 바르지 않고 천연 그대로 구워 놓은 항아리가 눈에 띄었습니다. 유심히 보는 제 눈길을 느꼈던지 주인장이 선뜻 저한테 안겨 주었습니다. 그 항아리는 지금까지 곁에 두고 보고 있습니다. 욕심이 나서가 아니라 저절로 반해서 좋아했기 때문에 지금도 늘 곁에 두고 있으며 그 항아리에서는 여전히 아름다운 모습이 풍겨 나옵니다. 제 마음이 무척 정결해집니다.

하나의 조그마한 항아리이지만 욕심을 갖지 않고 텅 빈 마음으로 보니까 그 아름다움, 그 항아리의 진정한 아름다움을 수시로 캐낼 수 있는 것입니다. 내 소유물이 아니라도 보는 눈과 투명한 감수성을 갖추고 있다면 어디서나 아름다움을 만날 수 있습니다. 투명한 감수성을 다른 말로 표현하면 순수한 사랑입니다. 순수한 사랑이 없으면 아름다움을 만날 수 없습니다.

따뜻한 사랑의 눈으로 보면 보이는 것마다 모두 아름다움을 지니고 있습니다. 그것은 어디에도 집착함이 없는 우리의 본성이기도 합니다. 베토벤이나 모차르트 또는 바흐의 음악을 들으면서 좋아하는 것은 우리가 그것들을 소유해서가 아니라 그 작곡가의 감성과 우리의 감성이 일치하기 때문입니다. 동일한 음악을 들으면서도 그저 그렇다고 느끼는 이가 있는가 하면 어떤 사람은 황홀경에 빠집니다. 그것은 작곡가나 연주자와 듣는 사람 자신이 일체감을 이루는가 못 이루는가에 달려 있습니다.

아름다운 사물을 접했을 때 그것과 하나가 되어야 합니다. 나와 그 대상이 하나가 될 때, 그 대상이 지니고 있는 가장 오묘한 아름다움을 캐낼 수 있고 만날 수 있습니다. 모든 예술품은 그것을 만든 사람에 의해 완성되는 것이 아닙니다. 어떤 예술가도 자기 작품에 100퍼센트 온전한 아름다움을 집어넣을 수 없습니다. 그는 그 작품에 절반의 혼만을 불어넣을 수 있습니다. 나머지 절반은 소장자에 의해, 감상하는 사람에 의해, 그 대상을 사랑하는 사람에 의해 채워집니다. 하나의 음악이 완성을 이루려면 작곡가나 연주자와 듣는 사람이 하나가 되어야 합니다.

우리가 아름다운 사물을 보고 인식하고 경험하려면, 그것이 도자기이든 그림이든 건축물이든 우리 존재가 그것과 하나가 되어야 합니다. 모든 분별을 떠나서, 욕심을 떠나서 하나가 될 때 아름다움의 극치를 경험할 수 있습니다.

아름다움에 절대적 기준이 있는 것은 아닙니다. 지금 뜰에 단풍이 물들기 시작하고 있는데 저 단풍은 작년의 것과 다릅니다. 내일은 또 다른 모습으로 있습니다. 순간순간 자신이 지니고 있는 아름다움을 마음껏 내뿜고 있는 것입니다.

우리가 맑고 순수한 마음으로 보면 그 아름다움을 인식할 수 있지만, 선입견을 갖고 보거나 작년 것과 비교하거나 하면 지금의 아름다움을, 아름다운 저 나무를 인식할 수가 없습니다.

누구나 자기 나름의 아름다움을 지니고 있습니다. 투명한 감수성이, 사랑이 있어야 그 아름다움을 찾아낼 수 있습니다. 마치 조각가가 아무 표정도 없는 돌덩이에서 아름다움을 캐내듯이.

임제臨濟 선사 어록에 이런 구절이 있습니다.

"무사시귀인 단막조작無事是貴人 但莫造作."

'있는 그대로가 귀하다. 일부러 꾸미려고 하지 말라.'는 뜻입니다. 존재 자체는 있는 그대로가 귀하다는 것입니다. 그 독특함은 누구도 모방할 수가 없습니다. 저마다 그 나름의 모습을 지니고 있고, 아름다움을 지니고 있습니다. 그러니 남과 비교해서 그걸 꾸미려고 하지 말라는 것입니다. 꾸미면 가짜입니다. 천연성이 사라지기 때문입니다. 무엇에도 걸림 없는 자연스러움이 귀하다는 말입니다.

자연스럽다는 것은 그 안에 조화와 균형이 갖추어져 있다는 뜻입니다. 따라서 남과 비교하지 말아야 합니다. 저마다 자기 얼굴이 있습니다. 그런 자기만의 얼굴을 스스로 가꾸고 드러내려고 노력해야 합니다. 또한 그런 얼굴은 사랑의 눈으로만 인식될 수 있습니다.

"아름다운 얼굴이 추천장이라면 아름다운 마음씨는 신용장이다."라는 말이 있습니다. 의미심장한 말입니다. 겉으로 드러나는 얼굴에, 맹목적인 유행에 속지 말라는 소리입니다. 추천장은 믿을 것이 못 됩니다. 신용장인 마음씨가 고와야 합니다.

아름다움에는 여백의 미가 있습니다. 동양화에서 여백은 그 그림의 격을 좌우할 정도입니다. 서양화에는 여백이 거의 없습니다. 덜 채워진 부분, 좀 모자라는 구석이 있어야 합니다. 그립고 아쉬움이 따라야 합니다. 이와 같은 여백의 미는 우리들 삶에도 적용되어야 합니다. 가득가득 채우려고만 하면 욕망이 작용해서 아름다움과는 거리가 멀어지고 추해집니다. 그러나 덜 채우면 그 빈자리에 생기가 돌아서 시들지 않는 품격이 감돕니다.

세상 사는 일도 그렇습니다. 가득가득 채우려는 욕망은 결국 그 스스로를 걸려 넘어지게 만듭니다. 좀 모자란 듯한 구석, 덜 채워진 구석이 있어야 사는 맛이 납니다.

아름다움에는 또 거리낌 없는 무애無碍의 미가 있어야 합니다. 우리의 '미륵반가사유상'과 로댕의 '생각하는 사람'은 똑같이 생각하는 모습입니다. 그렇지만 둘 사이에는 분명한 차이가 있습니다. '미륵반가사유상'에는 고요와 평안과 잔잔한 미소가 스며 있습니다. 그래서 그 앞에 서면 저절로 고요와 평안과 미소가 우리 안에 스며듭니다. 그러나 로댕의 '생각하는 사람'에는 그러한 고요와 평안과 미소가 없습니다. 그저 무거운 고요가 감돌고 있을 뿐입니다. 직접 본 분은 아시겠지만, 파리의 로댕 박물관 뜰에 있는 '생각하는 사람'은 무거운 고요 속에 굳어 있습니다. '미륵반가사유상'에는 어디에도 거리낌이 없는 아름다움이 깃들어 있는데, '생각하는 사람'에는 이 무애의 미가 결여되어 있습니다. 그래서 그 앞에서는 그저 무겁고 답답하기만 할 뿐입니다. 철학자 야스퍼스가 '미륵반가사유상'을 보고 그토록 격찬한 이유를 우리는 알아야 합니다.

그 사물의 아름다움이 거리낌이 없을 때 우리는 감동을 받습니다. 물론 그 작가의 혼이 그렇게 작용을 한 것입니다. 동양과 서양의 사유상思惟像을 통해서도 우리는 동서 문화의 차이를 감지할 수 있습니다.

걸림이 없는 무애의 시를 한 편 소개해 드리겠습니다.

대 그림자 뜰을 쓸어도 먼지 일지 않고
달이 연못에 들어도 물에는 흔적 없네.

竹影掃階塵不動 月輪穿沼水無痕

〈금강경오가해金剛經五家解〉에 나오는 야보冶父 선사의 송頌입니다. 바람이 불어 대나무가 일렁거려서 마치 뜰을 쓰는 것 같습니다. 그러면서도 먼지 하나 일지 않습니다. 또 밤에 달이 연못 속에 들어가도 물에는 아무 흔적이 없습니다.

뛰어난 장인은 자취를 남기지 않습니다. 자기가 만든 작품으로부터 자유로워진 것입니다. 그러나 명인이든 도인이든 생각을 가지고 작품을 만들면 흔적이 남습니다. 만들 때의 그 사람의 마음이 그 작품에 그대로 드러납니다. 전시회에 가서 그림이든 조각 작품이든 도자기이든 아무 고정관념 없이, 그 작가에 대한 아무 선입견 없이 빈 마음으로 보면 그 작품을 만든 사람의 인품을 짐작할 수 있습니다.

진정한 아름다움은 샘물과 같아서 아무리 퍼내도 다함이 없습니다. 그러나 가꾸지 않으면 솟아나지 않습니다. 어떤 대상에서 아름다움을 찾고 만나는 것은 그리 어려운 일이 아닙니다. 눈으로 보고 귀로 듣고 안으로 느낄 수 있으면 됩니다. 그러나 나 자신이 지닌 아름다움은 가꾸지 않으면 솟아나지 않습니다.

내 안의 샘에서 아름다움이 솟아나도록 해야 합니다. 남과 나누는 일을 통해 나 자신을 수시로 가꾸어야 합니다. 우리가 참선하고 염불하고 경전을 읽는 것은 자신을 가꾸는 추상적인 일입니다. 보다 구체적으로 나눔의 삶을 살아갈 때 내 안에 들어 있는 자비심이 샘솟듯 생겨납니다. 아름다움은 시들지 않는 영원한 기쁨입니다.

이 가을에 무엇인가 새롭게 시작하시길 권합니다. 그날이 그날인 것처럼 지내지 마십시오. 이 가을은 다시 만날 수 없는 일기일회, 생애 단 한 번뿐인 가을입니다. 누구도 내일을 기약할 수 없는 것이 이 삶입니다. 이 가을날, 그저 대상만 보고 즐길 것이 아니라 내 안에서도 샘솟는 아름다움이 있어야 합니다. 거듭 말씀드리지만 그 아름다움은 남과 나누는 데서 움이 틉니다. 이 가을에 다들 아름다움을 만나고 가꾸면서 행복해지시기 바랍니다.

이곳까지 몇 걸음에 왔는가

2007년 5월 31일 여름안거 결제

여름의 태양을 닮아 가는 5월 마지막 날(음력 4월 15일), 전국 선원에서는 이날부터 석 달간 두문불출하는 수행 정진에 들었다. 도심 속에 있는 길상사는 안거의 정신을 살려 기도 정진하는 마음으로 살기 위해 매번 결제와 해제 법회를 열고 있다. 이날 스님은 절 마당에 가득 모인 청중을 향해 이렇게 첫인사를 건넸다. "햇볕에 앉아 계시는 분들, 후회하지 말고 그늘로 가십시오. 요사이 자외선이 너무 독해서 신상에 해로울 테니 서둘러 나무 아래로 가십시오." 그러자 1천여 청중은 뙤약볕에 앉아서도 "괜찮습니다." 하고 대답하며 웃었다.

오늘 날씨가 좋습니다. 날씨는 우리가 살아가는 데 매우 중요한 역할을 합니다. 날이 잔뜩 흐리고 비바람이 불면 마음도 따라서 몹시 스산해지고 침체됩니다. 특히 정신이 허약한 사람은 날씨의 영향을 많이 받습니다. 날이 화창하면 새들도 아침부터 무척 즐겁게 노래합니다. 자연의 일부인 사람 역시 화창한 날에는 마음이 맑고 투명해져서 한결 명랑해집니다. 흐린 날 사람을 만나면 별로 좋지 않습니다. 하지만 맑은 날 사람을 만나면 서로가 그 존재에 가려진 것이 없기 때문에 더욱 친밀해질 수 있습니다.

어제는 제가 과식을 했는지 갑자기 속이 답답하고 식은땀이 나서 오늘 여기에 나올 수 있을까 걱정했는데 다행히 하루 저녁 굶었더니 괜찮아졌습니다. 과식들 하지 마십시오. 특히 저 같은 자취생은 남은 음식을 버리기 아까우니까, 무조건 다 먹어 치우는 바람에 소화가 안 되는 경우가 더러 있습니다.

오늘은 여름안거 첫날입니다. 그래서 조주 스님의 일화를 음미해 보겠습니다. 불교 역사 가운데 이런 스님이 계셨다는 사실만으로도 마음이 든든합니다. 많은 선지식들이 계시지만 특히 조주 스님 같은 분은 청정 승가의 본보기입니다. 말로써 가르쳤을 뿐 아니라 스스로 행동으로 실천해 보였습니다.

이분은 120해를 살았습니다. 8세기 후반에서 9세기 말까지 장수하신 분입니다. 그래서 흔히 조주 고불趙州古佛, 즉 옛 부처님이라 부르곤 합니다.

조주 스님은 어려서 출가를 했습니다. 절에서는 견습 승려일 때를 사미라고 부르는데, 사미 때 남전南泉 스님을 친견하게 됩니다. 남전 스님은 당대의 이름 높은 큰스님이었습니다.

이때 남전 스님은 몸이 고단해서 주지실에 누워 있었습니다. 한 사미승이 들어와 인사하는 것을 보자 스님은 대뜸 "어디서 왔느냐?" 하고 묻습니다. 승가에서 어디서 왔느냐는 물음은 지역을 말하는 것이 아니라 일종의 선문답입니다.

그러자 사미승은 "서상원에서 왔습니다." 하고 답합니다. '서상원'은 절의 이름입니다. 상서로울 '서瑞', 모양 '상相'입니다.

"그래? 그럼 서상을 보았느냐?"

남전 스님이 묻습니다. 서상원에서 왔다고 하니 과연 서상, 즉 상서로운 상을 보았느냐는 물음입니다.

이때 사미가 대답합니다.

"서상은 보지 못했지만 누워 계신 부처님은 보았습니다."

이에 남전 스님이 벌떡 일어나 앉으며, '보통 물건이 아니구나.' 하며 내심 기뻐합니다.

"넌 주인이 있는 사미냐, 주인이 없는 사미냐?"

남전 스님이 묻습니다. 유주사미有主沙彌인가 무주사미無主沙彌인가? 정해진 스승이 있는가, 아직 정해진 스승이 없는가 하는 것입니다.

사미가 대답합니다.

"주인이 있습니다."

"그가 누구냐?"

사미는 그 즉시 자리에서 일어나 스님을 향해 공손히 큰절을 올리고 나서 천연덕스럽게 말합니다.

"정월이라고는 하지만 아직도 날이 매우 춥습니다. 큰스님께서는 언제나 건강하시기를 바랍니다."

사미는 남전 스님을 자기 스승으로 여기고 예배드린 것입니다. 남전 스님도 그를 매우 기특하게 여겨서 특별히 보살피게 됩니다. 이와 같이 조주 스님은 어렸을 때부터 번쩍이는 선기禪機, 곧 선의 기틀을 지닌 분이었습니다. 수많은 생 동안 수행을 해 왔기 때문일 것입니다.

스승과 제자가 만나서 처음 주고받는 문답은 매우 중요합니다. 한 생애를 좌우합니다. 두 사람의 관계 속에서 한 생애를 주고받습니다.

한 청년이 금강산에 큰스님이 계시다는 이야기를 듣고 찾아갑니다.

큰스님이 묻습니다.

"어디서 왔는가?"

청년이 답합니다.

"신계사神溪寺(외금강 온정리에서 옥류동으로 들어가는 길목에 자리 잡고 있는 금강산 4대 사찰 중 하나)에서 왔습니다."

큰스님이 다시 묻습니다.

"그럼 신계사에서 여기까지 몇 걸음에 왔는가?"

이 절에서 저 절까지 가면서 걸음을 세는 사람은 없지 않습니까? 그런데 몇 걸음에 왔느냐고 묻는 것입니다. 이때 이 청년이 벌떡 일어나 큰 방을 한 바퀴 돌고 나서 답합니다.

"이렇게 왔습니다."

이 말을 듣고 큰스님 곁에 있던 한 스님이 '10년 정진한 수좌 (선원에서 참선하는 승려)보다 낫군.' 하고 칭찬합니다.

이것은 효봉曉峰 스님이 승려 되기 전에 스승인 석두石頭 스님을 찾아가서 처음으로 나눈 문답입니다.

여러분들은 이곳에 몇 걸음에 왔습니까?

원래 조주 스님의 이름은 '종심從諗'입니다. '조주'라는 땅에서 오래 계셨기 때문에 조주 스님이라고 부르게 된 것입니다. 중국의 큰스님들인 임제, 덕산德山, 백장 등은 그분들이 살았던 지명, 지역의 이름입니다. 덕산에서 오래 살면 '덕산 스님', 백장산에서 오래 살면 '백장 스님'…… 이름과 법명은 따로 있는데 사람들이 그렇게 부르다 보니 이름이 된 것입니다.

조주 스님은 남전 스님의 제자가 되어 비구계를 받고 본격적으로 수행을 시작합니다.

어느 날 조주 스님이 스승에게 묻습니다.

"어떤 것이 도입니까?"

그러자 스승이 대답합니다.

"평상심平常心이 도다."

'도'는 특별한 다른 데 있는 것이 아니라 일상의 삶, 즉 바로 지금 이 자리에서 생각하고, 행동하는 그 속에 있다는 뜻입니다.

조주 스님이 다시 묻습니다.

"평상심이 도라면 따로 수행할 필요도 없지 않습니까?"

스승이 말합니다.

"도를 마음 밖에서 찾으려고 하면 벌써 어긋난다."

마음 안에 다 있기 때문에 도를 마음 밖에서 찾으면 어긋난다는 것입니다.

조주 스님이 또다시 묻습니다.

"하지만 도를 얻으려고 하면서 수도하지 않고 마음을 닦지 않는다면 어떻게 그것이 도라는 것을 알 수 있습니까?"

스승이 답합니다.

"도는 알거나 모르는 데 있지 않다. 만약 무엇인가를 알겠다는 생각을 쉬고 참된 도에 도달한다면 그것은 마치 텅 빈 허공과 같아서 아무런 자취도 없다."

조주 스님은 이 한 마디에 크게 깨닫습니다. 그때 그의 나이 열여덟 살이었습니다. 참으로 비범한 법의 그릇입니다. 이후부터 조주 스님은 스승인 남전을 40년 동안 모십니다. 깨달음에 이르고 나서도 40년 동안 스승을 모신 것입니다. 이런 모습에서 120해를 산 그의 장수의 저력을 알 수 있습니다.

요즘에는 스승 밑에서 10년, 아니 5년도 있지 않으려고 합니다. 승려증만 받으면 다 제 갈 길을 갑니다. 저는 요새 기회도 없고 생각도 없고 해서 상좌(제자)를 들이지 않습니다. "상좌 하나에 지옥 하나."라는 우스갯소리가 있습니다. 상좌 때문에 애먹은 사람들이 많았던 듯합니다. 물론 좋은 상좌도 있습니다.

불일암에 중 되겠다며 더러 사람들이 찾아옵니다. 저는 귀찮아서 "내가 시키는 대로 다 하겠는가?" 하고 묻습니다. 그러면 다들 하겠다고 대답합니다. "그럼 3년 동안 행자 노릇 할 수 있는가?" 하고 다시 묻습니다. 요즘은 그렇게 행자 노릇 오래 하지 않으려고 합니다. 그런데 그때가 가장 중요한 기간입니다. 일단 중이 되고 나면 오만해집니다. 자유롭게 돌아다니려고만 하지 정착하려는 간절한 생각이 없어집니다. 그저 3년만 채우는 것이 아니고 그 기간에 참고 견디면서 자기가 평생 받아 쓸 수 있는 수행의 기틀을 세워야 합니다. 처음 마음먹을 때가 가장 중요합니다. 그것이 씨앗이 되어서 마침내 바른 깨달음을 이루는 것입니다.

조주 스님은 스승인 남전 스님이 돌아가시고 나이 예순이 되어서야 비로소 여기저기 운수 행각을 다닙니다. 물병 하나와 지팡이만 짚고서 운수납자雲水衲子(진리를 묻기 위하여 이곳저곳으로 스승을 찾아 돌아다니는 수행자를 비유하는 말)가 되어 행각의 길에 나섭니다.

이때 조주 스님은 안으로 이런 다짐을 합니다.

"일곱 살 먹은 동자라도 나보다 나은 이에게서는 기꺼이 배우고, 백 살 된 노인일지라도 나에게 미치지 못한 이에게는 내가 가르침을 베풀리라七歲童兒 若勝我者 我卽問伊 百歲老翁 不及我者 我卽敎他."

자기보다 나은 사람에게는 배우고 미치지 못하는 사람에게는 깨우침을 주겠다는 원을 세우고 행각을 떠난 것입니다. 그는 나이 여든에야 비로소 조주 동쪽에 있는 관음원觀音院이란 아주 조그마한 절의 주지를 하게 됩니다. 절은 작고 가난해서 겨우 끼니를 이어 갈 정도였습니다. 스님은 여위고 헐벗었지만 몸가짐을 조금도 흐트러뜨리지 않았습니다. 철저한 무소유의 수행승이었습니다.

중국 역사상 큰 법난法難, 즉 불교가 박해를 받은 일이 네 번 있었습니다. 이를 삼무일종의 난이라고 하는데, 그중 당 무종 때의 박해가 가장 심했습니다. 당시 조주 스님은 깊은 산에 숨어서 나무 열매와 풀뿌리로 연명을 합니다. 그러면서도 수행자의 자세는 잃지 않습니다.

한번은 좌선할 때 앉는 선상禪床의 다리 하나가 부러집니다. 그래서 타다 남은 장작개비를 새끼로 묶어서 사용합니다. 누가 새로 만들어 드리겠다고 해도 스님은 허락하지 않습니다. 40년 동안 가난한 관음원의 주지로 있으면서도 신도의 집에 편지 한 장 띄우는 일이 없었습니다. '불사 하니까 오십시오. 무슨 행사 하니까 오십시오.' 그런 것이 전혀 없었습니다. 이것이 진정한 수행자의 모습입니다. 이것을 우리가 배우고 얻어들을 때 우리 안에 수행자의 씨앗이 심어집니다.

그래서 그를 옛 부처님, 조주 고불이라고 일컫습니다. 같은 시대에 살았던 어떤 스님들은 제자들을 가르칠 때 걸핏하면 몽둥이로 때리고 고함을 치곤 했는데, 조주 스님은 오로지 쉬운 말로써 가르침을 폅니다. 조주 어록에 보면 여러 가지 배울 점이 많은데, 스님의 인간미가 묻어나는 법문도 있습니다.

어떤 지방관리가 조주 스님에게 묻습니다.

"큰스님일지라도 지옥에 들어가는 일이 있습니까?"

아주 당돌한 질문입니다. 여기서 우리가 주목해야 할 부분이 있습니다. 들어가는 것과 떨어지는 것은 다릅니다. 들어가는 것은 내 원에 의해서, 원력에 의해서이고, 떨어지는 것은 업력에 의해서입니다. 입지옥入地獄과 타지옥墮地獄은 그렇게 다릅니다. 떨어지는 것은 내 업의 힘에 의한 것입니다.

스님은 태연하게 대답합니다.

"내가 먼저 들어갈 거야."

"아니, 어째서 큰스님께서 지옥 같은 데를 들어간다고 하시는 겁니까?"

조주 스님이 답합니다.

"들어가지 않는다면 내 어찌 그대를 만날 수 있겠는가?"

이것은 무서운 법문입니다. 지금 우리 사회에도 국민을 괴롭히거나 부패한 관리들이 얼마나 많습니까? 이런 사람들을 제도하기 위해 내가 먼저 가서 기다리겠다는 것입니다. 우스개 장난 소리가 아니라 조주 스님의 원입니다. 원과 업은 이토록 다릅니다.

또 한번은 어떤 유생이 스님이 들고 있는 주장자(선승들이 수행하거나 설법할 때 드는 지팡이)를 보고 탐이 나서 묻습니다.

"부처는 중생의 원을 들어주신다는데 그것이 사실입니까?"

미리 함정을 파는 것입니다.

"아, 그렇지." 하고 조주 스님이 대꾸합니다.

"저는 노스님이 들고 계신 주장자를 갖고 싶습니다. 주시겠습니까?"

조주 스님이 말합니다.

"군자는 남이 좋아하는 것을 빼앗지 않는 법이라네."

그러자 유생이 답합니다.

"저는 군자가 아닙니다."

조주 스님의 답입니다.

"나도 부처가 아니라네."

이분의 순간적인 기지 또는 지혜입니다. 함정에 말려들지 않고 그 사람 수준에 맞도록 가르치는 것입니다.

또 어떤 이가 묻습니다.

"깨달은 사람은 어떻습니까?"

조주 스님이 답합니다.

"참으로 크게 수행한다."

깨닫고 나서야 진짜 수행한다는 말입니다. 깨닫기 전의 수행은 온전한 수행이 아니고, 알고 나서 닦는 수행이야말로 진정한 수행입니다.

그러자 그가 다시 묻습니다.

"노스님께서도 수행을 하십니까?"

조주 스님의 답입니다.

"옷을 걸치거나 밥을 먹기도 하고 차를 마시기도 하지."

"아, 그것은 평범한 일 아닙니까?"

"그럼 그대가 말해 보라. 내가 날마다 무슨 일을 하고 있는지."

평상심이 곧 도임을 그런 예로 보여 준 것입니다.

이렇듯 조주 스님은 그 시대의 다른 선사들과는 달리 몽둥이나 고함이 아닌, 오로지 알기 쉬운 말로써 가르침을 폈습니다. 이것이 조주 스님의 가풍입니다.

120세까지 살다가 세상을 하직할 때 스님은 제자들에게 당부합니다.

"내가 죽은 뒤에 화장하여 흩어 버릴 것이지 사리 같은 걸 줍지 말라. 선가의 제자라면 세속인과 같지 않아야 한다. 이 육신이란 헛것인데 거기에서 사리를 줍다니 당찮은 수작이다."

요새 스님들 죽으면 사리가 나왔다면서 얼마나 요란을 떱니까? 스님은 이 말을 남기고 그 자리에서 앉은 채 입적합니다.

우리가 옛 선사의 가르침을 배우는 것은 말장난을 하거나 지식을 쌓기 위해서가 아닙니다. 후학으로서 먼저 갔던 분들의 자취를 배우고 익혀서 내 것으로 삼기 위함입니다. 기록이란 이토록 중요합니다. 말은 하고 나면 그때그때 사라지지만 기록은 시대와 지역을 넘어 오늘날까지 전해집니다. 〈조주록〉이라는 기록이 있기 때문에 오늘 우리는 조주 스님이 어떤 분이며 어떻게 살았고 무엇을 가르쳤는지를 알 수 있습니다. 만약 기록이 없었다면 알지 못했을 것입니다. 기록은 역사를 이룹니다.

이 기록을 배우는 것은 옛 거울에 오늘의 나 자신을 비춰 보기 위함입니다. 자기반성이 없고, 스스로 자기 자신을 되살피는 일이 없다면 아무리 경전을 많이 읽고 어록을 접하고 법문을 듣는다 해도 얻는 것이 없습니다. 그저 남의 이야기일 뿐, 나 자신에게는 아무 이익이 없습니다. 늘 자기 자신에게 비춰 봐야 합니다. '나의 지금의 삶은 어떠한가? 나는 그렇게 닮아 가고 있는가? 나 자신의 가풍은 무엇인가?' 스스로 반성할 수 있어야 영적 성장이 가능합니다.

각자 오늘 결제일을 맞이해서 앞으로 90일 안거를 어떻게 지낼 것인지 결단해야 합니다. 앞으로 내게 주어진 이 삶을 어떻게 살아갈 것인가, 스스로 원을 세워야 합니다. 제가 기회 닿을 때마다 원 세우라는 말을 합니다. 그 원의 힘으로 수행을 해 나가야 합니다. 원을 세우면 어떤 어려운 일이 있더라도 그 원력의 힘으로 딛고 일어서게 됩니다. 원이 없으면 늘 흔들립니다.

부처나 조사(한 종파를 세워서, 그 교의의 취지를 펼친 사람)들이 부처나 조사가 되고 나서 원을 세우는 것이 아닙니다. 그 원의 힘으로써 부처와 조사가 된 것입니다. 원의 힘을 지니고 있으면 어떤 어려운 상황도 이겨 나갈 수 있습니다. 그러나 원이 없으면 조그마한 일에도 좌절합니다.

제 개인 이야기를 좀 하겠습니다. 길상사를 드나들면서 저는 너무 많은 것을 얻어 갑니다. 올 때마다 차에 음식을 잔뜩 싣고 갑니다. 그때마다 마음이 영 개운치 않고 무겁습니다. 이전의 제 괴팍한 성질 같으면 안 가져간다고 물리칠 텐데, 주는 분의 성의와 정성을 생각해서 일단 다 받습니다. 그러나 개인이 쓸 수 있는 데는 한계가 있습니다. 하루 세 끼 먹으면 충분하지 네 끼, 다섯 끼 먹습니까?

주는 대로 받아 가면 문제가 생깁니다. 제가 강원도에서 15년 가까이 살다 보니 아는 집이 서넛 생겼습니다. 주로 일꾼들인데, 이 사람들도 근처에 사는 것이 아니라 3, 40리 밖에 있습니다. 근방에 마을이 없습니다. 떡이든 과일이든 혼자 못 먹으니까 다음 날 차에 싣고 그 사람들 집에 찾아갑니다.

대개 일꾼들은 낮에는 들에 나가서 일하고, 집에는 개만 달랑 있습니다. 사람은 제가 누군지 알아보지 못하는데 개는 제가 가면 무척 반가워합니다. 이리 뛰고 저리 뛰면서 좋아합니다. 개에게도 떡이나 이것저것 먹을 만한 것을 줍니다. 그런데 이것도 지겨울 정도가 되었습니다. 그래서 얼마 전부터 생각을 달리 먹었습니다. '이제는 내 본래 가풍을 좀 드러내야겠다.'

이제부터는 무엇을 준다 해도 가차 없이 거부하고 가져가지 않을 것입니다. 저도 대중의 한 사람으로서 여기서 먹으면 됩니다. 그 대신 어떤 것도 가져가지 않겠습니다.

가져가면 일이 많습니다. 여기저기 나누는 것이 일입니다. 어떻게 저 혼자 감당하겠습니까? 비구계比丘戒(수행자가 지켜야 할 계율로 비구에게는 250계, 비구니에게는 348계가 있다)에 보면 그 무엇이든, 옷이든 음식이든 묵혀 두지 말라는 조항이 있습니다. 쌓아 두지 말라는 것입니다. 쌓아 두기 때문에 지구가 병이 듭니다. 내가 하는 일이 지구환경에 득이 되는 일인지 해가 되는 일인지 그때그때 따져야 합니다.

혼자 하는 수행에는 한계가 있습니다. 오늘 이 자리에 모인 여러 불자들 앞에서 제가 이런 말을 하는 것은 저의 중노릇을 좀 도와 달라는 뜻에서입니다. 말로는 무소유를 떠들면서 얻어 가는 것이 너무나 많습니다. 속으로 아주 부끄럽고 부담스럽습니다.

늙은 중이 욕심 사납게 이것저것 챙겨 간다는 것은 생각만 해도 아찔합니다. 저 자신이 그러하든 남이 그러하든 그것은 끔찍한 일입니다. 그때마다 늘 속으로 '이것은 아닌데, 이것은 아닌데.' 하고 자책을 했습니다. 앞으로는 예외가 없을 것입니다.

누구나 자기 삶에 개성이 있어야 합니다. 일상의 삶은 무료합니다. 무엇인가 변화가 있어야 합니다. 자기 삶을 보다 심화시키기 위해서 비본질적인 것과 불필요한 것으로부터 거듭거듭 털고 일어서야 합니다. 그래야 자신의 진정한 내면이 활짝 꽃피어 날 수 있습니다. 사소한 인정에 얽매이지 말고 크게 생각하십시오.

좋은 여름안거 이루시기 바랍니다.

기도하고 수행하는 도량을 어떤 특정한 장소로

한정 짓지 말아야 한다. 우리가 처한 삶의 현장이 곧 도량이다.

우리가 몸담고 있는 가정이나 일터가

진정한 수행 도량이 되어야 한다. 어수선하고

갈피를 잡을 수 없는 이 혼돈스러운 세상에서 도량이 없으면

세상의 물결에 휩쓸려 버린다. 분별과 집착을 떠나

내가 내 마음을 다스리는 깨달음을 얻는 곳이 곧 도량이다.

불타는 집에서 빨리 나오라

2007년 5월 24일 부처님오신날

하루 종일 봄비가 내려 세상과 대지를 적셨다. 5천여 청중이 모인 가운데 부처님오신날 법회가 끝나고, 저녁에 절마당 가득 연등 밝히고 시작한 음악회 시간에도 빗줄기는 좀처럼 멎지 않았다. 무대에 오른 초대가수는 비가 오히려 고맙다고 말했다. 청중은 그에게 감사해하고, 그는 이곳에서 노래 부를 수 있음에 감사해했다. 연등 사이로 빗금을 그으며 내리는 비는 모인 사람들 모두를 하나로 묶어 주었다. 스님은 청중들과 함께 우산을 받치고 앉아서 음악을 들었다. 그러고는 밤 10시가 넘어 강원도 산으로 다시 돌아갔다. 이튿날까지도 계속해서 내린 비를 나무들은 수액으로 바꿔 더 많은 늦봄의 잎사귀들을 세상에 내놓았다.

오늘을 '부처님오신날'이라고 합니다. 이날을 단순히 해마다 한 차례씩 있는 기념행사로 여기지 말고, 부처님이 우리들에게 어떻게 오셨는지, 어떤 존재인지 생각해 보는 기회로 삼으시기 바랍니다.

만일 오늘날 이 땅에 부처님이 생존해 계시다면 어떤 문제를 가장 시급하고 중요하게 다룰지 한번 상상해 보십시오. 제가 알고 있는 부처님이라면 어떤 일보다도 날로 심각해져 가는 지구환경 문제가 첫 번째로 떠오를 것 같습니다. 현재 우리는 환경 위기 앞에 직면해 있습니다. 우리가 의지해 살고 있는 이 지구의 위기에 맞닥뜨린 것입니다.

절에 들어오면 맨 처음 배우는 원효元曉 스님의 〈발심수행장〉이라는 글이 있습니다. 그 첫머리에 이런 구절이 나옵니다.

"부제불제불夫諸佛諸佛이 장엄적멸궁莊嚴寂滅宮은 어다겁해於多劫海에 사욕고행捨欲苦行이요, 중생중생衆生衆生이 윤회화택문輪廻火宅門은 어무량세於無量世에 탐욕불사貪慾不捨니라."

알아듣기 쉬운 말로 하면 이렇습니다.

"부처님이 세상에 나와 우리들을 이롭게 하는 것은 오랜 세월 동안 욕심을 버리고 견디기 어려운 수행을 겪었기 때문이요, 중생들이 불타는 집에서 나오지 못하고 괴로워하는 것은 끝없는 세월을 두고 탐욕을 버리지 못하기 때문이다."

〈법화경〉에서도 우리가 사는 세상을 불타는 집에 비유합니다.

"삼계에 편안함 없음이 마치 불타는 집과 같다三界無安 猶如火宅."

생사윤회의 근본은 탐욕에 있습니다. 탐욕이란 무엇입니까? 분수에 넘치는 욕망입니다.

오늘날 지구환경의 위기도 따지고 보면 인간들의 끝없는 탐욕에 그 원인이 있습니다. 한정된 자원을 무제한으로 퍼 쓰는 탓에 재앙이 찾아왔습니다. 지구의 재생 능력을 자정 능력이라고 하는데, 전문가들의 조사에 따르면 이 자정 능력이 1980년대 초에 이미 한계에 도달했다고 합니다. 해마다 인간들은 자연이 생산해 내는 것보다 20퍼센트나 더 많은 자원을 소비하고 있습니다. 자연이 낳는 이자만으로는 만족하지 못하고 원금까지 빼앗아 쓰고 있는 현실입니다. 그래서 지금 지구가 신음하고 있습니다.

정치는 미래를 내다보고 앞일을 예견하는 일입니다. 하지만 현재 이 땅의 정치인들은 정권 잡기에만 혈안이 되어 있을 뿐 환경 위기에 대해서는 관심조차 없습니다. 우리가 하루를 어떻게 사는가에 따라 미래가 달라집니다. 지구환경의 위기 앞에서 다 같이 이 말을 기억해야 합니다. 우리들의 현재 삶의 모습이 어떠한가에 지구의 생존 여부가 달려 있습니다.

현재 지구상의 농경지 중 절반이 가축 사료에 쓸 작물을 만드는 데 사용되고 있습니다. 심각한 일이 아닐 수 없습니다. 서양의 육식 위주 식습관 때문입니다. 서양인만이 아니라 우리들도 육식을 많이 하지 않습니까? 한쪽에서는 식량이 없어서 하루에도 수만 명의 사람들이 굶어 죽어 가는데 곡식의 절반을 짐승 사료로 쓰고 있다는 것이 말이 됩니까? 전문가들의 연구에 의하면 1킬로그램의 쇠고기를 생산하기 위해서는 십만 리터의 물이 필요하다고 합니다. 1킬로그램의 쇠고기가 우리 식탁에 오르기까지 십만 리터의 물이 소비된다는 것입니다. 잘못된 식습관 때문에 귀한 수자원이 고갈될 형편입니다.

인간들이 동물에게 가하는 행동 또한 매우 잔인하고 가혹합니다. 양계장에 한번 가 보십시오. 그곳은 닭 공장입니다. 병아리가 태어나자마자 병아리 감별사들이 수컷은 필요 없으니 쓰레기통에 던져 버리고 암컷만 달걀을 빼먹기 위해 살립니다. 서로 쪼지 못하게 부리를 다 잘라 버립니다. 또 좁은 공간에 옴짝 못하게 가두어 놓고 3주 동안 불을 껐다 켰다 합니다. 그렇게 하면 닭들이 거의 미쳐 버립니다. 인간이 닭고기를 먹기 위해, 달걀을 빼먹기 위해 이런 잔인한 짓을 저지르고 있습니다. 우리 식탁에 오르는 쇠고기, 돼지고기, 닭고기를 대할 때 동물들이 얼마나 큰 고통 속에서 죽어 갔는지 되돌아봐야 합니다. 소나 돼지, 개의 눈을 한번 유심히 들여다보십시오. 선하디선한 그 눈은 우리 인간의 눈보다 훨씬 맑고 투명합니다.

모든 생물은 서로 유기적으로 연결되어 상호작용을 합니다. 최근에 들은 이야기인데, 현재 지구상의 벌의 숫자가 과거에 비해 40퍼센트나 감소되었다고 합니다. 휴대전화의 전자파로 인해 벌 열 마리 중 네 마리는 죽고 겨우 여섯 마리가 남는다는 것입니다. 벌이 사라지면 식물이 열매를 맺지 못합니다. 벌이 매개 역할을 해야 식물이 열매를 맺을 텐데, 벌이 없어 가루받이를 제대로 할 수 없기 때문입니다.

뿐만 아니라 독한 농약 때문에 산중에서도 벌을 볼 수가 없습니다. 제가 사는 산중의 높이가 해발 800미터 정도 되는데, 여기에 예닐곱 그루의 산자두와 돌배나무가 있습니다. 돌배나무를 그쪽에서는 신배나무라고도 합니다. 이 나무들에 꽃은 무성하게 피는데 열매가 전혀 열리지 않습니다. 제가 6, 7년째 목격하는 현상입니다. 제가 사는 산중만의 일은 아닐 것입니다. 벌이 없기 때문에 그렇습니다. 고랭지에서 채소를 가꾸느라 독한 농약을 수없이 뿌려 대는 탓에 벌들이 살 수가 없습니다.

누구의 말을 빌릴 것도 없이, 세상은 우리의 필요를 위해서는 풍요롭지만 탐욕을 위해서는 궁핍한 곳입니다. 우리가 필요한 만큼은 자연이 공급을 하는데, 분수에 넘치는 탐욕 앞에서는 궁핍해집니다. 탐욕을 억제하려면 소비를 줄여야 합니다. 소비를 줄이려면 어떻게 해야 하는가? 광고에 접근해서는 안 됩니다. 텔레비전이든 신문이든 들여다보면 광고의 마력에 빨려 들어 갑니다. 멀찍이 떨어져서 봐야 합니다. 눈만 뜨면 우리는 광고의 홍수 속에서 살아갑니다. 광고는 우리에게 무엇인가를 갖고 싶어 하는 욕구를 부추깁니다. 처음에는 흔들리지 않다가도 반복해서 광고를 접하면 결국 넘어갑니다. 일단 광고에 빠져들면 구매하지 않을 수 없습니다.

진정한 행복은 물질이 아닌 마음의 평화, 즉 정신적인 데 있음을 우리는 잘 알고 있습니다. 어떤 물질의 더미 앞에서도 우리는 충만해질 수 없습니다. 마음이 안정되고 평화로워야 행복의 움이 트는 것이지, 물질은 한때에 불과할 뿐 우리를 영원히는 행복하게 해 주지 못합니다. 가령 시장에서 남이 안 가진 물건을 사다가 집에 놓아둬 보십시오. 며칠은 좋지만 한두 주일 지나면 있는지 없는지 신경도 쓰지 않게 됩니다. 그것이 물건입니다.

행복은 조화로운 삶에 있습니다. 넘치지도 모자라지도 않는 가장 알맞은 상태, 자기 분수에 맞는 상태입니다. 조금 아쉬운 듯 가져야 합니다. 절제의 미덕에 기반을 둔 검소한 생활 습관이 조화로운 삶을 이루고 건강한 삶을 이룹니다.

인간다운 삶을 이루려면 될 수 있는 한 물건을 적게 사용하고 간소하게 지내야 합니다. 그것이 본질적인 삶입니다. 없어도 되는 것은 갖지 마십시오. 그래야 정신이 덜 흐트러지고 자기가 지닌 것들의 소중함을 압니다. 남 주기에는 아깝고 놓아두기에는 짐스러운 물건들이 얼마나 많습니까? 한때 필요해서 구해 놓았지만 시간이 지나면 시들해집니다. 이런 물건들 속에서 우리가 살아갑니다.

우리가 사용하고 있는 모든 물건은 지구상의 한정된 자원으로 만들어 낸 것들입니다. 공장에서 기계와 기름, 전기와 화학약품으로 생산되기 때문에 과도한 소비는 자연 훼손과 환경오염을 가져옵니다. 신발 한 켤레, 옷 한 벌, 가전제품 하나, 가구 한 가지를 만드는 데 그만큼의 매연과 산업 쓰레기와 더러운 물이 생기는 것입니다.

삶의 터전인 지구환경을 살리는 일은 국가정책만으로는 이루어지지 않습니다. 한 사람 한 사람이 소비를 억제하고 절제의 미덕을 새롭게 다져야 합니다. 끝없는 욕구인 물질주의에서 벗어나 진정한 행복이 어디에 있는가를 각자의 삶에서 되찾아야 합니다.

우리가 어떻게 사는가에 지구환경의 소생과 종말이 달려 있음을 기억하시기 바랍니다. 부처님의 지혜와 자비의 가르침에 귀 기울이며 우리들 삶이 보다 인간답게 자리 잡기를 거듭 바랍니다.

접속하지 말고 접촉하라

2007년 4월 15일 봄 정기법회

'법정 스님의 봄 정기법회가 오는 4월 15일 오전 10시 길상사 극락전에서 열립니다. 파릇파릇 새싹을 돋아 내고 있는 나무들에서 생명의 기운을 물씬 느끼게 되는 요즘입니다. 늘 청정한 수행으로 귀한 삶의 가르침을 일러 주시는 스님의 법문은 메말라만 가는 우리의 마음에 큰 희망의 씨앗을 심게 할 것입니다. 휴일의 나른함일랑 훌훌 털어 버리고, 길상사 법당으로 나오시기 바랍니다. 스님의 대중법문이 있는 날이면 절 안팎이 차량으로 혼잡합니다. 가급적이면 대중교통을 이용하시길 권합니다.' 이렇게 봄 정기법회를 알리는 안내문이 길상사 게시판에 올랐다. 법회 시작 전에 스님은 청중에게 말했다. "변덕스런 날씨 덕에 제 목소리가 변성기에 접어들어서 말하다가 기침이 나올 수 있으니 미리 양해해 주시기 바랍니다."

나무마다 꽃과 새잎을 펼쳐 내는 봄날, 우리가 한자리에 모여 이렇게 말하고 듣는다는 것은 이 시대에 흔한 일이 아닙니다. 생의 한순간에 우리는 이와 같이 마주하고 있습니다. 소중한 만남이 아닐 수 없습니다.

여러분들도 모처럼 일요일에 가족들과 쉬거나 다른 바쁜 일도 있을 텐데 큰맘 먹고 나오시고, 저도 새벽에 일어나서 캄캄한 산을 내려오는 까닭은 우리 만남이 그만큼 소중해서일 것입니다. 그렇기에 말하는 사람은 진심으로 마음을 열어서 말을 해야 하고, 듣는 쪽에서도 진심으로 귀를 기울여야 진정한 만남이 이루어집니다.

진정한 만남을 통해 우리들의 정신세계가 더욱 풍요로워질 수 있습니다. 그러나 이 시대에는 남의 말에 귀를 기울이려고 하지 않습니다. 한지붕 아래 사는 가족 간에도 서로의 말에 진심으로 몰입하지 않습니다. 건성으로, 귓전으로 듣고 맙니다. 자연히 관계가 성글어질 수밖에 없습니다. 서로가 영혼의 메아리를 전할 수 없기 때문입니다.

우리가 사는 21세기가 20세기와 크게 다른 점이 몇 가지 있는데, 그중 하나가 정보 매체입니다. 어디를 가도 인터넷이 지배하는 세상입니다. 인터넷을 통해 무엇엔가 또는 누군가와 접속하지 않으면 사람 축에 못 드는 세태입니다. 인터넷을 이용하는 사람들은 두 사람끼리 혹은 불특정 다수인을 상대로 각자의 자리에 웅크리고 앉아 수많은 정보를 주고받습니다. 감정을 교환하는 일은 거의 없습니다. 어디까지나 정보를 주고받기 위한 간접적인 접속이지 직접적인 접촉은 아닙니다.

접속과 접촉은 발음은 비슷하지만 뜻이 전혀 다릅니다. 접속은 간접적이고 일방적입니다. 자기중심적이고 이기적입니다. 정이 오고 갈 수 없습니다. 한마디로 비인간적입니다. 가끔 외국에 있는 분들로부터 인터넷을 통해 저의 소식을 접한다는 말을 듣곤 합니다. 그때마다 저는 약간 씁쓸한 기분이 듭니다.

그러나 접촉은 상호 간의 직접적인 만남입니다. 우리는 지금 이 자리에서 접속이 아닌 접촉을 하고 있습니다. 상대방의 표정을 살피고, 눈길을 마주하고, 목소리를 듣고, 분위기를 함께 누립니다. 때로는 손을 마주 잡거나 미소를 짓거나 쓰다듬는 일을 통해 인간의 정이 오갑니다. 접촉은 이렇듯 인간적입니다.

컴퓨터의 사각 스크린은 이 시대의 편리한 정보교환 수단입니다. 그러나 인간의 냄새를 맡을 수 없습니다. 그것은 어디까지나 차디찬 기계장치이지, 살아서 숨 쉬는 따뜻한 생명체가 아닙니다.

어느 날 갑자기 휴대전화와 컴퓨터, 텔레비전이 사라진다고 가상해 보십시오. 큰 재난이 일어납니다. 살맛을 잃고 생을 포기하는 사람들이 부지기수일 것입니다. 하루에도 수십 통씩 문자 메시지를 주고받으며 휴대전화에 매달려 사는 젊은 사람들은 더욱 그러할 것입니다.

휴대전화와 컴퓨터, 텔레비전이 나오기 전에 사람들은 지금보다 더 많은 행복을 누리며 살았습니다. 지능적인 사기꾼들도 덜 극성스러웠습니다. 신속하고 편리한 정보 매체를 곁에 두고 사는 이 시대의 우리들은 무엇 때문에 전보다 행복할 수 없는가를 깊이 생각해야 합니다. 편리한 정보 수단을 가졌음에도 왜 전보다 행복할 수 없는가?

데이터 스모그란 말이 있듯이 과도한 정보는 공해입니다. 정보가 인간 영혼의 자리를 빼앗기 때문입니다. 접속에 중독된 사람들은 인터넷 연결이 안 되거나 해커들에게 방해를 받을 때면 마치 세상에 종말이라도 온 양 야단을 떨고 어찌할 바를 모릅니다.

참고 기다리는 것은 인간의 미덕입니다. 그러나 신속하고 편리한 기계장치에 의존해 살다 보니 무엇이든 즉석에서 해답을 꺼내려고 합니다. 젊은이들의 자살률이 높은 이유도 한때의 고비를 극복하지 못하기 때문입니다. 이때 그는 자신이 영혼을 지닌 인간이라는 사실을 까맣게 잊습니다. 자신이 인간임을 망각하고, 스스로를 잃어버리는 것입니다.

무엇이 중요한지 가치판단을 해야만 합니다. 생활의 도구인 정보 매체와 자기 자신 중 어느 쪽이 더 중요한가를. 정보 매체 앞에서 쩔쩔매며 참고 기다릴 줄 모르고 무슨 일이든 즉석에서 해결하려고 하는 것은 영혼을 지닌 인간의 방식이 아닙니다. 생활의 도구에 종속되어 본질적인 삶을 잃어버린 것입니다. 이것이 현대인의 실상입니다.

사람답게 살려면 안으로 귀 기울일 줄 알아야 합니다. 바깥의 현상에 팔리지 말고 고요히 내면의 소리를 들을 줄 알아야 합니다. 삶의 의미를 어디에 두고 살 것인지 거듭거듭 물을 수 있어야 합니다.

친구와 살뜰한 우정을 지속하려면 한동안 떨어져 있는 시간이 필요합니다. 홀로 자신을 확인하는 기회를 가져야 합니다. 아무리 정다운 사이라 할지라도 늘 한데 엉켜 지내면 이내 시들고 지겨워집니다. 제가 날마다 이 자리에 와서 떠든다고 가정해 보십시오. 누가 여기 나오겠습니까? 잊어버릴 만하면 한 번씩 나타나기 때문에 보러 오는 것입니다.

우리에게는 그립고 아쉬운 삶의 여백이 필요합니다. 무엇이든 가득 채우려고 하지 마십시오. 포만 상태는 곧 죽음입니다. 그리움이 고인 다음에 친구를 만나야 우정이 더욱 의미 있어집니다. 인간사도 마찬가지입니다. 너무 많은 것을 보고 듣고 아는 것은 우리 영혼에 공해와 같은 것임을 깊이 새기기 바랍니다.

문명의 연장을 알맞게 활용할 줄 알면 이롭습니다. 우리가 필요에 의해 만들어 놓은 것들이기 때문입니다. 그러나 거기에 매달리거나 그 소용돌이에서 헤어나지 못하면 문명의 이기가 흉기로 변합니다. 욕구를 적당히 자제할 줄 알아야 합니다. 현재의 우리들에게는 그런 자제력이 모자랍니다.

언젠가 들은 이야기인데, 어느 미개한 나라에서 왕과 왕비가 엉터리 관상가의 말을 듣고 얼굴에 성형수술을 합니다. 하는 일이 잘 풀리고 남의 입방아에 덜 오를 것이라는 소리를 듣고 무모한 수술을 감행한 것입니다. 왕과 왕비가 성형수술을 했다는 소식이 전해지자 나라 안 백성들은 너도나도 앞다투어 성형외과를 찾아갑니다. 멀쩡한 얼굴을 째고 꿰매느라 비싼 돈을 들입니다.

얼굴이란 무엇입니까? 그 사람의 업의 모습이고, 인생의 이력서입니다. 그가 어떻게 살았는가 하는 것이 얼굴에 나타납니다. 아름다움에 표준형이 있습니까? 저마다 자기 얼굴을 가지고 살면 됩니다. 덕스럽게 살면 덕스러운 얼굴이 되고, 선한 행동을 하면 그것이 축적되어 아름다움으로 드러납니다.

우리가 순간순간 보고 듣고 말하고 생각하는 것이 의식에 필름처럼 찍힙니다. 까맣게 잊어버렸던 과거의 일들이 갑자기 떠오를 때가 있습니다. 일단 우리가 경험한 일들은 의식의 필름에 각인되어 잠재의식을 이룹니다. 잠재의식이 어떤 상황을 만나면 지금까지 보고 듣고 말하고 생각한 것이 현실로 재현됩니다. 이것이 업의 파장, 카르마의 파장입니다.

불교 심리학이라고 할 수 있는 유식론唯識論에서 이것을 매우 자세히 밝히고 있습니다. 유식론에서는 인간의 마음 구조를 크게 전5식, 제6식, 제7식, 제8식의 네 가지로 나눕니다.

우리가 눈으로 보고 귀로 듣고 코로 냄새 맡고 혀로 맛보고 몸으로 감촉하는 것, 즉 감수感受 작용을 전5식이라고 합니다.

제6식은 요별식了別識으로, 의식하는 것, 즉 분별 작용입니다. 가령 교차로에서 빨간 신호등을 보고도 무심히 지나가는 경우가 있습니다. 눈으로는 보고 있는데 다른 생각을 하기 때문에 눈이 분별 작용을 하지 못하는 것입니다.

제7식은 말라식末那識으로, 자기애라고 할 수 있는 잠재적인 자아의식입니다. 서양 사람들은 이것을 에고라고 부릅니다. 예를 들면, 어떤 사람이 카드빚에 시달리거나 감당할 수 없는 복잡한 일 때문에 자살을 하려고 낭떠러지에 서 있습니다. 그런데 갑자기 뒤에서 큰 바위가 굴러오는 것을 보고 본능적으로 피합니다. 죽으러 간 사람이 돌에 맞아 죽든 물에 떨어져 죽든 왜 피합니까? 이처럼 제7식은 자기를 지키는 본능입니다.

제8식은 종자식種子識으로, 다음 행동의 원인이 되는 씨앗입니다. 인간 생활의 근원인 보고 듣고 말하고 생각하는 것은 일단 저

장되어 의식의 필름에 찍힙니다. 이것이 종자식입니다. 앞으로의 지각에 씨앗이 되는 것입니다. 그리고 그 씨앗이 어떤 상황에 이르면 현실적으로 싹이 돋고 움이 터서 활짝 열립니다.

우리가 보고 듣고 말하고 생각하는 것은 모두 업이 됩니다. 이것을 되풀이하면 마치 안개 속에서 옷이 젖듯, 향기 속에서 냄새가 배듯 훈습이 됩니다. 훈습이 되면 업장이 두터워집니다. 업장이 두터워져서 자기 의지로 할 수 없을 정도가 됩니다.

물질이 넘쳐 나는 세상에서 정신을 차리고 자주적인 삶을 이루려면 철저한 자기 관리가 필요합니다. 가치판단의 기준을 어디에 둘 것인가? 내가 이 일을 해서 행복할 것인가, 불행할 것인가? 그것이 답입니다. 순간에 속지 마십시오. 순간순간을 살되 거기에 속지 말아야 합니다.

우리는 이 풍진세상을 살면서 너무 많은 것을 보고 듣고, 불필요한 말들을 쏟아 내며 삽니다. 이 생각 저 생각 하면서 노후를 걱정하고 온갖 근심 걱정을 미리 가불해서 쓰느라 밤잠을 못 이룹니다. 그 결과 사람들이 왜소하고 무기력해져서 인간으로서의 기상을 지니지 못하게 됩니다. 내 삶을 뜻대로 살지 못하고 세상의 흐름에 떠밀려 표류하는 실정입니다.

이런 때일수록 본질적인 삶을 살아야 합니다. 하찮은 생각을 제쳐 두고 삶의 본질에 눈을 돌려야 합니다. 그래야만 인간으로서 당당하게 살 수 있습니다.

찬란한 봄날, 다들 꽃처럼 활짝 열리십시오. 끝으로 이 자리에서 만난 인연으로 독서 숙제를 하나 내드리겠습니다. 읽고 나면 왜 이 법회에서 소개하는지 제 뜻을 알게 될 것입니다. 솔직히 말씀드리면 저는 오늘 법회를 준비하는 일보다 이 책을 읽는 데 더 열중했습니다. 제목은 〈농부 철학자 피에르 라비〉입니다. 철학자의 글이라고 해서 어렵지 않습니다. 저자는 아프리카 알제리 사막의 오아시스에서 태어났습니다. 네 살 때 어머니가 돌아가시고 대장간을 하는 아버지 밑에서 자라다가 프랑스에서 온 사람들이 우연히 그를 보고 입양을 합니다. 그래서 프랑스에서 교육받게 됩니다. 이름도 프랑스식으로 피에르 라비라고 짓습니다.

이 책은 21세기를 살아가는 인간들이 해야 할 일이 무엇인지 분명하게 일깨워 줍니다. 이런 사람들이 바로 우리나라에 필요합니다. 저는 책을 읽으며 '아, 우리 곁에 이런 사람이 있다면 이 나라가 얼마나 좋겠는가?' 하는 생각을 했습니다.

〈농부 철학자 피에르 라비〉는 조화로운삶이라는 출판사에서 펴냈습니다. 숙제를 통해 다시 만날 수 있게 되기를 바랍니다.

지금 있는 바로 그 자리

2007년 3월 4일 겨울안거 해제

책을 읽는 것도 음악을 듣는 것도 금지되었던 90일 동안의 겨울 안거가 끝나고, 이제 세상이 선방이 되었다. 이날 서울에는 봄비가 촉촉이 내려 절 한켠의 청매가 꽃망울을 맺었고, 전날 꺾어 방 안에 꽂아 둔 가지에선 매화 몇 송이가 진한 향의 꽃을 피웠다. 스님은 법회 전 두세 사람과 함께 매화차를 마셨다. 법회가 끝난 뒤 청중은 오곡밥에 나물로 된 공양을 마치고, 어느 신도가 보시한 백설기 한 조각씩을 받아 든 채 봄비에 젖는 세상 속으로 돌아갔다. 법회 다음 날은 경칩을 하루 앞두었는데도 다가오는 봄을 시샘하듯 강풍과 눈을 동반한 꽃샘추위가 매섭게 휘몰아쳤다.

석 달 동안 수행 잘하셨습니까? 지난 결제일에 저는 이 자리에서 도량에 대해 이야기했습니다. 곧은 마음, 직심直心이 곧 도량이라고 말했습니다. 어디에도 오염되지 않은 순수한 마음, 정직한 마음, 분별과 집착을 떠난 평온한 마음이 도량입니다. 거듭 말씀 드리지만 '수행이 있는 곳은 어디나 도량'입니다.

원래 도량道場이라는 말은 석가모니 부처님이 도를 이룬 인도 보드가야의 '보리도량'에서 나온 것으로, 깨달음을 얻은 장소, 도를 이룬 장소를 가리킵니다. 흔히들 어떤 특정한 장소에 집착하여 꼭 그곳을 찾아가야만 기도와 수행이 이루어진다고 착각합니다. 이는 도량의 본래 뜻에서 벗어난, 비본질적인 관념임을 기억해야 합니다.

그러면 가장 이상적인 도량은 어디에 있는 것인가?

해인사 장경각의 법보전 양쪽 주련(기둥이나 벽에 장식으로 써 붙이는 글귀)에는 '원각도량하처 현금생사즉시 圓覺道場何處 現今生死卽是.' 란 글귀가 적혀 있습니다. 원각도량하처, 원각도량이 어느 곳인가, 원만하게 깨달은 부처님이 계신 도량이 어딘가 하는 물음입니다. 현금생사즉시, 오늘 이 자리가 바로 그 자리라는 뜻입니다. 오늘 우리가 숨 쉬고 행동하는 이 현실 자체가 부처님 세계라는 응답입니다. 바로 그곳이 원각도량입니다. 즉 극락세계가 어디 먼 데 있는 것이 아니라, 2,500년 전 인도에 있는 것이 아니라, 언제 어디서나 자신이 몸담아 사는 그 자리가 곧 더없이 훌륭한 도량이라는 가르침입니다.

절에 가면 보게 되는 주련 글귀들이 다 훌륭한 법문입니다. 부처님 경전에서 인용한 법문이기 때문입니다. 건성으로 구경하거나 장식품으로 생각하지 말고, 그 내용의 의미를 알아 법문으로서 받아들이면 살아가는 데 지침이 될 것입니다.

오늘은 제가 경험한 도량 이야기를 하겠습니다. 20년 전 제가 처음 인도에 갔을 때 겪은 일입니다.

산치 탑을 참배하고 나서 아잔타로 가는 길이었습니다. 산치 탑으로 가려면 뉴델리에서 급행열차로 14시간 30분이 걸립니다. 그리고 다시 산치에서 아잔타까지는 보팔에서 뭄바이 행 열차를 타야 합니다. 보팔은 제가 그곳에 가기 5년 전(1984년) 미국 기업 유니언 카바이드 사의 독가스 공장이 폭발하여, 2,500명이 한꺼번에 목숨을 잃은 도시입니다.

보팔에서 밤기차를 타야 하는데, 승차권은 있어도 좌석이 없다고 했습니다. 입석입니다. 그다음 날도 좌석은 보장할 수 없다고 하기에 하는 수 없이 그 기차를 타야만 했습니다. 인도는 단체가 아닌 개인이 여행하기에는 교통수단이 아주 열악한 곳입니다. 20년 전의 사정이 그러했습니다.

겨우 열차에 올랐지만 비집고 들어설 틈이 없었습니다. 통로까지 사람이 꽉 들어차 다들 바닥에 앉거나 누워 있었습니다. 여기저기 살피다 보니 화장실 옆 통로 한쪽에 겨우 한 사람이 앉을 만한 틈새가 눈에 띄었습니다. 인도의 열차는 객차와 객차 사이가 막혀 있고 창문마다 철책이 설치되어 있습니다. 그러니까 제가 자리 잡은 곳은 좌우로 두 개의 화장실이, 소위 인도식과 서양식이 마주하고 있는 출입구였습니다.

어쩔 수 없이 바닥에 숄을 깔고 앉았습니다. 두 화장실 틈바구니에서 밤을 새울 걸 생각하니 무척 난감했습니다. 오기로 버티기로 했습니다. 사람들은 남녀노소 할 것 없이 밤새 화장실을 들락거렸습니다. 그때마다 역겨운 지린내를 맡아야 하고 배설하는 소리를 들어야 했습니다.

'나는 왜 이런 고생을 하면서 여행을 계속해야 하나?'

처음에는 슬그머니 화가 치밀어 올랐지만 자정이 되자 문득 생각이 바뀌었습니다.

'나는 단순한 관광객이 아니라 부처님의 성지를 순례하러 나선 수행자가 아닌가. 옛날 구법승들은 오로지 두 발로 걸어서 그 험난하고 위험한 열사의 사막길을 건너왔는데, 그래도 나는 항공기와 열차를 이용하고 있지 않은가. 다른 승객들은 아무렇지도 않게 먼지 바닥에 주저앉기도 하고 드러눕기도 한다. 똑같은 인간인 내가 저들이 견디는 일을 견딜 수 없다면, 나는 저들과 같은 인간 대열에도 낄 수 없을 것이다. 저들이 아무렇지도 않게 겪는 일을 나라고 못할 게 무엇인가.'

생각이 여기에 미치자, 문득 '관념의 차이'라는 말이 떠올랐습니다. 그 순간부터 화도 불만도 사라지고 마음이 더없이 평온해졌습니다.

그토록 혼잡한 열차 안이었지만, 그날 밤에는 당시의 인도 여행 중에서 가장 맑고 투명한 의식 상태를 지닐 수 있었습니다. 그 화장실 앞에서 어떤 성지에서보다도 평온하고 순수한 의식 상태를 지속할 수 있었습니다.

아침 6시, 아잔타 석굴에서 가장 가까운 60킬로미터 거리의 잘가온 역에 도착할 때까지 저는 지극히 평온한 선열禪悅(선정에 들어 느끼는 기쁨)에 충만해 있었습니다. 다른 곳에서는 경험할 수 없었던 선정삼매의 기쁨을 누렸습니다. 그 전날 14시간 반이나 기차를 탔고, 지난밤에도 8시간 반을 그 틈새에서 지냈는데 전혀 피로를 느끼지 못했습니다.

그때 그 화장실 앞 틈바구니가 저에게는 고마운 도량이었습니다. 그 어떤 선원이나 명당보다도 고마운 도량이었습니다.

모든 것은 마음먹기에 달렸습니다. 마음먹기에 따라 지옥이 천당으로 변할 수 있고, 천당이 지옥으로 바뀔 수도 있습니다.

다시 말씀드리지만, 기도하고 수행하는 도량을 어떤 특정한 장소로 한정 짓지 말아야 합니다. 우리가 처한 삶의 현장이 곧 도량입니다. 우리가 몸담고 있는 가정이나 일터가 진정한 도량이 되어야 합니다. 어수선하고 갈피를 잡을 수 없는 이 혼돈스러운 세상에서 도량이 없으면 세상의 물결에 휩쓸려 버립니다. 분별과 집착을 떠나 내가 내 마음을 다스리는 깨달음을 얻는 곳이 곧 도량입니다. 좌청룡, 우백호 다 갖춘 명당에 있어도 직심이 없으면 진정한 도량이 아닙니다.

이상적인 도량은 어디에 있는가?

지금 그대가 있는 바로 그 자리!

도량의 수호신들에게 드리는 기도

2006년 12월 10일 길상사 창건 9주년

    지난 10월에 있었던 가을 법회에서 스님은 한미 자유무역협정에 대해 강하게 반대하는 법문을 했고, 그 직후 많은 논란이 일었다. 하지만 이날은 민감한 사회 정치 문제에 대해서는 언급하지 않은 채, 공개 석상에서는 처음으로 길상사 개원에 얽힌 비화를 소개했다. 법회가 끝난 뒤 스님은 연합뉴스와의 인터뷰에서 "정부가 추진하는 한미 FTA 협상이 생명 산업인 농업을 위기에 빠뜨릴 수 있다는 견해를 밝히자, 사회 각층이 이해관계에 따라 상반된 반응을 보이는 것을 봤다."면서 "정권 말기에 이른 사람들을 너무 궁지로 몰아 상처를 주고 싶지 않고, 정치 이야기를 하고 싶지도 않다."고 말했다.

    오늘은 길상사 창건 기념일이니, 이 기회에 길상사가 세워지기까지의 과정을 말씀드리려고 합니다. 불교 교단에서 세운 절은 그 시작부터가 시주의 보시에 의해서였습니다. 최초의 절은 마가다국의 근교에 있는 죽림정사竹林精舍로, 마가다국의 왕 빔비사라의 발심에 의해서 세워진 절입니다. 그는 부처님이 수행자이던 시절에 이미 부처님께 귀의한 사람으로, 부처님이 깨달음을 얻은 후

교단이 형성되자 절을 지어 기증했습니다.

제가 불일암에서 살 때의 일입니다. 겨울이면 직접 끓여 먹는 자취 생활이 지겹고 세상 구경도 할 겸 1987년 겨울부터는 로스앤젤레스에 있는 송광사 분원 고려사에 가서 서너 달씩 지내다 오곤 했습니다. 물론 빈손으로 가지 않고 경전 번역 일거리를 가져가 일을 하면서 지냈습니다. 이러기를 아마 4, 5년 했을 것입니다.

이 무렵 서울 성북동의 요정 대원각의 주인 김영한金英韓 여사를 고려사 화주(시주)인 대도행 보살을 통해서 알게 되었습니다. 김영한 님은 당시 〈샘터〉에 매달 실리던 저의 글을 읽기 위해 정기 구독자가 되었노라고 처음 만난 자리에서 저에게 말했습니다. 이 때부터 대원각을 절로 만들었으면 좋겠다는 이야기가 오고 갔습니다. 그러나 저는 번거로운 일에 얽혀 들기 싫어하는 천성 탓에 마음을 내지 않았습니다.

그러다가 제 거처를 강원도로 옮기게 되었습니다. 한 해 겨울, 중이 하는 일 없이 공밥만 축내고 있다는 사실에 몹시 자책을 느꼈고, 세상에 도움이 될 일을 이것저것 모색하던 차에 '맑고 향기롭게' 살기 운동을 전개해 보기로 했습니다. 종로에 있는 사무실을 빌려 쓰게 되었는데, 여러 가지로 불편한 일들이 생겨 구체적인 도량이 있었으면 좋겠다는 생각이 들었습니다. 그래서 결국 대원각을 절로 만들자는 거듭되는 제안에 동의하게 되었습니다.

절을 만들 때 어떤 조건도 붙이지 않고 무주상無住相 보시(어떤 대가도 계산하지 않는, 보시라는 생각 자체를 잊은 진정한 보시)로 해야 한다고 우선적으로 다짐을 받았습니다. 모든 절이 다 이런 정신으로 세워졌습니다. 그런데 한번은 사찰 운영을 의논하는 자리에서(그때 '맑고향기롭게' 이사들도 함께 자리했다), 저쪽 재산관리인이 앞으로 절을 운영하는 데 재단법인을 만들어 이사와 감사를 두어야 한다고 주장하는 것이었습니다.

저는 그 자리에서 일어서고 말았습니다. 아무런 조건 없이 절을 세우자는 처음의 뜻에 어긋났기 때문입니다. 지금도 그렇지만 전통적으로 절살림에 이사와 감사가 있을 수는 없습니다. 그 절에 사는 스님과 신도들에 의해서 운영되는 것이 절살림입니다.

그사이 다른 여러 스님들이 이곳에 절을 세울 생각으로 시주의 조건에 맞도록 절을 만들겠다며 접촉을 시도했지만, 시주 김영한 여사의 뜻은 10년 동안 초지일관, 오로지 저에게 이 장소를 맡기겠다는 데 변함이 없었습니다. 이런저런 우여곡절 끝에 9년 전 길상사를 세우게 되었습니다.

그러나 길상사가 창건된 지 얼마 안 되어 시주가 세상을 뜨게 되자, 저쪽 재산관리인 측에서 소송을 제기했습니다. 절의 일부 부지(지금의 지장전과 주차장 자리)를 돌려 달라는 것이었습니다. 법원에서는 1심과 2심에서 이유 없다고 기각했습니다.

절은 종단의 공동재산이지 결코 개인의 소유가 될 수 없습니다. 시주는 나를 믿고 내가 하는 대로 따르겠다고 했지만, 절은 개인의 사물이 될 수 없는 것이 전통적으로 내려온 승가의 규범입니다. 그런 이유 때문에 송광사 분원으로 이 절을 종단에 등록하게 된 것입니다.

절에 어떤 개인의 지분이 있다는 말을 들어보셨습니까? 그 절을 세우는 데 어떤 공이 있다고 해서 지분을 달라고 하는 말을 들어보셨습니까?

불교 교단의 계율(율장律藏)에는 승가물僧伽物이라는 것이 있습니다. 그것에는 사방승물四方僧物(또는 상주승물常住僧物)과 현전승물現前僧物이 있는데, 사방승물은 그 도량에 사는 스님들이 함께 쓰는 승단의 공유물을 가리킵니다. 그 절의 건물이나 방이나 전답 등이 이에 해당합니다. 현전승물은 현재 그곳에서 살고 있는 스님들이 사사로이 쓰는 개인의 사물을 말합니다.

사방승물은 현전승이 개인적으로 나누어 쓰거나 처분할 수 없다고 율장은 규정하고 있습니다. 공과 사를 분명하게 가리고 있는 청정한 승가 정신입니다.

여러분이 아시다시피, 저는 이 길상사에 제 개인의 방을 갖고 있지 않습니다. 일이 있어 산을 내려올 때 행지실(길상사의 주지실)에 잠시 머물 뿐입니다. 저는 아직까지 이 절에서 단 하룻밤도 잠을 잔 적이 없습니다. 아무리 늦은 시각이라도 자지 않고 떠납니다. 이와 같은 처신은 제 개인의 삶의 질서이며 생활 규범이기도 합니다.

이 도량에 살지도 않으면서 방을 차지한다면 그것은 부처님 법 밖의 행위입니다. 더구나 맑고 향기롭게 살고자 하는 염원으로 이루어진 도량이므로, 부처님의 가르침과 승단의 전통적인 규범에 어긋나게 살아서는 안 됩니다.

중노릇이란 어떤 것인가? 부처님의 제자라면 부처님의 가르침에 따라 살아야 합니다. 남의 자리를 넘보지 말고 각자 자기의 자리에서 최선을 다해야 합니다. 모두가 자기 자리를 지킬 때 세상은 더 맑고 향기로워집니다.

길상사吉祥寺라는 이름은, 이 절이 세워지기 전 파리에 송광사 분원으로 '길상사'를 만들었는데, 그 이름이 좋아서 따랐습니다. 또한 송광사의 옛 이름이 길상사이기도 한 그런 인연도 있습니다.

절을 세우긴 했지만 자리 잡히기 전까지 저는 좀처럼 마음이 놓이지 않았습니다. 시주의 기대에 어긋나지 않게 절을 만들어 가야 하는데, 요정이었던 건물을 절로 바꾸느라 여기저기 손대다 보니 빚이 쌓여 갔습니다. 내색은 하지 않았지만 속으로는 불안했습니다. 그래서 간절한 마음으로 기도했습니다. 그리고 이런 발원을 했습니다.

"길상사가 맑고 향기로운 도량이 되게 하소서. 이 도량에 몸담은 스님들과 신도들, 이 도량을 의지해 드나드는 사람들까지도 한마음 한뜻이 되어, 이 흐리고 거친 세상에서 맑고 향기로운 도량이 되게 하소서. 좋은 스님들과 신도들이 모여서 법답고 길상스런 도량을 이루게 하시고, 안팎으로 보호하고 있는 신도들이 부처님과 보살들의 보살핌 속에 행복한 나날을 이루게 하소서."

이와 같은 제 염원은 앞으로도 이어질 것입니다. 오늘의 길상사가 있게 된 것은 알게 모르게 염려하고 보살펴 주신 많은 분들, 소임을 보아 온 스님들과 여러 신도들의 공덕임을 누구보다도 이 도량의 수호신이 잘 알고 있을 것입니다. 이 자리를 빌려 그분들께 감사의 말씀을 전합니다.

나도 밭을 갈고 씨를 뿌린 다음에 먹는다

2006년 10월 15일 가을 정기법회

가을 가뭄이 한 달 넘게 기승을 부리고 강릉지역 낮 최고기온이 30도를 웃도는 이상고온현상까지 겹쳤다. 지난달 강원도의 평균 강수량은 평년의 15퍼센트에 불과했다. "한동안 길상사에 안 나와 버릇하니 나오기가 무척 머리 무겁습니다. 어느 날인가는 영영 안 나오게 될 것입니다." 이렇게 말문을 연 스님은 정부가 추진하는 한미 자유무역협정 협상에 대해 강력히 비판했다. 농업은 단순한 하나의 산업이 아니다. 상생과는 거리가 먼 미국의 기업농을 위한 FTA 체결은 흙의 덕을 아는 것과는 거리가 멀다. 스님의 이날 법문은 사회적으로 큰 반향을 불러일으켰다. 가을이 깊어 가는 것이 눈으로 들리는 이날, 3천여 명의 청중이 모인 길상사는 도심 속에 자리 잡고 있음에도 고즈넉한 산사에 온 듯한 느낌이 한층 더했다.

올가을에는 전국적으로 가뭄이 들어 모든 것이 메말라 있습니다. 수해가 난 다음 오랫동안 비가 내리지 않아 대지가 바짝 말랐습니다. 산에 사는 저도 물기가 없어서 몹시 메말라 있는 상태입니다. 저보고 많이 야위었다고들 하는데 당연한 결과입니다. 산에서 살면 나무와 생태가 비슷해져서 나무가 마르면 같이 마르고,

나무에 물기가 오르면 같이 물기가 돌게 되는 것이 자연스러운 순리입니다. 자연과 일체감을 나누는 것입니다. 건강에는 이상 없습니다.

오늘은 농사에 대해 말씀드리겠습니다. 부처님 당시 대부분의 사람들이 농사를 지었습니다. 그러나 수행자들은 농사를 짓지 않고 남이 수확한 것을 얻어먹었습니다. 초기 경전 〈숫타니파타〉에 보면 한 농부와 부처님이 나눈 대화가 실려 있습니다. 바라드바자라는 바라문이 음식을 나누어 줄 때, 음식을 받기 위해 한쪽에 서 있던 부처님을 보고 말합니다.

"사문이여, 나는 밭을 갈고 씨를 뿌립니다. 밭을 갈고 씨를 뿌린 후에 먹습니다. 당신도 밭을 갈고 씨를 뿌리십시오. 갈고 뿌린 다음 먹으십시오."

농부들은 피땀 흘려 일한 수확으로 먹고사는데 수행자들은 도를 공부한다며 아무 일도 하지 않고 끼니때만 되면 걸식하러 오는 게 불쾌했던 것입니다.

그러자 부처님이 말합니다.

"나도 밭을 갈고 씨를 뿌립니다. 갈고 뿌린 다음에 먹습니다."

이에 바라문은 의문이 생겨 되묻습니다.

"그러나 우리는 당신의 쟁기나 호미, 소를 본 적이 없습니다. 당신은 어째서 '나도 갈고 뿌린 다음에 먹는다.'라고 하십니까?"

부처님이 대답합니다.

"나에게 믿음은 씨앗이요, 고행은 비이며, 지혜는 쟁기와 호미, 의지는 쟁기를 매는 줄입니다. 몸을 조심하고 말을 삼가며 음식을 절제하여 과식하지 않습니다. 그리고 나는 진실을 김매는 일로 삼고 있습니다. 또한 부드러움과 온화함이 내 소를 쟁기에서 떼어 놓습니다."

즉, 부처님 자신은 마음의 밭을 간다는 소식입니다.

예부터 인도의 수행자는 철저한 무소유이기 때문에 걸식에 의지해 살아왔습니다. 초기 경전 중 하나인 〈유교경遺敎經〉에는 부처님이 열반하기 전에 설한 '수행자들은 밭을 갈지 말라.'는 가르침이 기록되어 있습니다. 밭을 갈게 되면 거기에 집착하고, 세속적인 생산에 종사하다 보면 수행을 제대로 할 수 없을 것이라는 뜻이 담겨 있습니다. 또 본의 아니게 많은 생물들을 희생시키기 때문에 농사를 짓지 말라는 가르침입니다.

전통적으로 베다 시대(기원전 1500년에서 기원전 600년경으로, 인도 문화 원형의 완성기)부터 수행자들은 걸식을 했습니다. '비구比丘'라는 말은 고대 경전 용어인 팔리어 '비쿠'를 소리로 옮긴 것입니다. 걸인이라는 뜻입니다. 결코 좋은 이름은 아닙니다. 남이 피땀 흘려 농사지은 수확물을 얻어먹는 것은 떳떳한 일이 못 됩니다. 다만 수행자가 일반 걸인과 다른 점이 있다면, 밖으로 밥을 빌어 몸을 돕고 유지하고 안으로는 법을 빌어 이웃을 돕는다는 것입니다. 수행을 통해 이웃에게 이로움을 전하고 중생을 가르친다는 뜻입니다.

스리랑카, 태국, 미얀마 등 남쪽 불교권에서는 걸식의 전통이 현재까지 이어지고 있습니다. 아침 걸식 시간이 되면 신도들이 집 앞에 음식을 차려 놓고 스님들이 공양 받아 가기를 기다립니다.

신도들은 수행자에게 공양을 올림으로써 공덕을 쌓는다고 믿습니다. 하지만 전통과 문화적 배경이 다른 중국이나 우리나라에서는 수행자의 걸식을 미덕으로 여기지 않습니다. 스스로 일하지 않고 거저먹는 것을 악덕으로 여깁니다. 여기에 대승불교와 소승불교의 차이가 있습니다. 소승불교에서는 부처님 말씀을 그대로 지킵니다. 부처님 말씀뿐 아니라 사회적인 배경 자체가 전통적으로 이어지기 때문입니다. 그러나 중국이나 우리나라에서는 부처님의 말씀보다도 뜻을 받들어서 수행자들도 생산해서 먹어야 한다고 여깁니다. 자기가 먹을 식량은 자급해야 한다는 취지로 바뀝니다. 대단히 혁명적인 발상입니다. 제자들이 스승의 가르침을 극복해 보다 생산적이고 창조적으로 한 걸음 발전한 것입니다. 이것이 대승불교입니다.

중국에서 최초로 불교 수도원을 세운 분이 백장 선사입니다. 그전에는 독립된 수도원이 없었습니다. 백장 선사 때부터 제대로 된 수도원이 만들어지기 시작했습니다. 수도원의 기본적인 생활 규범은 일하지 않으면 먹지 말라는 것입니다. 백장 선사는 한 절의 방장(참선을 가르치는 선원, 계율을 가르치는 율원, 경전을 가르치는 강원, 이 세 가지를 모두 갖춘 총림급 사찰의 최고 스님을 일컫는 말)이자 노승이었지만 대중과 똑같이 논밭에서 일을 했습니다. 이를 딱하게 여긴 입승(선원장을 모시며 죽비를 들고 선원을 이끄는 승려)이 하루는 스님의 연장을 감추어 버립니다. 규범이 살아 있는 수도원에서는 각자 연장이 따로 있어서, 일할 때는 자기 연장으로 일을 합니다. 연장을 감춰 버리니 노스님은 일을 할 수 없었습니다. 일터에 노스님의 모습이 보이지 않자 입승은 "그럼 그렇지." 하고 좋아합니다. 그런데 공양 시간이 되어도 노스님이 식당에 나타나지 않습니다. 무슨 일인가 싶어 노스님 방에 가 보니 평소처럼 좌선을 하고 계셨습니다. 입승이 "왜 공양하러 오지 않으십니까?" 하고 묻자 스님은 말합니다.

"나는 오늘 일하지 않았으니 먹지 않겠다."

이것이 수도원의 시퍼런 생활 규범입니다. 그곳 백장 문하에서 많은 인물이 나옵니다. 황벽黃檗, 위산潙山, 임제, 향엄香嚴, 앙산仰山 등 중국 선종사를 빛낸 눈부신 인재들이 '일하지 않으면 먹지 말라.'는 생활 규범을 지닌 도량에서 배출된 것입니다.

우리나라에서도 예전부터 큰 절에서는 식량 자급을 위해 스님들이 직접 농사를 지어 왔습니다. 일손이 모자라면 일꾼을 사서라도 자경自耕을 했습니다. 직접 갈고 뿌리고 먹는 것을 매우 떳떳한 일로 여겼습니다. 큰 절들에 가 보면 절 아래 땅을 개간해 논밭으로 일군 곳이 많습니다. 농사짓는 사람들이 흘리는 땀을 귀하게 여길 줄 알아서, 낟알 한 알까지도 소중히 생각했습니다. 시주 물건을 무섭게 여겼습니다. 스스로 갈고 뿌린 다음 거두어서 먹는 체제이기에 곡식 한 톨이 아까운 것입니다. 함부로 버리면 큰 허물이었습니다. 이것은 절마다 약속처럼 지켜졌습니다.

그러나 농경사회에서 벗어난 현재는 어떻습니까? 절이나 마을이나 다를 것이 전혀 없습니다. 모두가 쓰레기를 양산하고 있습니다. 이런 세태에서는 예전처럼 눈 밝은 수행자가 나올 수 없습니다. 4, 50년 전만 하더라도 오후에는 늘 울력 시간이 있었습니다.

울력은 여러 사람이 힘을 합쳐 농사짓고 작업하는 것을 뜻합니다. 작물만 생산하는 것이 아니라 일을 통해 수도원에 사는 사람들이 정신적인 일체감을 갖게 됩니다. 그런데 지금은 모두 게을러져서 일을 하려 들지 않습니다. 울력을 하기보다 오히려 마을 일꾼을 사서 일을 시키는 것이 경제적으로 이롭다고 생각하기에 이르렀습니다. 그렇게 되면서부터 불교가 점점 쇠퇴해 가고 있습니다.

구한말 내장산에 학명鶴鳴 스님이라는 분이 계셨습니다. 대단한 선지식입니다. 최근에 그분의 어록과 행적을 담은 책도 발간되었습니다. 스님은 평소에 '반선반농半禪半農'을 주장했습니다. 하루 일과 중 절반은 참선을 하고 절반은 농사를 지어야 한다는 것입니다. 농사짓는 일이 곧 참선이라는 소리입니다. 스님이 주창한 내장선원 청규에 나오는 구절입니다.

"이 선원의 목표는 반농반선에 있다."

가만히 앉아 조는 것만을 능사로 여기지 않았습니다. 논밭에 가서 성성적적惺惺寂寂(마음이 활짝 깨어 있고 번잡하지 않은 상태)하게 일하는 것이 바로 참선이라는 가르침입니다. 생산을 위한 노동이 곧 수행이라는 것입니다. 창조적인 노동이고 창조적인 수행입니다.

"오전은 부처님의 가르침인 경전을 보고, 오후는 노동, 야간은 좌선으로 일과를 삼는다."

선방이라고 해서 하루 종일 가만히 앉아만 있는 것이 아니라 오전에는 부처님의 가르침을 이론적으로 공부하고, 오후에는 논밭에 나가 일하며 노동으로써 공부 삼고, 밤에는 좌선을 일과로 삼았습니다. 먹을 식량을 직접 생산함으로써 공부도 스스로 할 수 있다는 교훈입니다. 선원의 참 주인은 자신의 수행을 스스로 행하듯 자신의 힘으로 먹을 것을 마련하라는 것입니다. 먹는 일이나 수행하는 일, 일하는 것과 참선하는 것이 하나라는 가르침입니다. 겨울안거 때는 농사철이 아니므로 좌선을 위주로 하고, 여름안거 때는 농사철이니 경전 읽는 일과 농사, 노동을 골고루 행하는 일과였습니다.

불교가 세속화되어 놀고먹으려는 풍조가 만연한 구한말, 농사 짓는 일이 진실한 참선이라는 학명 스님의 외침은 당시뿐 아니라 지금까지도 큰 교훈을 줍니다. 오늘의 현실을 되돌아보게 합니다. 이 시대의 절들은 농사짓는 일이나 울력을 소홀히 하고 있습니다. 그저 경전 보고 기도하고 참선만 하면 다 되는 것으로 착각합니다. 시주로 들어온 물건들을 고마워할 줄 모르고 아무렇게나 소비합니다. 울력은 생산적인 노동인 동시에 도량에 사는 대중들에게 일체감을 갖도록 해 줍니다. 따로따로 앉아서 좌선만 하면 일체감을 가질 수 없습니다.

농사는 일차적으로 식량 생산을 위한 행위입니다. 한 걸음 나아가 흙을 가까이하면서 흙이 지닌 덕과 질서, 생명을 움트게 하고 자라게 하는 자연의 신비를 배우고 익히는 과정입니다.

농사는 생명 산업입니다. 농사일을 통해 이웃과 서로 돕는 상생의 유대가 이루어집니다. 농사는 홀로 지을 수 없습니다. 품앗이를 해야 하고, 물줄기가 있으면 서로 나눠 써야 하고, 생명의 열매 역시 혼자 먹지 않습니다. 함께 나누는 것입니다. 나눔은 돈으로 따질 수 없는 대지의 은혜입니다. 농사를 지어 본 사람은 대지의 은혜를 실감합니다. 사람은 땅에서 나는 곡식과 채소를 먹지 않으면 살아갈 수 없습니다. 휴대전화나 컴퓨터, 자동차는 먹을 수 없는 물건입니다. 생명이 없는 차디찬 쇠붙이입니다. 이것들만 가지고는 살 수 없습니다.

요즈음 생명 산업인 농업이 큰 위기를 맞고 있습니다. 한미 FTA라는 말 들어보셨을 것입니다. 미국과의 자유무역협정입니다. 저도 처음에는 건성으로 알았는데 몇 권의 책과 문서를 찾아보니 눈이 번쩍 뜨일 정도로 큰일이었습니다. 겉으로는 그럴듯한 자유무역 같지만 사실은 철저하게 미국 기업과 투자자들을 위한 협정입니다. 미국만을 위한 보호주의입니다. 자유무역이란 무엇인가? 자유롭게 무역하는 것이 아닙니다. 정치경제학적인 측면에서 보면 강자의 보호주의입니다. 한미 FTA를 추진한다는 것은 무조건 개방해야 한다는 뜻입니다. 그런데도 정부 각료들은 개방해야 살고, 쇄국하고 개방하지 않으면 죽는다는 정신 나간 소리들을 하고 있습니다.

우리나라 대외무역 의존도가 70퍼센트를 넘어선 상황입니다. 무역의존도라는 말은 대외 개방도를 의미합니다. 높다고 해서 자랑할 일이 아닙니다. 대외무역에 의존한다는 것은 우리가 그만큼 외국을 향해 개방하고 있다는 이야기입니다. 우리가 70퍼센트 이상 개방하고 있는데 미국은 어떤가? 20퍼센트밖에 안 됩니다. 일본은 22퍼센트입니다. 나머지는 내수경제입니다. 우리 경제가 취약한 것은 내수경제가 약하기 때문입니다. 우리가 미국과 일본보다 세 배 이상 개방하고 있는데, 그럼에도 불구하고 마저 다 개방해야 살 길이라고 외치는 것입니다. 휴대전화나 자동차 좀 팔았다고 능사가 아닙니다. 그만큼 외부로부터 받는 충격이 큽니다. 한미 무역협정이 체결되면 무역의존도는 올라가는 대신 내수 비중은 더 줄어듭니다. 내수 비중이 줄어든다는 소리는 무엇인가? 서민들이 살기가 더욱 어려워진다는 것입니다. 우리 경제는 세계시장에서 구조적으로 매우 취약합니다.

정부나 관료들, 대통령까지도 한미 자유무역협정이 체결되면 어떤 이득이 있는지 입을 모아 말합니다. 몇몇 재벌 기업과 고급 공무원, 관료들과 언론사들은 분명 이익을 볼 것입니다. 그러나 노동자, 농민을 비롯한 대다수 서민들은 틀림없이 지금보다 더욱 살기 어려워집니다. 농업은 서로 돕고 의지하는 상생관계에 기반을 두어야 하는데, 미국의 농업이란 무엇인가? 상업농이 아니라 기업농입니다. 기업농 체제는 농업의 기반을 근본적으로 무너뜨립니다. 전문가들의 견해에 의하면 한미 자유무역협정은 일단 '농업은 없다.'는 전제하에 이루어진다고 합니다. 농업을 완전히 무시하고 시작하는 것입니다. 단순한 통상 협상이 아니라 사회 전환 프로그램입니다. 온 세계를 미국의 시장으로 만들겠다는 소위 세계화의 물결입니다. 얼마 전 노무현 대통령이 한 말입니다.

"한미 FTA로 농민들이 피해를 보는 것은 분명한 사실이다. 그렇지만 정부가 농민들한테 생활 보조비를 주어 먹여 살리면 되지 않는가?"

얼토당토않은 이야기입니다. 팔팔한 농사꾼에게 보조비나 타 먹으며 살아가라는 것이 말이 됩니까? 삶의 터전과 의욕을 잃은 채 식물인간이 되라는 미친 소리나 다름없습니다. 경제의 기반 산업인 농업이 소멸되면 무엇이 남습니까? 아무것도 남는 것이 없습니다. 경제가 튼튼하려면 기초산업인 농업이 뿌리를 내려야 합니다. 사람은 먹지 않으면 살 수 없기 때문입니다.

우리나라 국토 중 산지가 64퍼센트입니다. 산은 많은데, 농지는 20퍼센트뿐입니다. 그리고 농지 전체 면적의 84퍼센트를 실질적으로 농민이 관리합니다. 만약 농업이 죽게 되면 생태적인 관리 자체가 불가능해집니다. 논밭에서 생산한 곡식뿐 아니라 벼논에서 만들어 내는 산소가 우리들 건강을 뒷받침하고 있습니다. 단일 작물 가운데 가장 수익이 높았던 쌀농사의 수지가 안 맞으면 농사를 지을 수 없게 됩니다. 단지 농사만 못 짓는 것이 아니라 생태적인 관리가 안 되기 때문에 사람 살기가 더욱 어려워집니다. 다 죽게 된 농민들에게 "생활 보조금이나 타 먹으면 되지 않는가?"라고 말하는 사람이 국정을 맡고 있으니 이 나라는 불행할 수밖에 없습니다.

일본과 중국이 미국과 자유무역협정을 맺지 않는 이유가 있습니다. 한국의 대통령이나 정부 관료보다 경제를 몰라서가 아닙니다. 손익에 대한 계산이 어두워서도 아닙니다. 중국과 일본이 어떤 나라입니까? 한동안 우리가 일본 사람들을 경제동물이라고 얕잡아 보지 않았습니까? 일부 중국인은 생선에 납을 넣어 팔 정도로 돈벌이에 혈안이 되어 있습니다. 그런데도 이 두 나라는 자국민을 보호할 충분한 장치가 없기 때문에 자유무역협정을 맺지 않는 것입니다. 우리나라의 한 기자가 일본의 통상장관을 만나 "일본은 왜 미국과 자유무역협정을 맺지 않는가?" 하고 묻습니다. 장관의 대답입니다.

"미국과의 자유무역협정으로 피해를 입을 농민들에 대한 충분한 대책이 서 있지 않다. 농민들도 살아야 하지 않겠는가? 아직 합리적인 방안이 없기 때문에 우리는 하지 않는 것이다."

자국 국민의 보호를 먼저 의식하는 것입니다. 우리 정부에서는 할 일도 많을 텐데 무엇을 위해 손해 볼 짓을 서둘러서 하는지 속내를 아무도 모릅니다. FTA를 미국형과 EU형으로 크게 나누는데, 2005년 〈세계은행 연례 보고서〉는 미국과의 FTA가 가장 잔인하고 참혹한 것이라 기술하고 있습니다.

생명 산업인 농업을 경제성만 가지고 손익을 따져서는 안 됩니다. 농업과 농촌은 우리 존재의 터전입니다. 영혼의 고향입니다. 명절 때 보십시오. 기를 쓰고 목숨을 내걸고 고향으로 향합니다. 농촌과 농민이 사라지면 고향 갈 일이 없습니다. 고향은 우리 민족의 막강한 에너지입니다.

농업 문제는 농민에게만 맡길 수 없는 절박한 기로에 서 있습니다. 우리 농민의 수는 350만 명으로, 전체 인구의 7퍼센트밖에 안 됩니다. 그나마 이들 대부분이 60세 전후의 사람들입니다. 농촌에서 아이 우는 소리가 사라진 것은 어제오늘 일이 아닙니다. 아이 우는 소리가 사라졌다는 것은 미래가 없다는 의미입니다. 이 추세라면 우리의 농업 인구는 10년 안에 인구통계에서 사라질지 모릅니다. 농업 문제를 농민에게만 맡길 수 없는 당위성이 바로 여기에 있습니다.

이 땅에서 농업이 막을 내리면 생태 환경도 함께 무너져 우리는 생존할 수 없습니다. 생명의 농업을 말살하려는 한미 자유무역협정은 우리가 막아야 합니다. 그것은 이 시대 이 장소에 살고 있는 사람들의 사명입니다. 남의 나라 식량의 식민지가 되도록 내맡겨서는 안 됩니다. 땅을 의지해 살고 있는 모든 생명을 위해 끝까지 막아야 합니다.

부처님 오신 날이 아니라 부처님 오시는 날

2006년 5월 5일 부처님오신날

길상사가 위치한 성북동에는 외국 공관이 많기 때문에 해마다 부처님오신날이면 근처 많은 외국인들이 연등 구경을 하러 절을 찾는다. 올해는 3천여 개의 연등이 걸렸다. 한국 조각계의 거장이며 천주교 신자인 최종태 선생이 2000년 4월에 화강암으로 제작한 마리아상을 닮은 관세음보살상도 근처 가톨릭 수도원의 사제와 수녀들을 자주 초대한다. 이날 스님은 법문을 하기 위해 여느 때처럼 강원도 오두막에서 어두운 새벽에 출발해 먼 길을 왔다. 절마당에서 마주친 벽안의 서양인 여성이 스님에게 합장하며 인사를 건넸다. "Happy Buddha's birthday!(부처님 생일을 축하합니다)" 그러자 스님도 합장하며 그 여성에게 화답했다. "Happy your birthday!(당신의 생일을 축하합니다)"

부처님 오신 이날이 있어서 우리들이 이렇게 한자리에 모였습니다. 만약 부처님이 이 세상에 오시지 않았다면 저 같은 사람도 사찰에 올 일이 없고 또 여러분도 절에 다닐 인연이 닿지 않았을 것입니다. 전혀 얼굴도 이름도 모르는 남남이지만 '오늘'이 있었기에 우리가 이렇게 만나게 되었습니다. 한 사람의 삶의 영향력이란 이런 것입니다. '오늘'이 없다면 이런 절도 없고, 이런 자리도 마련될 수 없습니다. 부처님오신날이 있었기에 우리가 이 화창한 봄날 함께 이런 모임을 갖게 된 것입니다.

지나온 인류 역사에서 부처님 같은 뛰어난 성인이 계시지 않았다면 현재의 우리는 어떻게 살고 있을까요? 부처님만이 아니라 예수님과 노자, 장자 등 인류에게 많은 가르침을 준 스승들이 안 계셨다면 현재 우리들의 삶의 모습은 많이 달라졌을 것입니다. 저 개인의 삶을 돌아볼 때도 그렇습니다. 일찍이 부처님 법을 만나지 못했다면 현재의 나 자신은 과연 어떤 모습을 하고 있을까? 상상만 해도 끔찍합니다.

우리에게 의지처가 있다는 것, 귀의처가 있다는 것은 크나큰 축복입니다. 의지할 대상이 없는 삶은 중심을 잃고 끝없이 헤맬 수밖에 없습니다. 세상에는 신앙을 갖지 않고도 얼마든지 잘 사는 사람이 있지만, 신앙 덕분에 그릇된 길에서 벗어나 바른길로 가는 사람이 훨씬 많을 것입니다. 생각할수록 부처님 법을 만나게 된 인연이 다행스럽고 고마울 뿐입니다.

오늘은 부처님오신날이기 때문에 제 말보다는 부처님이 직접 말씀하신 경전을 몇 구절 함께 음미해 보려고 합니다. 초기 경전인 〈숫타니파타〉는 경을 한데 모았다는 뜻입니다.

부처님이 가장 오래 머물렀던 절이 기원정사祇園精舍입니다. 그곳에서 가장 많은 안거를 했고, 〈숫타니파타〉를 비롯해 근본 경전인 〈아함경〉과 대승경전(부처 사후 대승운동이 일어나면서 편찬된 경전들)인 〈금강경〉을 이 기원정사에서 설하셨습니다.

어느 날 어떤 사람이 기원정사로 부처님을 찾아와 말합니다.

"사람들은 누구나 행복을 바라고 있습니다. 으뜸가는 행복에 대해 말씀해 주십시오."

어떤 것이 인간 삶에 으뜸가는 행복인가 하는 물음입니다. 이에 대한 부처님의 대답이 〈숫타니파타〉의 '으뜸가는 행복'에 실려 있습니다. 오늘은 그 경에서 몇 구절 뽑아 같이 읽어 보려고 합니다.

어리석은 사람을 가까이하지 말고
어진 사람과 가깝게 지내며
존경할 만한 사람을 존경하라.
이것이 더없는 행복이니라.

이런 경전을 통해 자기 자신에게 물어야 합니다. 나는 주위 사람들에게 과연 어떤 존재인가? 나에게 어리석은 요소는 없는가? 나는 선한 인간의 대열에 들 수 있는가?

인간은 홀로 형성되지 않습니다. 어울려 살아가기 때문에 자신도 모르게 친구들, 만나는 사람들의 영향을 받습니다. 마치 이슬비 속에서 서서히 옷이 젖듯이 좋은 친구는 좋은 친구대로, 또 나쁜 친구는 나쁜 친구대로 영향을 주고받습니다. 관계 속에서 거듭거듭 형성됩니다.

어리석은 사람을 가까이하면 어리석어집니다. 도박을 좋아하는 사람과 어울리면 도박을 하지 않을 수 없고, 술꾼과 어울리면 술을 마시지 않을 수 없습니다. 그 대신 지혜로운 사람과 가까이하면 자기 자신도 지혜로워집니다.

삶에서 존경할 만한 사람을 존경하라는 말입니다. 그것은 우리 안에 존경의 요소가 움트는 일입니다. 존경할 만한 대상이 없는 인생은 삭막한 인생입니다. 자기 성장을 할 수 있는 발판이 이루어지지 않습니다.

분수에 알맞은 곳에 살고
일찍이 공덕을 쌓고
바른 서원을 세우라.
이것이 더없는 행복이니라.

사람은 저마다 자기 몫이 있습니다. 남의 것을 가로채거나 남의 자리를 흉내 낼 수 없습니다. 그렇게 하면 자기 삶이 소멸됩니다. 자기다운 삶을 살려면 먼저 자기에게 주어진 몫을 확실하게 알아야 합니다.

공덕이라는 것은 물질적인 베풂만을 의미하는 게 아닙니다. 말한 마디, 눈빛 하나도 공덕이 되어야 합니다. 물질이 없어도 맑은 눈빛, 다정한 얼굴, 부드러운 말을 나눌 수 있습니다.

사람은 원을 세우고 살아야 합니다. 원은 삶의 지표와 같은 것입니다. 원이 강한 사람은 어떤 상황에서도 절망하지 않고 딛고 일어설 수가 있습니다. 원의 힘이 약하면 작은 바람에도 휩쓸려 넘어갑니다. 원은 개인적이지 않습니다. 공동체적이며 이웃과 함께 누립니다. 그래서 큰 원을 세우라고 말하는 것입니다. 똑같은 욕구라 해도 개인적인 것은 욕심이고, 공동체적이고 함께 누릴 수 있는 것은 원입니다.

〈반야심경〉에 보면 '도일체고액度一切苦厄, 일체의 고난과 재난을 건넌다.'는 구절이 있습니다. 보살은 세상을 어떻게 살아가는가? 모든 중생의 고통과 재난을 건넌다는 것입니다. 건넌다는 말은 곧 건진다는 의미입니다. 타인의 고난과 고통을 함께 나눔으로써 자기 자신도 구원받는 것입니다. 이 세상에서 저세상으로, 차안에서 피안으로, 고통의 세계에서 고통을 벗어난 세계로 넘어간다는 뜻입니다. 내가 타인에게 헌신함으로써 나 자신도 구제를 받는다는 소식입니다. 그것이 보살의 원입니다.

> 부모를 섬기고
> 아내와 자식을 사랑하고 보살피는 것,
> 일에 질서가 있어 혼란스럽지 않은 것,
> 이것이 더없는 행복이니라.

오늘날에는 가정이 해체되고 있습니다. 가족들이 만나 함께 식사하는 일조차 없습니다. 우리말의 '식구'는 한솥밥을 먹는 사람들이라는 뜻입니다. 한솥밥을 먹는 사람들이 한솥밥을 나누어 먹을 수 있는 기회가 별로 없습니다. 어떤 가정에서는 부부 사이에 갈등이 있어 부부가 한집에서 따로 밥을 해 먹는다고 합니다. 이렇게 되면 집은 차디찬 가옥이지 가정이 아닙니다.

가정은 따뜻한 곳입니다. 가정은 우리가 밖에서 받은 상처를 위로받고 치유하는 장소입니다. 내 모든 것을 다 받아들여 주는 곳이 가정입니다. 가정이 해체된 가옥엔 치유의 길이 없습니다. 갈등밖에 없으며, 더 이상 쉴 곳이 아닙니다.

역사학자 아널드 토인비는 말년에 외롭게 지냈기 때문에 동양의 대가족제도를 무척 부러워했습니다. 그런데 정작 우리는 해체되고 있지 않습니까? 서로 불편하다고 해서 뿔뿔이 흩어져 지냅니다. 어버이날에나 한 번씩 찾아가거나 전화를 하고, 어쩌다 외식이나 하는 정도입니다. 물론 농경사회에서 이루어진 가족 단위와는 다르겠지만 현대사회라고 해서 가정의 틀이 무너져서는 안 됩니다.

'일에 질서가 있어 혼란스럽지 않은 것.'

모든 것에는 우선순위가 있고, 질서가 있습니다. 나라 다스리는 일도 마찬가지입니다. 우선순위가 있는데 선거철만 되면 그것을 무시하고 표를 긁어모으기 위해 엉뚱한 짓을 합니다. 일에 질서가 없으면 혼란스럽습니다. 사회가 혼란스러운 것은 사회 구성원들 스스로에게 질서가 없기 때문입니다.

남에게 베풀고
이치에 맞게 행동하며
비난을 받지 않게 처신하라.
이것이 더없는 행복이니라.

베푸는 것을 수직관계로 생각하지 마십시오. 있는 사람이 없는 사람에게 무엇을 주는 것이 아닙니다. 수평적으로 나누는 일입니다. 살아가면서 얼마나 많은 은혜를 입습니까? 부모와 사회와 친구에게, 눈에 보이든 보이지 않든 무수한 관계 속에서 은혜를 입으며 삽니다. 그런 도리를 안다면 스스로 나눌 수 있어야 합니다.

사람은 나이가 들수록 인간적으로 성숙해져야 합니다. 그러기 위해서는 순간순간 나누어 가질 줄 알아야 합니다. 그것이 이치에 맞게 행동하는 길, 인간의 도리에 맞게 살아가는 길입니다.

'비난받지 않게 처신하라.' 사람이 인색하고 도리에 맞지 않는 행위를 하기 때문에 비난받는 것입니다. 이웃과 나누어 갖고 인간의 도리에 맞는 행동을 한다면 남에게 비난받을 일이 없습니다.

불교의 기본적인 가르침은 '악한 일 하지 말고 선한 일 두루 행해서 그 마음을 맑히라.'는 것입니다. 이것이 과거, 현재, 미래의 모든 부처들의 한결같은 가르침입니다. 마음을 맑히려고 따로 노력할 것 없이, 악한 일 하지 않고 선한 일 하면 스스로 마음이 맑아진다는 소리입니다. 남과 나누어 가질 때 마음이 열립니다. 마음이 열린 상태가 바로 맑아진 상태입니다.

악을 싫어해 멀리하고
술을 절제하고
덕행을 소홀히 하지 말라.
이것이 더없는 행복이니라.

술은 적당히 마시면 약이 되지만, 적당을 넘어서면 술이 술을 불러서 취하게 합니다. 지금 병원마다 간이 망가져서 사형선고를 받은 사람들이 많습니다. 여러 원인이 있겠지만 평생 쓸 장기를 독한 알코올에 늘 담아 두었기 때문에 간 기능을 상실한 것입니다. 맑은 정신을 갖고도 살기 어려운 세상인데, 스스로 술에다 정신을 절게 하지 말라는 이야기입니다.

덕행이라는 말이 자주 나오는데, 덕행은 관계 속에서 이루어집니다. 남과 나누어 가질 때 덕이 쌓입니다. 그때 겹겹으로 닫혔던 마음이 활짝 열립니다. 내 마음이 열려야 이미 열려 있는 세상을 받아들일 수 있지, 마음이 열리지 않으면 열려 있는 세상은 나와 무연無緣합니다. 세상을 받아들일 수 없습니다.

삶에 어떤 불행한 일이 일어나든 내가 이 세상에 살아 있기 때문에 그런 상황을 겪는 것입니다. 어떤 외부 상황 탓에, 세상이 잘못되고 누군가가 나빠서 내 삶이 이렇다고 생각하지 마십시오. 내가 나답게 삶을 자주적으로 살지 못하기 때문에 늘 문제가 발생하는 것입니다.

맺힌 마음을 가지고 살아서는 안 됩니다. 열린 마음으로 살아야 합니다. 내가 누구를 위해서 삽니까? 각자의 인생을 위해서 사는데, 누구 탓을 하지 마십시오. 원망하면 내 마음이 구겨집니다. 모든 것을 긍정적이고 낙관적으로 생각하면 어려운 일도 잘 풀립니다. 비관적이고 부정적으로 생각하기 때문에 세상이 어두워지고 뒤틀리는 것입니다. 이것은 정치하는 사람들의 문제만이 아닙니다. 언론에도 책임이 있습니다. 언론이 모든 것을 부정적으로만 보려고 하기 때문에 우리들 의식 속에서 어두운 그림자가 사라지지 않습니다. 언론에는 순기능도 있지만 역기능도 있다는 점을 잊지 마시기 바랍니다.

존경과 겸손과 만족과
감사할 줄 알아야 한다.
때로는 가르침을 들으라.
이것이 더없는 행복이니라.

이 시대에는 누구를 존경하거나 겸손을 지니는 미덕들이 거의 사라졌습니다. 또 무슨 일을 하든지 무엇을 갖든지 만족할 줄 모르고 감사할 줄 모릅니다. 옛날 우리가 흙을 가까이하고 살던 농경사회에서는 그렇지 않았습니다. 적은 것을 가지고도 만족할 줄 알면 그 사람은 부자입니다. 많은 것을 가지고도 만족할 줄 모르고 고마워할 줄 모르면 그야말로 가난한 사람입니다. 삶의 질은 부피의 문제가 아닙니다.

우리가 살 만큼 살다가 세상을 하직하기 전에 그 인생의 대차대조표를 만든다고 가정해 보십시오. 무엇이 남겠습니까? 집, 재산, 자동차, 명예, 다 헛것입니다. 언제 어디서 세상과 작별할지 모릅니다. 지위 고하가 없습니다. 내일 일을 누가 압니까? 다음 순간을 누가 압니까? 과연 내가 생을 살아오면서 남은 것이 무엇입니까? 다른 것들은 다 허망하고, 한때 걸쳤던 옷에 지나지 않습니다. 결국 이웃과의 나눔, 알게 모르게 쌓은 음덕, 이것만이 내 생의 잔고로서 남습니다. 이것은 소멸되지 않고, 전통적인 인도 사람들 생각에 의하면 내생으로 이어지는 하나의 종자가 됩니다. 내생에 내가 받아 쓸 씨앗입니다.

'때로는 가르침을 들으라.' 아무 생각 없이 삶을 살아가다 보면 제자리걸음하고 관념화되고 무기력해지기 쉽습니다. 그러므로 때로는 눈뜬 사람들, 지혜로운 스승들의 가르침을 들으라는 말입니다. 자기 삶을 거듭 충전하고 새롭게 다질 수 있어야 합니다.

세상일에 부딪쳐도
마음이 흔들리지 않고
걱정과 근심이 없어 편안한 것,
이것이 더없는 행복이니라.

세상의 복잡한 일에 부딪쳐도 마음이 동요되거나 흔들리지 않고 자기 신념이 확실한 것, 그것이 행복입니다. 자기 신념을 가지고 살기 때문에 어떤 세상이 오더라도 흔들리지 않습니다. 또 평소에 세운 원과 나누어 가진 덕행의 잔고가 있기에 세상사에 부딪쳐도 중심을 잃는 일이 없습니다.

아무리 많은 소유물을 지녔다 할지라도 마음이 불안정하고 평화롭지 않으면 행복할 수 없습니다. 행복은 밖에서 주어지는 것이 아니라 내 마음에서 우러나오기 때문입니다.

이와 같은 일을 한다면
어떤 일이 닥쳐도 좌절하지 않는다.

어느 곳에서나 행복할 수 있다.

이것이 더없는 행복이니라.

이것이 불타 석가모니의 행복론입니다. 부처님은 〈숫타니파타〉의 '천한 사람' 편에서 이런 말씀을 하고 있습니다. 어떤 승려가 한 집에 걸식을 하려고 막 들어섭니다. 그러자 바라문이 화를 잔뜩 내면서 "이 까까중놈아, 이 엉터리 사문아! 들어오지 말고 거기 서 있거라, 이 천한 놈아!" 하고 욕을 퍼붓습니다. 대승경전에는 이런 표현이 나오지 않지만, 초기 경전이어서 사실 그대로 기록한 것입니다. 그때 부처님이 어떤 것이 천한 사람인가를 낱낱이 설명한 뒤 이렇게 덧붙입니다.

"날 때부터 천한 사람이 되는 것은 아니다. 날 때부터 귀한 사람이 되는 것도 아니다. 오로지 그 사람의 행위에 의해서 천한 사람도 되고 귀한 사람도 되는 것이다."

부처님 당시는 신분의 벽이 높은 사회였습니다. 2,500년 전의 세상입니다. 바라문이니 제2계급인 크샤트리아니 날 때부터 가문에 의해 주어진 세습화된 신분입니다. 말도 안 되는 제도입니다. 날 때부터 귀족과 천민이 따로 있는 것이 아닙니다. 그 사람의 행위에 따라 귀족도 되고 천민도 될 뿐입니다. 이것은 오늘날도 마찬가지입니다.

초기 경전에 보면 부처님을 눈뜬 사람, 널리 보시는 분, 깨달은 사람, 지혜의 눈이 열린 분이라고 표현합니다. 또 부처님을 가리켜 '양족존兩足尊'이라고 합니다. 두 발 가진 생물 중에서 가장 뛰어난 분이라는 뜻입니다.

제가 강조하고 싶은 점은 부처님오신날이 과거완료형으로 끝나서는 안 된다는 것입니다. '오신 날'이라는 것은 이미 오셨다는 뜻입니다. 과거에 일어난 하나의 역사적인 사건에 지나지 않습니다. 거기엔 종교적인 의미가 없습니다. 종교적인 의미를 지니려면 '오신 날'로 그쳐서는 안 됩니다. '오시는 날'이 되어야 합니다. 현재진행형이 되어야 합니다.

'오신 날'은 하나의 역사적인 사건일 뿐입니다. 하지만 '오시는 날'은 새로운 시작입니다. '오신 날'은 과거완료형이고 '오시는 날'은 현재진행형입니다. 모든 중생이 불성을 지니고 있다고 하지 않습니까? 누구나 부처의 씨앗을, 깨달음의 씨앗을 가지고 있다는 뜻입니다. 그것이 활짝 열리면 저마다 부처입니다.

부처님은 신앙의 대상이 아닙니다. 길을 가리키는 스승입니다. 그 가르침을 통해서 내 안의 불성을 일깨우고 꽃피워야 합니다. 이것이 불교이고 부처님의 가르침입니다. 따라서 불자들은 각자 이 시대 부처의 분신임을 자각하고 자신이 부처의 한 화신이라고 생각해야 합니다. 지혜와 자비로 충만한 삶을 통해서 세상의 빛이 되어야 날마다 '오시는 날'이 될 수 있습니다.

초록이 눈부신 이 좋은 날, 침묵의 대지에서 저마다 살아 있음을 꽃과 잎으로 마음껏 펼쳐 보이는 이 계절, 다들 복 받으십시오. 각자 삶의 현장에서 이 시대의 부처가 되어 한몫씩 하시기 바랍니다.

추위가 뼈에 사무치지 않으면
매화 향기 어찌 얻으랴

2006년 2월 12일 겨울안거 해제

며칠 동안 마지막 추위가 맹위를 떨쳐 한낮에도 영하의 날씨가 이어졌다. 동안거를 마치는 이날 역시 법당 안은 견딜 만했지만 절마당에서 법문을 듣기에는 코가 쩡쩡했다. 그러고는 다음 날부터 이틀 내내 비가 내리더니 날이 푹해졌다. 강원도 산간지방에는 지난주 나흘간 폭설이 내렸다. 봄가을 정기법회와 네 번의 안거 법회, 부처님오신날과 창건일 등 한 해 평균 여덟 번의 법회가 열리는 동안 스님은 어떤 기후와 날씨에도 단 한 번 늦는 법 없이 강원도 산을 떠나 시간에 맞춰 절에 도착했다. 이날 스님의 출가 50년을 기념해 류시화 시인이 엮은 잠언집 〈살아 있는 것은 다 행복하라〉가 조화로운삶 출판사에서 출간되었다.

새해 복 많이 받으셨습니까? 복을 누가 줍니까? 복은 누가 주는 것이 아니라 내가 지어서 스스로 받는 것입니다. 타인이라는 매개체를 통해서 우리가 복된 일을 하기 때문에 복을 받는다는 표현이 있을 것입니다.

겨울을 잘 지내셨습니까? 90일 전에 저는 이 자리에서 보리심(진리를 깨달아, 그 깨달음으로 세상을 널리 이롭게 하려는 마음)을 가져야 된다는 말씀을 드렸습니다. 관념적인 죽은 화두(깨달음을 얻기 위해서 추구해 들어가는 문제)로 허송세월하지 말고, 보리심이 살아 꿈틀거리는 생생한 화두를 통해 수행의 기쁨을 누리자고 했습니다. 안거 성적표는 각자 매겨 보시기 바랍니다.

지난겨울, 제가 겪은 이야기를 하겠습니다. 제가 살고 있는 강원도는 눈고장입니다. 그런데 1월 중순께까지도 눈다운 눈이 내리지 않았습니다. 그래서 몇몇 지역에서는, 비가 내리지 않을 때 기우제를 지내듯 기설제祈雪祭를 지냈다고 합니다. 눈이 안 오면 스키장도 잘 안 되고 봄가뭄이 심해져서 농사짓기도 어려워집니다. 기설제를 지낸 덕인지 요즘엔 눈이 내려서 강원도다운 풍경을 지니게 되었습니다.

눈이 내리지 않으니 겨울이 완전히 빙하처럼 얼어붙었습니다. 폭포는 빙벽이 되고 개울은 빙하가 되었습니다. 예전에는 내린 눈이 얼음 위를 덮어 보호막 역할을 해 주어서 개울 바닥은 얼지 않았습니다. 그래서 얼음장 밑으로 흐르는 개울물 소리도 듣곤 했는데, 올해는 눈이 내리지 않고 영하 20도를 오르내리는 강추위만 계속되었기 때문에 개울이 바닥까지 완전히 얼었습니다. 여느 때 같으면 도끼로 얼음장을 20센티미터 정도 깨면 물이 흘렀습니다. 덕분에 물을 떠다 쓰곤 했지만 금년에는 도끼로 개울 바닥까지 파도 물이 없었습니다. 그만큼 추웠습니다. 제가 그곳에서 산 지 15년이 다 되었는데 올겨울처럼 얼음장 밑으로 흐르는 개울물 소리도 못 듣고 온통 얼어붙은 겨울은 일찍이 없었습니다.

눈은 내리지 않고 강추위만 이어지는 환경에서 살면 사람이 메마르게 됩니다. 새소리는커녕 전혀 아무 소리도 들을 수 없습니다. 도끼로 얼음을 깨도 물을 얻을 수 없기 때문에 괜스레 팔만 아픕니다. 그렇지만 사람이 물 없이는 못 사니까 하는 수 없이 얼음을 깨다가 녹여서 식수와 생활용수로 썼습니다. 요 며칠은 눈이 내려서 그것을 떠다 쓴 덕분에 힘이 덜 들었지만, 전에는 흐르는 물이 전혀 없고 온통 빙판이어서 살아가기가 무척 힘들었습니다. 한 방울의 물이 얼마나 귀하고 소중한 것인가를 뼈저리게 느낄 수 있는 경험이었습니다. 흔히 물 쓰듯 한다는 말이 있지 않습니까? 이 말이 얼마나 무례한 표현인가를 새삼 깨달았습니다. 물이 없으면 살 수 없습니다. 생각해 보십시오. 그토록 부드럽고 맑고 투명한 물이 한번 굳게 얼어붙으니 도끼로 깨도 잘 깨지지 않습니다.

우리 마음도 주변 상황에 의해 한번 얼어붙으면 그처럼 견고해집니다. 모진 마음을 먹으면 누가 무슨 소리를 해도 들리지 않습니다. '심여수心如水.'라는 말이 있습니다. 마음은 물과 같다는 뜻입니다. 물은 흘러야 합니다. 그것이 살아 있는 물의 징표이고 생태입니다. 물은 흐름으로써 자신도 살고 만나는 대상도 살립니다. 저는 이번 겨울 새삼스럽게 물의 생태, 물이 우리에게 어떤 역할을 하고 얼마나 소중한 존재인가를 날마다 시시각각으로 느꼈습니다.

물이 한곳에 갇혀 있거나 고여 있으면 그 생명력을 잃고 급기야 부패하고 맙니다. 우리 마음도 이와 같습니다. 마음 역시 굳어 있거나 어디엔가 갇혀 있으면 온전한 마음이 아니고 병든 마음입니다. 물이 흘러야 그 생명력을 유지하듯이 마음도 살아서 움직여야만 건강한 마음이 됩니다.

절에서 마음 닦는다는 말을 하지 않습니까? 무엇으로 닦습니까? 마음이 눈에 보이면 손으로 문지르거나 걸레로 훔치겠지만, 그렇지 않기 때문에 닦는다는 말은 매우 관념적이고 모호한 표현입니다. 보다 정확하게 표현하면 '마음을 쓰는 일'입니다. 순간순간 마음 쓰는 일이 곧 수행입니다. 마음을 어떻게 쓰는가에 따라서 삶이 꽃피어 날 수도 있고 꽉 막힌 벽을 이룰 수도 있습니다.

〈법구경〉 첫머리에 이와 같은 구절이 있습니다.

"모든 것은 마음이 근본이다. 마음에서 나와 마음으로 이루어진다. 나쁜 마음을 가지고 말을 하거나 행동하면 괴로움이 그를 따른다. 수레바퀴가 소의 발자국을 따르듯이."

가령 우리가 생각이 뒤틀려서 가시 돋친 말을 친구에게 던졌다고 상상해 보십시오. 그것이 친구에게 가닿기 전에 내 마음에 가시가 박힙니다. 내가 괴롭습니다. 마음을 잘 쓰는 것은 사람답게 살기 위한 기본적인 조건입니다.

"맑고 순수한 마음으로 말하거나 행동하면 즐거움이 그를 따른다. 마치 그림자가 그 실체를 따르듯이."

이 역시 〈법구경〉에 나오는 구절입니다. 마음을 어떻게 쓰는가에 따라 내 삶이 달라집니다. 남의 일이 아닙니다. 각자 자기 마음이 작용하는 것을 살펴보십시오. 내가 한 생각 일으켜서 마음을 냉혹하고 매정하게 쓸 수도 있고, 봄바람처럼 훈훈하고 너그럽게 쓸 수도 있습니다. 어떤 마음이 참마음인가는 우리 각자가 느끼면 압니다. 마음이 편안하고 안정되면 그것은 나의 본마음입니다. 그러나 마음이 불안하거나 불편하고 무엇인가 개운치 않다면 내 본마음이 아닙니다.

수행은 어렵게 화두를 들거나 염불을 외기 전에 마음을 쓰는 일입니다. 그러나 혼자서는 불가능합니다. 마음 자체만 가지고는 안 되고, 반드시 마음을 쓸 대상이 있어야 합니다. 주관적인 입장과 자기 본위의 생각으로는 올바른 평가를 내릴 수 없습니다.

인간관계를 통해 현재의 자신을 확인할 수 있습니다. 타인은 내 마음을 밝게 할 수도 있고 어둡게 할 수도 있는 하나의 매개체이자 대상입니다. 어디에도 걸림 없이 당당하고 행복하게 살 수 있으려면 만나는 사람에게 따뜻한 마음을 쓸 수 있어야 합니다. 이는 남을 위한 배려이기도 하지만 나 자신의 삶을 위한 일이기도 합니다.

우리는 하루에도 수없이 많은 사람들을 만납니다. 사람만이 아닙니다. 물건도 대하고, 어떤 일을 당할 수도 있습니다. 그럴 때마다 내 마음이 어떻게 작용하는가를 살피십시오. 내가 온전한 마음을 쓰고 있는지 잘못 쓰고 있는지 스스로 주시해야 합니다. 마음을 닦는다고 하지만 실제로는 마음을 쓰는 일입니다. 바르게 써야 바르게 닦입니다. 그래야 마음에 빛이 납니다.

친구를 통해서, 혹은 자식과 남편과 아내를 통해서 자신의 실체를 그때그때 확인할 수가 있습니다. 한가족이라 하더라도 우연히 만난 사이가 아닙니다. 몇 생에 걸쳐 가족을 이룰 인연이 갖추어졌기 때문에, 그런 씨앗을 뿌렸기 때문에 이번 생에서 가족으로 만난 것입니다. 그런데 화목하게 지내는 가족도 있지만 원수 보듯

서로 미워하면서 지내는 경우도 많습니다. 이것이 중생계의 구조입니다. 마지못해 '싫어, 싫어.' 투덜대고 어떤 대상을 미워하며 살게 되면 나 자신이 미워집니다. 나에게 주어진 소중한 생애를 그렇게 소모해 버릴 수는 없습니다.

생각을 돌이켜야 합니다. 지극히 관념적인 말이지만, 그렇게 생각하면 그렇게 됩니다. 자신의 남편이나 아내가 부처나 보살이라고 생각하십시오. 처음에는 어렵지만 부처나 보살이 따로 있는 것이 아닙니다. 진짜 부처는 우리 마음 안에 있습니다. 그래서 청정법신清淨法身이라고 하지 않습니까? 미운 사람을 부처나 보살로 대해야만 우리의 업이 녹습니다. 미워하고 증오하고 원수처럼 대하면 이번 생으로 끝나지 않습니다. 다음 생 어디선가 또다시 원수가 되어 만나게 됩니다. 이것이 인과의 소용돌이 속에 사는 일입니다.

우리가 이번 생에 진리의 세계를 만난 것은 묵은 업을 청산하고 보다 새롭고 밝게 살기 위함입니다. 그래서 절에도 가고 교회에도 갑니다. 화나는 일이 있다고 해서 화를 잔뜩 내면 스스로가 독의 피해를 입습니다. '내가 전생에 남을 힘들게 한 과보를 이번 생에 받고 있구나.' 하고 좋은 쪽으로 생각을 돌이켜야 합니다. 까닭 없는 결과는 없습니다. 자세히 보면 모두 원인이 있어서 결과를 이루는 것입니다.

인간관계의 갈등은 사소한 업들이 쌓이고 쌓여서 커지는 법입니다. 그런데 어느 한쪽에서 마음을 돌이켜 풀어 버리면 메아리가 있습니다. 이것이 인과의 고리입니다. 해탈이란 무엇입니까? 인과의 고리에서 벗어나는 일입니다. 그러기 위해서는 마음을 좋은 쪽으로 써야 합니다. 혹시 맺히거나 굳게 닫힌 마음을 지니고 있다면 오늘 해제일을 계기로 다 풀어 버리기 바랍니다. 가벼워야 합니다. 짐이 없어야 합니다. 그래야 인생의 새봄을 맞이할 수 있습니다.

사람은 안팎으로 거리낌 없이 살아야 합니다. 그때 비로소 사람다운 삶을 이룰 수가 있습니다. 무엇에 구애되거나 기죽지 말고 마음을 열어야 합니다. 물론 제 말을 듣고 갑자기 바뀔 수는 없습니다. 누군가 나에게 상처를 주고 화나게 할 때, '나를 깨우치기 위해 내 가까이에서 저런 행동을 하는구나.'라고 생각하십시오. 거기에 속지 말고 안으로 거두어들이면서 만나는 사람마다 부처와 보살로 여겨야 합니다. 그런 수행이 쌓이고 쌓이면 스스로가 부처와 보살이 됩니다.

우리가 절에서 기도할 때 간절한 마음으로 열심히 관세음보살을 염송하지 않습니까? 그러면 나 자신이 관세음보살이 됩니다. 자비의 화신이 되는 것입니다. 관세음보살을 열심히 염송한 사람이 무자비한 행동을 할 수 있습니까? 우리가 기도를 해서 힘을 얻는다는 말은 다른 것이 아닙니다. 자기 안에 있는 잠재력을 기도와 부처님의 가르침을 통해 활짝 꽃피우는 것입니다. 이것이 마음 쓰는 일이고 마음 닦는 일입니다.

황벽 선사는 이렇게 말했습니다.

"한차례 추위가 뼈에 사무치지 않으면 코를 찌를 매화 향기 어찌 얻으랴."

각자 삶의 현장에서 화창한 봄을 맞을 수 있도록 모든 것을 풀어 버리십시오. 그래야 삶이 향기로워집니다. 추운데 바깥에서 제 얘기 듣느라 고생 많으셨습니다.

부자보다 잘 사는 사람이 되라

2005년 12월 11일 길상사 창건 8주년

8년의 세월을 거치며 길상사는 지장전을 새로 짓고, 들꽃으로 화단을 단장하는 등 모두가 한번쯤 들러 보고 싶어 하는 도심 속 사찰로 거듭났다. '부자 되세요.'가 국민 구호처럼 합창되는 시대에, 스님은 이날 "부자 절이 되는 것을 경계하라."며 죽비를 들고 '과연 부자란 무엇인가?'라는 화두를 던졌다. 예년과 다름없이 길상사에서는 법회에 참석한 사람들에게 새해 달력을 나눠 주고 백설기 한 덩이씩을 선물했다. 법회 시작 전 차를 마시는 자리에서 스님은 겨울 산중에 늠름하게 서 있는 전나무들의 기상 어린 자태에 대해 말했다. 강원도로 거처를 옮긴 뒤 스님은 오두막 둘레에 직접 전나무 수십 그루를 심었다. 강원도 산중은 한낮의 기온이 영하 10도를 밑돌고, 눈이 내리지 않는 건조한 추위가 이어졌다.

올 한 해도 저물어 갑니다. 저도 오늘 나오면서, 지난 한 해를 어떻게 살았는가, 제 삶의 자취를 되짚어 보았습니다. 과연 잘 산 한 해였는지 잘못 산 한 해였는지 되돌아보았습니다.

세월은 오는 것이 아니라 가는 것이라는 말이 있습니다. 가끔씩은 그 말이 실감납니다. 하지만 그런 데 속지 마십시오. 세월은 가지도 오지도 않습니다. 시간 속에 있는 사람이, 사물과 현상이 가고 오는 것입니다. 철학자들의 표현을 빌리자면 시간 자체는 항상 존재합니다. 흘러가는 것이 아니라 그저 있을 뿐입니다. 시간 속에 사는 우리들이 오고 가고 변해 가는 것입니다. 무상하다는 것은 시간 자체나 세월이 덧없다는 소리가 아닙니다. 그 속에 사는 우리들이 예측할 수 없는 삶을 살고 늘 한결같지 않고 변하기 때문에 덧없다는 것입니다.

우리들 생애 중에서 한 해가 이와 같이 신속하게 빠져나가고 있습니다. 해가 바뀌면 어린 사람들은 한 살이 보태집니다. 그러나 나이 든 사람들은 한 살이 줄어듭니다. 그렇기 때문에 가치를 부여할 수 없는 시시한 일에 시간을 낭비하면 우리 생이 무척 아깝습니다. 세월은 흘러가는 물과 같아서 한번 지나가면 되찾을 수 없습니다. 매 순간 후회 없이 잘 살아야 하는 까닭이 바로 여기에 있습니다.

어느 선방에 가면 이런 표지가 있습니다.

'생사사대 무상신속生死事大 無常迅速.'

우리가 지금 살고 있는 이것이 바로 생사입니다. 나고 죽는 일입니다. 한순간이라도 정신 차리지 않으면 이리저리 흔들리고 종잡을 수 없는 것이 생사입니다. 우리 삶에서 생사는 큰 의미를 지닙니다. 그 생사 속에서 무엇이 받쳐 주고 있는가? 무상이 신속하다는 것입니다. 한순간도 영원한 것이 없다는 말입니다. 언제나 변합니다. 이런 상황 속에서 살기 때문에 우리가 한 생각 잘못 먹으면 엉뚱한 길로 나아가고, 한 생각 바로 정신을 차리면 바른길에 들어설 수 있습니다.

얼마 전 들은 이야기입니다. 아는 분이 택시를 타고 길상사로 가자고 하니까 택시 기사가 "아, 그 부자 절 말이죠?" 하더랍니다. '부자 절'이라는 그 말이 제게는 한동안 화두가 되었습니다. 8년 전 이 절을 처음 만들 당시, 교회나 절 어디 할 것 없이 물질이 넘치고 과소비가 지나치기 때문에 가난한 절이 되었으면 좋겠다는 소망을 피력했었습니다. 그런데 물론 일부에서겠지만 길상사를 부자 절이라 일컫는 것을 보고 매우 착잡했습니다. 요정이던 대원각을 절로 만들 때 신문 방송에서 얼마나 시끄럽게 떠들었습니까? 땅이 수천 평이고 땅값만 수백억이라는 보도가 나와서 부자 절이라는 인상이 심어진 것 같습니다.

한동안 여러 곳에서 저한테 편지가 많이 왔습니다. 주로 물질적인 도움을 요청하는 내용이었습니다. 이 절을 저의 개인 소유로 잘못 알고 도와 달라는 편지들이 와서 곤혹스러웠습니다.

부자의 뜻은 대체 무엇입니까? 국어사전에 보면 부자는 살림이 넉넉한 사람, 재산이 많은 사람이라고 간단명료하게 풀이되어 있습니다. 그리고 부자라는 항목 아래에 이런 속담들이 나옵니다.

'부자가 더 무섭다.'

다 그렇지는 않지만 가난한 사람들보다 부유한 사람이 더 인색하다는 말입니다. 많이 소유하고 있으면서도 나눌 줄 모른다는 것입니다.

'부자는 망해도 3년 먹을 것이 있다.'

그만큼 많이 축적하고 있다는 것입니다. 기업은 망해도 기업주는 망하지 않는다는 말과 같은 의미입니다. 또 '부자에게도 한이 있다.'는 말이 있습니다. 부자라고 해서 아무 걱정 없는 것이 아니라는 소리입니다. 부자가 되기까지 나름대로 한이 맺혔을 것입니다. 가난을 면하기 위해 이것저것 가리지 않고 전심전력을 기울여 긁어모은 결과로 부자가 되었을 수도 있습니다.

'부자가 하나면 세 동네가 망한다.'

저는 이 말을 보고 깜짝 놀랐습니다. 이것은 농경사회에서 이루어진 속담입니다. 옛날에는 지주들이 있었습니다. 조선시대 말기나 일제강점기 때 못된 지주들이 소작인들을 얼마나 많이 수탈했습니까? '부자가 하나면 세 동네가 망한다.'는 것은 그 인근 사람들이 다 착취당했다는 뜻입니다.

인간의 탐욕은 끝이 없습니다. 경전에는 탐욕이 바로 생사윤회의 근본이라고 적혀 있습니다. 탐욕이란 지나치고 분에 넘치는 욕심입니다. 자기 그릇보다 더 많이 채우려고 하는 욕망은 끝이 없습니다. 얼마만큼이면 만족할까요? 이것은 있는 사람만의 문제가 아닙니다.

우리는 가진 것만큼 행복한가? 물론 어느 정도 관계는 있겠지만 행복은 가진 것에 의해서 추구되지 않습니다. 행복은 결코 밖에서 오는 것이 아니라 마음 안에서 찾아지는 것입니다. 똑같은 조건에 있으면서도 누군가는 행복을 느끼며 살고 누군가는 불만 속에서 평생을 살아갑니다.

너나없이 모두 부자가 되고 싶어 합니다. 그것은 본능적인 소망입니다. 부자가 되기 위해서 수단 방법을 가리지 않는 사람들이 있습니다. 세계화라는 것이 무엇입니까? 미국이나 강대국들이 온 세계를 자기네 시장으로 만들겠다는 소리입니다. 더 부자가 되고 싶다는 것입니다. 새로운 경제적 침략입니다.

정당한 노력에 의해서 재산을 모으지 않고 투기 같은 것으로 급작스럽게 부자가 된 사람들이 있습니다. 갑작스런 부는 인간을 불행하게 만듭니다. 자기 그릇에 채울 만큼만 지녀야 하는데, 훨씬 많이 채우려고 하니 넘칠 수밖에 없습니다. 또 지금까지의 삶의 소중한 의미를 잃어버리고 맙니다. 착실하게 노력하면서 살아온 삶의 질서에 혼란을 가져옵니다. 인간관계의 소중함도 상실되어 버립니다.

세상에 공것은 없습니다. 횡재를 만나면 반드시 횡액을 당합니다. 그것이 인과관계입니다. 물질이란 그런 것입니다. 부는 홀로 오는 법이 없습니다. 어두운 그림자를 늘 동반합니다.

20여 년 전 어느 절에서의 일입니다. 한 스님이 복권에 당첨되었습니다. 갑자기 찾아온 난데없는 행운에 착실하게 기도를 하던 스님은 어쩔 줄 몰라 하다가 우선 은사스님한테 자동차를 한 대 사 드렸다고 합니다. 얼마 안 있어 자기도 차를 사고, 그때부터 생각이 달라지더니 결국 동네 처녀와 눈이 맞아 결혼까지 했습니다. 그 후 들리는 이야기로 그는 택시 기사를 하고 있다고 합니다.

가난이 미덕이라는 의미는 아닙니다. 우리가 맑은 가난을 이야기하는 이유는 탐욕을 버리고 분수를 지키자는 것입니다. 지나친 소비와 넘침에서 벗어나 맑고 조촐하게 가질 만큼만 갖자는 뜻입니다.

누가 진정한 부자인가? 가진 것이 많든 적든 덕을 닦으면서 사는 사람입니다. 덕이란 무엇인가? 남에 대한 배려입니다. 남과 나누어 갖는 것입니다. 우리에게 주어진 물질은 근본적으로 내 소유가 아닙니다. 단지 어떤 인연에 의해서 우주의 선물이 내게 잠시 맡겨졌을 뿐입니다. 바르게 관리할 줄 알면 그 기간이 연장되고, 마구 소비하고 탕진하면 곧 회수당합니다.

뜻밖의 물질이 생기면 조심스럽게 생각하십시오. 정당한 소득의 경우도 마찬가지입니다. 옳게 쓰면 덕을 쌓고 잘못 쓰면 복을 감하게 됩니다.

영원히 지속되는 것은 없습니다. 부유하다고 해서 늘 부유하란 법 없고, 지금 가난하다고 해서 계속 가난하란 법 없습니다. 무상하다는 것은 어떤 가능성을 지니고 있음을 의미합니다. 자신의 의지와 창조적인 노력으로 무엇인가를 축적할 수도 있고, 있던 것을 하루아침에 날려 버릴 수도 있습니다.

우리가 살 만큼 살다가 세상과 작별하게 될 때 무엇이 남습니까? 홀로 있는 자기 자신 외에는 아무것도 없습니다. 그렇다면 무엇을 가지고 가는가? 평소에 지은 업을 가지고 갑니다. 좋은 업이든 나쁜 업이든 평소에 지은 업만 그림자처럼 따라갑니다.

인도 사람들에 따르면 바로 그것이 다음 생을 이룹니다. 무엇이든 갑자기 이루어지는 법은 없습니다. 수많은 시간 동안 차곡차곡 쌓여서 되는 것입니다. 가까운 예로, 스님들 중 이번 생에 처음 출가한 사람은 쉽게 정착하지 못합니다. 2, 30년이나 승가에 몸담았으면서도 택시 운전사로 돌아가는 것을 보십시오. 하지만 몇 생을 이 길에서 닦은 사람들은 죽어도 떠나지 않습니다. 업이란 그런 것입니다.

하루하루 어떤 마음을 가지고 어떤 말과 행위를 하는가가 곧 다음의 나를 형성합니다. 누군가가 그렇게 만들어 주는 것이 아닙니다. 매 순간 스스로가 다음 생의 자신을 만들고 있습니다.

길상사를 일부에서 부자 절이라고 한다니, 과연 그렇게 불릴 만한 절인지, 이곳에서 수행하는 스님들과 신도들 모두 반성해야 합니다.

어려운 이웃을 보살피고 기쁨과 슬픔을 함께 나누어 가질 때, 청정한 수행과 올바른 가르침으로써 믿고 의지하는 도량이 될 때, 그때 비로소 아름답고 길상스러운 부자 절이 될 것입니다.

저는 오늘 이 자리에 오신 모든 분들이 부자가 되기보다는 잘 사는 사람이 되기를 바랍니다. 잘 사십시오. 부자 부럽지 않게 잘 사십시오.

자기를 배운다는 것은 자기를 잊어버림이다

2005년 11월 15일 겨울안거 결제

겨울이 시작되었는데도 절의 흙벽을 타 오른 넝쿨식물의 잎은 아직 푸르다. 추위를 견디는 인동풀이다. 하지만 나목들에 둘러싸인 절 풍경 탓인지 스님의 목소리가 다른 때보다 더욱 차분하게 들려왔고, 세월의 무상함과 덧없음, 그런 것들이 묻어났다. 법회 후 지인들과 차를 마시는 자리에서 스님은 "때가 되면 아무도 모르는 곳에 가서 육신을 벗어 버리고 싶다."고 지나치듯 말했다. "묵은 짐으로부터 거듭거듭 떨치고 나오는 것이 중이 사는 맛."이라고도 했다. 출가 50년이 아니냐는 누군가의 질문에는 "나, 그런 것 모르는데." 하며 숫자의 의미를 부정했다. 수행의 세계에는 정년이 없다는 것이 스님의 지론. 이달 들어 거의 매일 겨울비가 내렸지만, 이날은 화창한 날씨 속에 1,500여 명의 청중이 모였다. 그러나 비 끝이라 소매 속으로 파고드는 공기는 꽤 쌀쌀했다.

날씨가 추워졌습니다. 이렇게 추운 날, 밖의 땅바닥에 앉아서 혹은 서서 듣고 계신 분들께 대단히 죄송스럽게 생각합니다. 그런데 들어와 보니 법당 안도 그다지 따뜻하지 않습니다. 오히려 햇빛이 비치는 바깥의 양지바른 곳이 더 따뜻할 것 같습니다.

11월입니다. 산에 사는 사람들은 11월을 그 어느 달보다도 마음에 들어 합니다. 여기 길상사의 나무들엔 아직도 잎이 남아 있는데, 11월의 산중은 잎이 다 지고 빈 가지들뿐입니다. 또 바람결도 매서워지고, 하늘은 맑게 개어, 여름 동안 가려져 있던 산과 계곡이 그 모습을 다 드러내는 계절입니다. 산에 사는 저 역시도 11월을 가장 좋아합니다. 아메리카 인디언들은 11월을 가리켜 '다 사라진 것은 아닌 달'이라고 말했습니다. 다 사라진 듯하지만, 또 다시 소생할 여력이 있다는 것입니다.

며칠 전 서울 종로 사거리의 횡단보도에서 있었던 일입니다. 한쪽 다리가 없고 남은 다리도 주체를 못해서 바닥에 끌고 다니는 남루한 옷차림의 한 걸인이, 앉은 채 두 손으로 길바닥을 짚으며 힘겹게 길을 건너고 있었습니다. 신호를 기다리던 많은 사람들은 그저 그를 바라보고만 있었습니다. 이때 맞은편에 서 있던 두 청년이 서로 마주 보더니 재빨리 걸인에게 달려가, 한 청년은 걸인의 뒤쪽에서 겨드랑이에 손을 넣어 부축하고 다른 청년은 힘없이 흔들거리는 걸인의 다리를 조심스레 들어 올려서 길을 건너게 해주었습니다. 그러고는 인도에 걸인을 내려놓은 후 아무 일도 없었다는 듯 길을 건너갔다고 합니다.

이 이야기를 전해 들으면서 저도 눈시울이 뜨거워졌습니다. 그러한 걸인을 보고도 대부분의 사람들은 신호를 기다리면서 귀찮으니까 마음을 내지 못하는데, 이 두 젊은이는 선뜻 나서서 나누는 일을 실천한 것입니다.

어려운 이웃을 돕는 것은 참으로 아름다운 일입니다. 아무 분별 없이 선뜻 나서서 돕는 일을 보리심이라고 합니다. 불교 수행의 첫걸음은 이 보리심을 발하는 것입니다. 보리심을 발하지 않고서는 불도를 제대로 수행할 수가 없습니다. 발보리심을 줄여서 발심發心이라고 합니다. '발'이란 본래 지니고 있는 마음을 밖으로 드러내어 널리 펼친다는 뜻입니다.

옛 선사의 법문에 이런 구절이 있습니다.

"불도를 배운다는 것은 곧 자기를 배우는 것이다. 자기를 배운다는 것은 자기를 잊어버리는 것이다. 자기를 잊어버릴 때 모든 것은 비로소 자기가 된다."

어려운 처지의 이웃을 보고 선뜻 나서서 돕는 일에는 자신이 존재할 수 없습니다. 무심코 그런 행동을 하게 됩니다. 남을 위해서 간절히 기도할 때 비로소 내 마음이 열립니다. 선행이란 그런 것입니다. 개체로부터 전체에 도달할 수 있는 길이 열립니다. 누구나 그런 마음은 가지고 있지만 보리심을 발하지 않기 때문에 묵혀두고 있을 뿐입니다.

송나라 때 스님으로 종색 자각宗賾慈覺이라는 분이 있습니다. 종색 선사는 〈좌선의坐禪儀〉의 첫 구절에서 좌선할 때의 마음가짐에 대해 이렇게 말합니다.

"도를 배우는 사람들은 먼저 큰 자비심을 일으키라. 넓은 서원을 세우고 정의롭게 삼매를 닦아야 한다. 중생을 제도하고자 하는 서원을 세우고, 내 한 몸만을 위해 해탈을 구해서는 안 된다."

선방에서는 참선할 때 화두를 가지고 합니다. 화두는 선사들의 일종의 문답입니다. 옛 선승들은 이러한 문답을 하나의 공부 주제로 삼았습니다. 〈전등록〉에 등장하는 인물은 1,700명에 달합니다. 1,700명 모두가 화두를 말한 것은 아니지만 화두가 그 정도로 많다는 이야기입니다.

그렇다면 화두가 〈전등록〉에 나오는 옛 스승들의 혀끝에만 있는 것인가? 참선하는 분들은 제 말을 잘 들으십시오. 여기 길상사에도 길상선원이 있고 지방에도 수많은 선방들이 있습니다. 각자 집에서도 참선을 합니다. 우리가 들고 있는 화두, 공부의 명제에 대해 반성해 보시기 바랍니다. 내가 진짜 바른 화두를 들고 있는지, 건성으로 죽은 화두를 들고 있는지 스스로 되돌아보면 알 것입니다.

살아 있는 화두를 지녀야 합니다. 죽은 화두를 지니고 있으면 아무 의미가 없습니다. 우리가 이미 관념적으로 알고 있는 것은 살아 있는 화두가 아닙니다. 역사적으로 볼 때 그 상황에서는 살아 있는 화두의 역할을 했지만, 이 시대에 와서 우리가 그것을 관념화시키면 살아 있는 화두가 될 수 없습니다. 생명력을 잃어버립니다.

그렇다면 살아 있는 화두는 어디에 있는가? 진짜 살아 있는 화두는 사거리나 동네 길목 또는 아파트 엘리베이터 안에 있을 수 있습니다. 우리 주변에 늘 있는 것입니다. 다른 곳에서 찾기 때문에 삶의 절실한 명제인 화두를 놓치게 됩니다. 순간순간 깨어 있는 사람은 바로 그때 그 자리에서 삶의 문제이자 과제인 화두와 맞닥뜨릴 수 있습니다. 이것이 살아 있는 화두입니다.

제 풋중 시절 경험담을 말씀드리겠습니다. 벌써 50년 전 이야기인데, 제가 해인사 선방에 있을 때입니다. 그때 수덕사 조실(절에서 최고 어른을 이르는 말)로 금봉錦峰 스님이라는 분이 계셨습니다. 그분을 해인사로 모셔 왔습니다. 선방 곁에 조실스님 방이 있었습니다. 한 달에 두 번씩 조실스님 방에 가서 공부한 것을 묻고 점검하는 시간이 있었습니다.

어느 날 한 스님이 조실스님에게 갈 때 저도 따라 들어갔습니다. 그 스님은 금봉 스님에게 화두가 잘 안 된다고 말하면서 이렇게 물었습니다.

"어떻게 하면 화두를 잘 들 수 있겠습니까?"

이때 금봉 스님이 물었습니다.

"무슨 화두를 들고 있는가?"

"본래면목本來面目입니다."

본래면목이란 부모에게서 태어나기 이전, 본래의 자기 자신은 누구인가 하는 것입니다.

그러자 금봉 스님이 큰 소리로 물었습니다.

"본래면목은 그만두고 지금 당장 그대 면목은 어떤 것인가?"

곁에서 듣고 있던 저는 정신이 번쩍 났습니다. 그때부터 저는 참선에 재미를 붙였습니다.

불교는 과거나 미래에 있지 않습니다. 진리는 과거나 미래에 있지 않습니다. 지금 이 순간, 지금 이 자리에 있습니다. 우리가 참선과 염불을 하고 기도를 하는 것은 과거와 미래에 있지 않고 지금 이 순간에 있습니다.

삶 역시 그렇습니다. 다음 순간의 일을 누가 압니까? 한 번 숨들이쉬었다가 내쉬지 못하면 굳어지는 것이 육신입니다. 공부하는 사람에게 내일은 없습니다. 어제도 없고 늘 지금입니다. 지금 이 자리를 떠나서는 아무것도 존재하지 않습니다.

이번 겨울안거 동안 죽은 화두를 챙기지 마십시오. 죽은 화두를 가지고 헛되이 시간을 보내서는 안 됩니다. 살아 있는 화두를 가지고 정진해야 합니다. 보리심이 살아서 꿈틀거리는 화두를 통해 수행의 기쁨을 누려야 합니다. 수행하는 분들, 특히 참선하는 분들, 염불 혹은 기도하는 분들도 낱낱이 살펴보십시오. 내가 간절하게 하는 일이 보리심을 발하는 일인가 아닌가? 내 수행이 남에게 어떤 영향을 끼치고 있는가? 좋은 영향을 끼치고 있다면 그것은 바른 수행입니다. 혼자만 좋아서 하는 수행은 바른 수행이 아닙니다.

불자들이 공통적으로 하는 서원이 있습니다. 그 첫 번째가 '중생무변서원도衆生無邊誓願度'입니다. "끝없는 중생을 기어이 다 건지고 어려운 이웃들을 다 뒷바라지하고 보살피겠습니다."라는 서원입니다. 이것이 발보리심이고 부처님의 가르침입니다.

우리가 안거 기간 동안 어떤 수행을 하든지 결과적으로 보리심을 발하게 된다면 긍정적인 수행이고, 보리심과는 상관없이 시간만 보낸다면 아무 의미가 없습니다. 올바른 수행이 아닙니다.

오늘 겨울안거 결제일을 맞이해 각자 자기 자신부터 이런 다짐을 하십시오. 발보리심을 실천하며 이웃에게 회향廻向(자기가 닦은 공덕을 다른 사람에게 돌려 자타가 함께 깨달음의 성취에 이르는 것)할 수 있는 마음을 내시기 바랍니다.

수행자는 늙지 않는다-운문 도량에서

2005년 10월 20일 운문사 초청법회

경상북도 청도군 호거산에 위치한 운문사雲門寺는 560년 신라 진흥왕 때 창건된 고찰이다. 일연 스님이 주지로 있으면서 〈삼국유사〉의 집필을 시작한 곳이며, 하버드 전 주한 미국대사의 부인이 미국으로 돌아간 뒤 한국에서 가장 기억에 남는 일 하나를 꼽으라고 하자 "운문사에서 보낸 하룻밤."이라고 답했을 만큼 아름다운 절이다. 비구니스님들을 양성하는 승가대학으로도 유명한 이곳에서 스님은 2001년 5월에 이어 두 번째로 특별 초청 법문을 했다. 가지가 휘어지도록 잘 익은 감들을 매단 청도지방의 감나무들과, 운문사 경내의 오래된 은행나무 두 그루, 그리고 늙은 소나무가 스님을 맞았다. 스님은 강원도에서 내려와 오랜만에 불일암에서 이틀을 지낸 뒤 저녁에 이곳에 도착했으며, 객실에서 하룻밤 묵고 아침에 이 법문을 설했다.

지나가는 말로 한번 들르겠다고 했는데, 말이 씨가 되어 이렇게 오게 되었습니다. 이 기회에 여러 학인(절의 강원에서 불교를 공부하는 스님)들이 사는 모습을 보니 기쁩니다. 운문사 도량도 참 좋습니다. 법당이 좋은 것이 아니라 이곳 마당에 있는 오래된 은행나무와 반송, 그리고 비로전의 부처님이 참 좋습니다. 현대에 조성된 불상들은 너무 세련되고 엄숙합니다. 판에 박힌 불상들입니다. 조선시대에 불교가 박해를 받았을 때 조성된 이곳 비로전 부처님은, 어느 시골의 논둑이나 밭둑에서 일하다 온 할아버지를 보는 듯한 느낌입니다. 그리고 다른 불상에서는 볼 수 없는 형태인데, 저는 처음 운문사에 와서 이 비로전 불상을 보고 깜짝 놀랐습니다. 대개 불상들은 석굴암 본존불을 비롯해서 한결같이 가부좌를 틀고 있습니다. 그런데 운문사의 비로전 부처님은 좌선을 오래 하셔서 발이 저린지, 오른발을 앞으로 내놓은 모습입니다.

운문사는 거의 폐허가 되다시피 한 도량을 다시 세운 곳입니다. 여러 스님들의 노력으로 이루어진 고마운 도량입니다. 여러분들은 다른 절이 아닌 여기 이 운문 도량에 와서 배우게 된 인연을 감사히 여겨야 합니다. 가끔 저는 이렇게 여러 스님들을 만나면, 이 험난한 세상에서 같은 출가 수행자로 만난 인연을 고맙게 생각하라고 말합니다. 다른 많은 길과 직업이 있는데 왜 우리가 가족을 떠나 집을 등지고 절에 찾아왔는가? 우리가 몇 생을 그렇게 익혔기 때문에, 우리 마음 가장 깊숙한 곳에 있는 청정한 본심에서 문득 한 생각이 일어나 자기 갈 길을 찾아 나서는 것입니다. 그런 소식을 우리는 늘 기억해야 합니다.

그 많은 길을 두고 내가 왜 이 길을 선택했는가? 이런 의문이 출가 수행자인 우리의 공통된 화두가 되어야 합니다. 출가수행은 기초가 튼튼해야 합니다. 건물을 지을 때 터전을 굳게 다지고 주추를 튼튼하게 놓아야 제대로 된 건물이 들어서서 탈이 없듯, 출가 수행의 길도 마찬가지입니다.

학인 시절은 평생 수행을 하는 데 기초를 다지는 기간입니다. 시작이 매우 중요합니다. 앞으로 어떤 수행자가 될 것인지 스스로의 길을 마련하는 때입니다. 또 출가한 지 오래되면 안이해져서 직업적인 중처럼 때가 묻습니다. 직업적인 중이 되지 않으려면 이 기간 동안 청정한 출가의 뜻을 지니고, 매 순간 출가 수행자답게 살아야 합니다. 자신이 하는 말과 행위가 과연 출가 수행자다운 것인지 수시로 점검해야 합니다.

출가를 이해해 주는 가족은 거의 없습니다. 3분의 1쯤은 이해하는데, 자기 딸이 머리를 삭발하고 산중에서 수행자로 살아가는 것을 떳떳하고 자랑스럽게 여기는 집안은 많지 않습니다. 혹시라도 불교 집안이 아니라면 그런 분들을 변화시키기 위해서라도 좋은 수행자가 되어야 합니다. 터를 온전히 닦지 않거나 기초가 튼튼하지 않으면 직업적인 중으로 전락하기 쉽다는 것을 기억해야 합니다.

각자 한번 되돌아보십시오. 저 자신도 늘 되돌아봅니다.

'내가 운문사에 와서 하루하루를 어떻게 지내고 있는가?'

'내가 오두막에 살고 있는 것을 온 세상이 다 알고 있는데, 과연 나는 이곳에서 떳떳하고 올바르게 지내고 있는가?'

저는 늘 잊지 않습니다. 내가 과연 안팎으로 출가 수행자답게 살고 있는가? 마음 씀이 수행자로서 조금도 부끄러움이 없는가? 또 내가 무엇을 위해 이 길에 들어섰는가?

구도자는 이와 같은 자기반성으로 순간순간 깨어 있어야 합니다. 불교라는 것이 무엇입니까? 깨달음입니다. 깨달음이라는 것은 다른 것이 아니라, 늘 깨어 있는 상태입니다. 본래의 자기로서 늘 깨어 있는 것입니다.

선방에 가면 신발 벗는 곳에 '조고각하照顧脚下'라는 표찰이 있습니다. 신발 벗는 섬돌에서 자기 발 뿌리를 살피라는 뜻입니다. 신발을 가지런히 벗어 놓으라는 말이 아니라, 과연 내가 오늘 이 자리에서 출가 수행자로서 어떤 몸가짐과 마음가짐을 가지고 있는가, 어떻게 살고 있는가를 스스로 돌아보라는 교훈입니다. 자기가 서 있는 자리, 자신의 현존재를 늘 살피라는 것입니다. 다시 말하면, 지금 이 순간을 놓치지 말라는 이야기입니다. 절에 있는 주련, 현판, 표지들이 다 법문입니다. 세월의 두께와 무게가 실려 있습니다.

여기 도량에 있는 집들은 오래된 것이 아닙니다. 이 도량에서 가장 오래 살아 있는 존재는 저 은행나무와 반송입니다. 저 나무들은 이곳에 처음 심어지면서 현재에 이르기까지 이 도량에 사는 많은 스님들을 지켜보았을 것입니다. 별의별 희한한 물건들을 다 보았을 것입니다. 우리가 오늘 이 도량에 살면서 수백 년 된 정정한 나무가 옛사람과 우리를 비교하며 늘 지켜보고 있다는 사실을 기억해야 합니다. 따라서 우리들 자신이 저렇듯 정정하고 당당한 기상을 지닌 수행자가 되어야 합니다.

운문사에 있는 저 오래된 소나무를 보면 참 좋습니다. 아주 늠름하고 기상이 좋습니다. 사람보다 훨씬 오래 살고 온갖 풍상을 겪었으면서도 의연합니다. 또 저쪽에 두 그루 서 있는 은행나무처럼 도량에 저렇게 큰 나무들이 서 있는 것을 보면 저는 환희심이 일어납니다. 나무가 사람보다 훨씬 낫습니다. 사람은 얼마나 변덕스럽습니까? 바람이 부나 비가 오나 더우나 추우나 나무들은 의연합니다. 그것을 배워야 합니다. 저 나무들을 선지식으로 삼으십시오. 진짜 말없는 선지식은 저런 나무들, 바위, 시냇물들입니다.

우리가 어떤 사물을 볼 때, 좋은 대상이라면 그것을 닮아야 합니다. 은행나무가 우연히 마당에 서 있는 것이 아닙니다. 다음에 올 수많은 중생들을 가르치기 위해 저렇게 서 있는 것입니다. 은행나무와 소나무가 나를 지키고 있다는 사실을, 내가 제대로 중노릇을 하고 있는지 아닌지 안팎으로 훤히 꿰뚫어 보고 있다는 사실을 잊지 말아야 합니다.

이곳은 강원(경經과 논論을 연구하고 학습하는 곳)이므로 주로 경전을 배울 것입니다. 경전을 글로서 배우지 마십시오. 경전은 부처님과 조사들의 가르침입니다. 즉, 법문입니다. 이것을 글로만 여기면 아무 의미가 없습니다. 살아 있는 교훈으로 받아들여야 합니다. 2,500년 전 인도에서 있었던 것으로 여기지 말고, 오늘 이 자리에서 부처님이 우리들을 위해 가르침을 펴는 것이라 생각하십시오. 아난 존자와 수보리 존자가 곧 우리들 자신과 같다고 생각해야 합니다. 그래야 경전을 배우는 의미가 있지, 그렇지 않으면 과거에 기록된 하나의 문서로만 여기게 됩니다.

문자와 글은 지혜가 아닙니다. 다만 문자로써 지혜를 드러낼 뿐입니다. 불립문자不立文字(말이나 글에 의존하지 않는다는 말)라고 하니까 문자를 무시하는 것 같지만, 불립문자 자체도 하나의 문자입니다. 거기에 현혹되지 말라는 이야기입니다. 문자의 근원과 가르침의 근원으로 들어가라는 것입니다. 아직 활자화되지 않은 소식을 자기 안에서 일깨우라는 것입니다. 내가 지금 배우고 있는 경전과 조사의 말씀에 자신을 비추어 보면서 내 안에 잠들어 있는 부처의 말과 조사의 가르침을 스스로 일깨워 실천하라는 뜻입니다.

경전을 익힐 때 꼭 그렇게 해야 합니다. 그래야 하루하루 경전을 배우는 의미와 재미가 있습니다. 그렇지 않으면 어려운 한자 찾아가며 읽은 뒤에도 그 시간만 지나면 까맣게 잊어버리게 됩니다. 저도 강원의 학인 시절을 거쳤지만 그렇게 되기가 쉽습니다. 그것은 괜히 이 집안에 들어와서 빚만 지는 일입니다.

먼 길을 가려면 그 길에 대해 미리 준비해야 합니다. 우리가 한평생 이 길을 가려면 굳은 확신을 가지고 한 걸음 한 걸음 나아가야 합니다. 각자 원을 세워야 합니다. 원의 힘으로써 이 험난한 세상을 헤쳐 나갈 수 있습니다. 물론 각자 원이 있겠지만 수행자로서 청정한 원을 세우고 실천해야 합니다. 원과 행이 일치해야 제자리로 들어섭니다. 원만 있고 행이 없는 것은 공허하고 관념적입니다.

그런데 행은 어디에 있는가? 순간순간에 있습니다. 내가 원을 세웠다면 매 순간 그 원대로 살아야 합니다. 그것이 행입니다. 수행은 닦는 행입니다. 그렇게 살라는 것입니다. 그렇지 않고 어떤 관념적인 데 걸려 있으면 세월이 금방 다 지나갑니다. 원이 없는 분들은 저 은행나무 아래에서, 저 소나무 앞에서 새로운 원을 세우십시오. 그곳에서 원을 나누어 받으십시오.

수행자는 기상을 지니고 살아야 합니다. 이 길은 순탄한 길이 아닙니다. 제가 절에 들어와서 절밥을 먹은 지 50년이 되었습니다. 저도 깜짝 놀랐습니다. 모든 것이 잠깐입니다. 엊그제 같은데 벌써 50년의 세월이 흘렀습니다. '내가 그동안 무엇을 했지?' 하는 생각이 듭니다. 절밥만 먹고 시주의 은혜에 대한 보답은 몇 분의 일도 못한 것 같습니다. 그러므로 매 순간을 충만하게 보내지 않으면 늙어서 허망해집니다. 늙은 것을 한탄만 하게 됩니다.

수행자에겐 늙음이 없습니다. 늘 그 자리입니다. 수행을 하지 않는 사람에게는 늙음과 죽음이 있지만, 수행에는 늙음이 없습니다. 늘 깨어 있기 때문에 세월이 비켜 갑니다. 간절한 소망과 원, 행이 없기 때문에 세월이 그곳에 앙금을 이루어서 안주하는 것이지, 늘 살아 있는 존재에게는 세월이 붙지 않습니다. 왜냐하면 늘 초심初心, 시작하는 마음이기 때문입니다. 초심이 중요합니다. 집 나왔을 때의 첫 마음이 중요합니다. 그런 간절한 마음을 지니고 있으면 세월이 붙지 않습니다.

제가 잘 아는 사람 중에 불교에 관심이 많은 연극인 한 분이 있습니다. 가끔 잊어버릴 만하면 연하장을 보내오는데 한번은 연하장에서 "스님에게는 세월이 비켜 갔으면 좋겠다."는 말을 했습니다. 이것은 무서운 법문입니다. 세월에 놀아나지 말고 때 묻지 말라는 것입니다. 세속의 흐름에 휘둘리지 말라는 것입니다. 저는 그렇게 받아들였습니다.

법랍은 수행자의 나이입니다. 수행자에게 있어 진짜 법랍은 수행자로서 깨어 있는 시간의 나이입니다. 선방에 가서 한 철 두 철

지낸 것이 법랍이 아닙니다. 스님이 죽으면 세수 얼마, 법랍 얼마 하고 형식적으로 말하는데 그것은 거짓 법랍입니다. 그 사람이 한 생애에 걸쳐 수행자로서 얼마만큼 깨어 있었는가, 오직 이것만을 통해 진정한 법랍을 매길 수 있습니다.

이 길은 순탄한 길이 아닙니다. 많은 장애가 있습니다. 지나온 50년을 돌아보면 장애물경주를 한 것처럼 용케 여기까지 왔다는 생각이 듭니다. 장애를 언짢게 생각하지 말고 자기 생애에서 어떤 비약을 할 수 있는 좋은 기회로 삼아야 합니다. 질병이든 복잡 미묘한 인간관계이든, 그것을 비켜 가려고 하지 마십시오. 그것을 딛고 일어서면 연륜이 쌓입니다. 안으로 매듭이 맺힙니다.

살다 보면 여러 가지 일들이 있습니다. 가령 이 도량에 와서도 처음에는 보기 싫은 사람이 한둘은 있습니다. 서로 뜻도 안 맞고, 자기 자신도 그렇고, 저쪽에서도 보기 싫은 대상입니다. 그것이 중생계입니다. 수행자는 그런 것에 갇혀서는 안 됩니다. 그런 것에서 훌훌 벗어나기 위해 출가하는 것입니다. 남을 미워하고 싫어하는 생각으로부터 벗어나야 합니다. 그것이 출가입니다. 어디에 갇히면 출가가 아닙니다. 비본질적인 집에서 지속적으로 털고 일어나야 합니다. 자기 몸뚱이만 집에서 빠져나오는 것은 출가가 아닙니다. 수시로 비본질적인 세계에서 본질적인 세계로 뛰어드는 것이 출가입니다. 그렇게 되면 밉고 고운 것이 없습니다. 누구든 진리의 형제로서, 한 도량에 있는 형제로서, 고마운 울타리가 될 것입니다.

한눈팔지 마십시오. 수행자는 한눈팔면 안 됩니다. 늘 깨어 있어야 합니다. 길에서 벗어난 줄 알았으면, 바로 그 자리에서 돌아서야 합니다. 살다 보면 자신도 모르게 세속적인 인연에 얽히는 수가 있습니다. 그럴 때마다 '나는 누구인가?' 하고 물어야 합니다. '나는 왜 출가를 했는가? 과연 내가 출가 수행자의 길을 제대로 가고 있는가?' 이렇게 물어야 합니다. 이것을 잊고 끌려가서 세속적인 쾌락을 구한다면, 그것은 더 이상 출가 수행자의 길이 아닙니다.

일단 자기가 선택한 길, 누가 오라고도 하지 않은, 자기 스스로 내디딘 출가 수행자의 길에서 삶을 완성해야 합니다. 한 가지 일로 한 생애를 마치는 것은 좋은 일입니다. 그것은 아무나 할 수 있는 일이 아닙니다. 저 은행나무와 같은 당당한 기상을 지녀야 이 세상을 헤쳐 나갈 수 있습니다. 어려운 장애에 부딪힐 때마다 '나는 누구인가? 어떻게 출가를 했는가?' 늘 이런 원초적인 물음을 통해서 다시 또다시 탈출할 수 있어야 합니다.

출가 수행자는 작은 것에 만족할 수 있는 삶의 원칙을 지녀야 합니다. 그런 원칙이 없으면 흐트러집니다. 먹는 일, 입는 일, 그 밖의 물건을 갖는 일도 소욕지족小欲知足(작은 것에 만족할 줄 앎)의 거울에 비춰 보아야 합니다. 단순함과 간소함의 체로 걸러야 합니다. 가진 것이 적어야 생각이 덜 흐트러집니다. 가진 것이 많으면 생각이 분산되어서 본래의 자기 생각을 잃어버립니다. 물욕은 근원적인 생각을 잊게 만듭니다.

모든 것이 넘쳐 나는 풍요로운 세상에서는 정신 바짝 차려야 합니다. 시줏물이 들어오는 대로 다 갖게 되면 소유한 것들에 매몰

되어 큰 장애가 됩니다. 강원에 있을 때는 그런 반연絆緣(얽히어 맺어지는 인연)이 없으니 지금부터 자기가 가져야 할 것, 갖지 말아야 할 것을 가리는 연습을 하십시오. 음식을 맛있게 먹는 것도 좋지만 소화제가 필요할 정도로 많이 먹지는 마십시오.

저는 해인사에서 1950년대 중반부터 12년을 살았습니다. 여러분들이 세상에 태어나기 전입니다. 그때는 늘 배가 고팠습니다. 아침에 죽 먹고 점심에 밥 먹고, 찬도 짜기로 소문난 운문사의 반찬보다 더 짰습니다. 당시 총무였던 돌아가신 스님은 김장할 때, 싱거우면 많이 먹으니까 조금만 먹게 하려고 소금을 많이 넣게 했습니다. 그 당시 제가 폐를 앓았던 것 같습니다. 나중에 엑스레이를 찍어 보니 폐를 앓은 자국이 있다고 했습니다. 그때 기운이 없고 맥이 빠지고 자고 일어나면 식은땀이 났습니다. 그런 상태로 수행을 했습니다.

그러던 어느 날 진주에서 모처럼 찰밥과 미역국, 당면 등의 대중공양大衆供養(불교 신도가 여러 스님에게 음식을 차려 대접하는 일)이 왔습니다. 요즘처럼 맛있는 과일은 상상도 할 수 없던 때입니다. 당시의 제 방이 전망은 좋은데 정낭과 가까웠습니다. 그런데 대중공양이 들어온 그날은 요란하게 정낭 쪽으로 달려가는 사람이 많았습니다. 평소 먹지 않던 음식을 잔뜩 먹었으니, 그것을 어떻게 소화시키겠습니까?

음식만이 아닙니다. 지식과 정보도 마찬가지입니다. 자기 그릇에 유익한 것만 받아들여야지, 지나치면 주객이 바뀝니다. 지금 우리는 인터넷을 통해 한자리에서 온 세상의 정보를 받아들일 수 있습니다. 수행자로서 진짜 필요하고 본질적인 것만 받아들이고 나머지는 버려야 합니다. 불필요한 지식과 정보는 수행자의 정신을 어지럽힙니다. 모든 것이 넘쳐 나는 세상에서는 투철한 자기 질서와 의지가 없으면 그런 것들에 휩쓸리기 쉽습니다.

먼 길을 가려면 짐이 가벼워야 합니다. 등산만이 아닙니다. 짐이 무거우면 오래 갈 수 없습니다. 어제 류시화 시인이 이런 말을 했습니다. 라다크 같은 높은 지대에서 트레킹을 할 때는 고산병이 생길 수 있으므로 미리 대비해서, 물도 배낭 가득 지고 가서 지속적으로 마셔야만 한답니다. 그런데 그 물이 무거우니까 정작 얼마 못 가서 한 병씩 버려야 했다는 이야기를 들었습니다. 지극히 상징적인 이야기입니다. 불필요한 것을 많이 지니면 짐만 무거워져 우리의 발걸음을 주저앉힙니다. 먼 길을 가려면 짐이 가벼워야 하듯이, 한평생 청정한 수행자의 길을 가려면 불필요한 것들을 버려야 합니다.

제가 중노릇하면서 가장 귀찮은 것이 무엇일까 생각해 보았습니다. 철 따라 옷가지를 챙기는 일이 매우 귀찮습니다. 우리나라는 사계절이 분명하기 때문에 여름 삼베옷 챙기고, 겨울옷 챙기고, 어디 두었는지 몰라서 다 꺼내 찾아야 하는 등, 무척 귀찮습니다. 너무 많아서 그렇습니다. 우리 정신을 어지럽게 하는 것에서 벗어나야 합니다.

버리기는 아깝고 지니기에는 짐이 되는 것들은 내 것이 아닙니다. 그것은 필요한 사람들에게 넘겨주어야 합니다. 이것은 학인 시절부터 행해야 합니다. 여기는 배우러 온 곳이기 때문에 그런 것부터 배워서 행해야 합니다. 그래야 홀가분합니다.

저는 마음이 흐트러지려고 하거나 이것저것 물건과의 관계에서 갈등이 생길 때마다 '본래무일물本來無一物'이라는 법문을 떠올립니다. 모든 선사들이 본래무일물을 말씀하셨습니다. 우리는 이 세상에 빈손으로 왔습니다. 또 우리가 한 생각 일으켜서 절에 들어올 때 재산을 가지고 오지는 않습니다. 빈 몸으로 옵니다. 살 만큼 살다가 인연이 다해서 갈 때도 아무것도 가져가지 못합니다. 결국 무일물은 물건과 관계에 집착하지 말라는 것입니다. 본래 아무것도 없다는 뜻입니다.

수행자에게는 내 집이 없습니다. 모두가 시주가 지어 놓은 집에서 삽니다. 다른 절도 마찬가지입니다. 어느 건물을 아무개 스님이 지었다고 표기를 합니다만, 그것은 말도 안 되는 소리입니다. 아무개 스님 때 지은 것이지 아무개 스님이 지은 것이 아닙니다.

수행자는 자기 관리가 철저해야 합니다. 자기 관리를 소홀히 하면 누구를 막론하고 속물이 됩니다. 우리가 속물이 되기 위해 출가한 것이 아닙니다. 특히 나이 들수록 자기 관리를 엄격히 하십시오. 누가 곁에서 충고를 해 주지 않으므로, 스스로 자기 삶을 철저히 단속해야 합니다. 그러지 않으면 출가 수행자의 본분에서 이탈하게 됩니다. 누가 와서 어떤 부탁을 할 때 자기의 역량이 되면 도와줄 수 있겠지만, 그럴 능력이 없고 자기 그릇의 한계를 느낀다면 스스로 자제해야 합니다. 이것은 자기 관리를 통해서만 가능한 일입니다. 자기 관리를 위해서는 인정사정 두지 마십시오. 인정이라는 것은 개인적인 것입니다. 인정과 자비심은 다릅니다.

우리들의 청정한 본성이 곧 자비심입니다. 자비심은 우연히 생겨나지 않습니다. 참선 잘하고 경전 잘 암송한다고 해서 자비심이 생겨나는 것이 아닙니다. 남과의 관계 속에서 자비심이 길러집니다. 자비심과 보리심을 기르는 것은 수행자에게는 본질적인 길이며 핵심입니다. 보리심은 진리를 깨달아, 그 깨달음으로 모든 존재를 구하겠다는 원입니다. 불교에서는 흔히 지나가는 짐승들을 보면 "발보리심 하라."고 말합니다(여시축생발보리심如是畜生發菩提心, '너는 비록 짐승이지만 보리심을 일으키라.'고 가르치는 말). 옛날 어느 스님에게서 들었는데, 하루는 지나가는 소에게 "발보리심 하라."고 말하니까 그 소가 스님을 쳐다보면서 "음매—" 하는데, 마치 "너는?" 하고 말하는 것처럼 들렸다고 합니다. 그래서 크게 자책했다는 일화가 있습니다.

우리가 스스로 보리심을 발했을 때, 남에게 보리심을 발하라고 말하지 않아도 이심전심 전해집니다. 보리심과 자비심은 그토록 따뜻한 것이기 때문에 남에게 전해집니다. 이기심은 냉혹하고 차디찬 것입니다. 이기심은 자기 자신도 견디지 못하고 남도 차갑게 만들지만, 자비심은 자기 자신도 훈훈하고 이웃도 따뜻하게 만듭니다.

전에도 한번 제가 운문사에 와서 객실에서 잤습니다. 그 방은 보일러 장치가 매우 잘되어 있습니다. 차가운 곳을 좋아하는 사람은 차가운 부분, 따뜻한 곳을 좋아하는 사람은 따뜻한 부분에서 잘 수 있는, 방바닥의 차갑고 따뜻함이 확실하게 나눠진 방입니다. 저는 저 자신이 차디차기 때문에 따뜻한 곳을 좋아합니다. 그래서 따뜻한 부분에서 잤는데, 그 방에서 자면서 '이 방이 법문을 하는구나. 중생들의 근기에 맞도록 냉난방을 나누어 놓았구나.' 하고 생각했습니다. 우스갯소리가 아닙니다. 무엇이든 건성으로 받아들이지 않고 깊이 생각하면 그곳에 다 뜻이 있습니다. 그렇게 하는 것이 자신한테 이롭습니다. 깨어 있는 사람은 무엇이든 배우고 받아들일 수 있어야 합니다.

한국 불교에서 지혜를 우선시하고 자비를 소홀히 하는 것은 잘못된 일입니다. 지혜와 자비는 둘이 아닙니다. 청정한 한 마음에서 나오는 가닥입니다. 굳이 차례를 이야기하자면 자비심에서 지혜가 싹틉니다. 자비가 없는 지혜는 지극히 메마른 것입니다. 한국 불교는 깨달음을 우선시하면서도 깨달음의 행을 할 줄 모릅니다. 행을 통해 깨달음을 이루는 것이지, 깨달음의 행 없이 정상에 이를 수 없습니다. 끝없는 자비의 행을 통해 지혜가 싹트고, 지혜와 자비가 하나가 되는 경지에 도달하는 것입니다. 이것이 수행의 길입니다.

끝으로 제가 의지하고 늘 수지독송受持讀誦(경전이나 책을 항상 잊지 않고 지니며 소리 내어 읽음) 하며 곁에 두고 스승으로 삼는 서적을 몇 권 소개하겠습니다.

먼저 〈초발심자경문初發心自警文〉입니다. 제가 중이 된 지 반세기가 되었지만 아직도 가끔 〈초발심자경문〉을 읽습니다. 절에 들어와 처음 은사스님(효봉 스님) 앞에 꿇어앉아 그 전날 배운 것을 외워 가며 익혔던 글입니다. 단지 글만 풀이하고 해석한 것이 아니라, 옛 수행자들이 어떤 마음가짐으로 어떻게 행했는가 하는 것을 그 글을 통해 낱낱이 배울 수 있었기에, 늘 그 가르침이 저한테 남아 있습니다.

백지 상태로 처음 절에 와서 배우는 교훈이 〈초발심자경문〉입니다. 그래서 가끔씩 〈초발심자경문〉을 읽으면 새롭습니다. 지금도 7월 보름 하안거 해제일이 되면 제가 계를 받은 그날로 돌아가 예불 끝에 꼭 〈초발심자경문〉을 독송합니다. 그때의 마음으로 돌아가고 싶고, 그 마음을 잊지 않고 지니기 위함입니다. 또 제가 거처하는 오두막 불단에도 〈초발심자경문〉을 늘 모시고 있습니다.

또 하나는 서산 스님이 경전과 조사 어록들을 보다가 교훈이 될만한 내용을 뽑아 놓은 〈선가귀감〉입니다. 저는 풋중 시절 해인사에서 〈선가귀감〉을 처음 보았습니다. 어떤 노장 스님이 그 책을 가지고 있었는데, 눈이 번쩍 뜨이고 신심이 나는 책이었습니다. 환희심이 들었습니다. 저는 그 즉시 아랫동네로 뛰어 내려가 공책 한 권을 사다가, 깊은 밤 잠자는 시간에 지대방(절의 큰방 머리에 있는 작은방. 이부자리, 옷 또는 승려가 행장을 넣어 가지고 다니는 지대 따위를 두는 곳)에 들어가 호롱불을 켜고 그 책을 한 줄 한 줄 공책에 베껴 적었습니다. 절반쯤 베꼈을 무렵, 지대방에 불이 켜져 있으니까 그 노장 스님이 문을 열고 무엇을 하느냐고 물었습니다. 그래서 〈선가귀감〉을 베끼고 있다고 하니까, '그렇게 좋으면 스님이 하시오.'라고 말씀하시는 것이었습니다. '하시오'라는 것은 그때 말로 '가지시오'라는 표현입니다. 그 말을 들으니 그렇게 고마울 수가 없었습니다. 그러다 5·16 혁명이 나던 해, 제가 그것을 번역해 봐야겠다는 생각이 들었습니다. 그래서 해인사 시절 그것을 번역했습니다. 그 뒤로 몇 번 손을 대다가 얼마 전 〈깨달음의 거울〉이라는 제목으로 출간했습니다. 지금 독일 프랑크푸르트에서 한국이 주가 되어 도서 전시회가 열리고 있습니다. 〈깨달음의 거울〉도 현각 스님이 영역을 해서 전시 중입니다. 머지않아 미국에서 출간되면 서양인들이 읽을 수 있을 것입니다.

그다음이 〈숫타니파타〉입니다. 이것은 우리가 지금 알고 있는 경전의 체계를 갖추기 전, 부처님이 초기 교단에서 말씀하신 것을 엮어 놓은 근본 경전입니다. 〈아함경〉이 생기기 이전의 경전이기 때문에 표현이 매우 소박합니다. 어떤 법문을 들으면 마치 부처님의 육성이 들리는 것 같습니다. 초기 교단의 수행자들은 어떻게 살았는가, 또 초기 교단의 수행자들에게 부처님은 어떤 가르침을 폈는가, 그 당시에는 어떻게 수행을 했는가 하는 것을 〈숫타니파타〉를 통해 알 수 있습니다. 이 경전도 좋아해서 제가 번역을 몇 차례 했는데, 최근에 새롭게 장정을 해서 출간되었습니다.

또 하나는 〈장로게長老偈〉입니다. 〈장로게〉는 초기 수행자들의 수행담을 이야기한 책입니다. 〈장로게〉가 있고 〈장로니게長老尼偈〉가 있습니다. 이 책도 저의 구도의 서書 가운데 하나입니다.

그리고 마지막으로 소개할 책은 도겐道元 선사가 사석에서 펼친 가르침을 기록한 책입니다. 이분의 시자(어른스님을 모시고 시중드는 사람)가 고운 에조孤雲懷奘 스님인데, 도겐 선사보다 나이가 두 살 위입니다. 다른 교단에 있다가 도겐 선사의 가르침에 감화를 받아 시자가 되었습니다. 이분이 도겐 선사가 그때그때 사석에서 제자들을 위해 법문한 것을 기록해서 〈정법안장수문기正法眼藏隨聞記〉라는 기록을 남겼습니다. 〈정법안장正法眼藏〉은 도겐 선사 자신이 기록한 법문입니다. 이 〈정법안장〉에 '행지行持'편이 있는데, 수행자가 지녀야 할 행위에 대해, 옛 조사들부터 중국 선종사에 나오는 분들이 어떻게 수행했고 어떻게 교화했는가 하는 것이 실려 있습니다. 〈정법안장〉 중에서도 저는 이 행지 편을 좋아합니다. 그래서 길상사 주지실을 만들 때 무슨 이름을 붙일까 하다가 '행지실'이라고 한 것입니다. 주지를 하려면 바른 행을 지니라는 뜻에서입니다.

저는 구도의 서로 이 다섯 권의 책에 늘 애착을 갖고 있습니다. 여러 학인스님들도 저마다 구도의 서로써 중노릇하는 데 든든한 배경 삼기를 바랍니다. 제 잔소리는 이만 마치겠습니다. 혹시 제가 얘기한 것에 대해서 의문이 있으면 10여 분 동안 질문을 하십시오. 단, 억지로 짜내지 마십시오.

학인1 – 헨리 데이비드 소로우에 대해 듣고 싶습니다.

헨리 데이비드 소로우를 제가 언제부터 좋아했는지는 정확히 모르지만 일찍부터 좋아했습니다. 처음에는 소로우의 〈월든〉이라는 책을 읽었는데 참 좋았습니다.

제가 영향을 받은 게 있다면 마하트마 간디와 소로우의 간소한 삶일 것입니다. 간소하게 사는 것이 가장 본질적인 삶입니다. 복잡한 것은 비본질적입니다. 단순하고 간소해야 합니다. 소로우가 살았던 월든 호숫가에 가서 제가 오두막을 지었으면 어디에 지었을까 하고 월든을 한 바퀴 돌아본 적이 있습니다. 소로우의 오두막 터가 동남 방향이었습니다. 그곳이 전망도 가장 좋고 약간 언덕이었습니다.

학인2 - 은사스님에 대한 일화가 있으면 말씀해 주십시오.

처음 중이 되려고 마음먹었을 때 짐을 싸서 서울에 갔습니다. 그때 오대산에서 진리를 공부하는 대학생들을 모집한다는 독특한 소식을 듣고 그곳엘 가려고 했는데, 그해 겨울 눈이 많이 내려서 교통이 두절되어 갈 수가 없었습니다. 그래서 서울 선학원에 큰스님들이 다 모였다는 소식을 듣고 그곳을 찾아갔습니다. 제가 아는 어떤 스님이 자신의 은사스님을 소개해 주었습니다. 그분이 효봉스님입니다. 그래서 가서 인사를 올리고 몇 마디 대화를 나누었는데, 스님께서는 되었다고 하시면서 다른 스님에게 제 머리를 깎아주라고 시키셨습니다. 조실방에서 머리를 깎았습니다. 머리 깎고 승복을 하나 얻어 입고 갔더니 깜짝 놀라시며 구참(묵은 중) 같다고 하셨습니다. 머리를 깎으니 그렇게 기분이 좋을 수 없었습니다. 그래서 종로 거리를 걸어서 한 바퀴 돌았던 기억이 납니다.

그 후 지리산 쌍계사 탑전에 있을 때입니다. 처음이라 무엇이든 조심스러웠습니다. 그때는 구례에서 장을 봐다 먹었습니다. 버스가 다니지 않을 때라 트럭이 장날마다 들어왔습니다. 모래 먼지 뒤집어쓰고 장에 가면 온몸이 얼어 있었습니다. 장터에 가면 여기저기 움막에서 김이 모락모락 났습니다. 빈속에 팥죽을 한 그릇사 먹으면 몸이 풀리곤 했습니다. 그곳에 또 서점이 있었습니다. 그래서 너대니얼 호손의 〈주홍 글씨〉라는 책을 사 왔습니다. 낮에는 좌선하고 밤에는 지대방에 불을 켜고 호손을 무척 재미있게 읽었습니다. 한 절반쯤 읽었을 때인데, 은사스님께서 하루는 지대방 문을 열어 보시더니 무엇하느냐고 물었습니다. 책을 읽고 있다고 말씀드렸더니, 이런 책 읽으면 중노릇 못한다며 당장 불태우라고 하셨습니다. 그래서 부엌에 가서 단박에 태웠습니다. 좋은 교훈입니다. 만약 적당히 꾸짖고 말았다면 처음 절에 들어온 사람이 그런 책을 계속 읽었을 것입니다. 그 뒤로 강원 가기 전까지는 일절 세속의 책을 접하지 않았습니다.

또 한번은 스님께서 전을 좋아해서 공양 때 호박전을 부치려고 아랫동네에 애호박을 구하러 사제와 함께 갔습니다. 갔다가 빨리 와야 하는데 이 친구가 그 집 주인과 이야기를 하느라 밥 지을 시간이 한 10분 늦어졌습니다. 서둘러서 절에 올라갔는데, 은사스님께서 오늘은 단식한다고 말씀하셨습니다. 그 당시는 오전 한 끼 먹고 오후 불식할 때인데 그렇게 단식을 하게 되어 나이 드신 스님께 무척 죄송스러웠습니다. 출가 수행자의 시간관념이 그 순간 가슴 깊이 씨앗이 되어 뿌려졌습니다. 그것이 늘 가슴에 박혀서, 언제나 시간을 잘 지키려고 노력합니다.

이제 10분이 지났으니 마치겠습니다.

직선으로 가지 말고 곡선으로 돌아가라

2005년 10월 16일 가을 정기법회

"새벽 4시에 일어나 예불, 좌선하고 6시엔 차를 마십니다. 다기를 매만지며 하루 생각의 실마리를 푸는 시간입니다. 오전 중에는 채소밭을 돌보고 좀 어정거리다가 좌선하고 글을 씁니다. 12시에 점심공양 하고 2시까지 산길 여기저기를 대지팡이 짚고 산책합니다. 오후엔 좌선하고 나뭇가지나 쌓인 낙엽을 치웁니다. 저녁이 되면 어둡기 전에 밥 먹고 7시부터 9시까지는 촛불이나 등잔 밑에서 책을 읽거나, 나가서 낙엽 지는 소리, 시냇물 흐르는 소리에 귀 기울입니다. 무엇엔가 귀 기울이는 것이 중요합니다. 홀로 있으면 내면의 소리도 들을 수 있습니다." 하루 일과를 어떻게 보내느냐는 기자의 질문에 대한 스님의 답변이다. 한 신문은 이날의 법회 소식을 전하면서 '코스모스 가을 법회'라고 제목을 달았다. 하지만 스님이 사는 강원도 산중에는 벌써부터 연이틀 눈이 내리고 영하의 날씨를 기록했다.

가을입니다. 제가 굳이 말하지 않아도 가을입니다. 이 시기가 되면 모든 것이 투명합니다. 햇살과 공기, 바람결, 물, 나무들, 모두가 투명합니다. 산사에 사는 수행자들은 귀가 매우 밝습니다. 방 안에 앉아 있으면서도 낙엽 구르는 소리, 풀씨가 익어 터지는 소리, 다람쥐들이 겨우살이 준비로 부지런히 열매를 물고 가는 소리까지 다 들을 수 있습니다.

오늘 산길을 나오면서 문득 이런 생각을 했습니다. 만약 출발지점에서 종점까지 훤히 보이는 길이라면 어떻게 될 것인가? 강원도에서 길상사까지 전혀 거치적거리는 것 없이 직선으로 뚫려 있다면 어떨까? 현실적으로는 가능하지 않지만, 만약 그런 길이 있다면 아마 지루해서 운전하는 맛이 없을 것입니다. 얼마나 무료하겠습니까? 졸음이 쏟아지거나 사고가 날 것입니다. 서해안 고속도로에서 한동안 사고가 가장 많이 났다고 합니다. 제가 목포까지 그 길로 가보았는데, 다른 고속도로에 비해 직선이 많고 곡선이 거의 없습니다. 또 개통 초기에는 편의시설이 없어서, 운전자들이 도중에 쉴 수 없었기 때문에 사고가 많았다고 합니다.

우리가 살아가는 인생의 길 또한 마찬가지입니다. 앞날을 미리 예측할 수 없기에 하루하루 살아갈 수 있습니다. 만약 태어나면서부터 죽을 때까지의 일을 미리 예측할 수 있다면 살맛이 나지 않을 것입니다. 모르기 때문에 살아가는 것입니다.

여기 직선과 곡선의 상징이 있습니다. 사람의 손으로 빚어 놓은 문명은 직선입니다. 그러나 본래 있는 그대로의 자연은 곡선입니다. 나뭇가지, 흐르는 강물, 산맥, 해와 달을 보십시오. 다 곡선입니다. 그러나 사람들이 만든 집이나 그 밖의 구조물들은 거의 직선입니다. 직선은 조급하고 냉혹하고 비정합니다. 곡선은 여유와 인정과 운치가 있습니다. 이와 같은 '곡선의 묘미'에서 삶의 지혜를 터득할 수 있어야 합니다.

우리가 어떤 목적만을 위해 과정을 소홀히 한다면 삶의 의미를 상실하게 됩니다. 가령 차를 타고 어디로 간다고 생각해 보십시오. 가는 동안 많은 사람과 사물을 보면서도 시간 맞춰 목적지까지 가려는 의식 때문에 도중에 보이는 것들에 대해서는 거의 관심을 두지 않습니다. 목표지점보다는 그곳에 이르는 과정이 더 중요합니다. 그 과정이 곧 우리들의 일상이자 순간순간의 삶입니다. 잘 아시다시피 삶은 미래가 아닙니다. 지금 이 순간입니다. 매 순간의 쌓임이 세월을 이루고 한 생애를 이룹니다.

우리 이전 세대들은 여러 가지 어려운 여건 속에서도 참고 기다릴 줄 알았습니다. 그것을 통해 이루어 놓은 삶의 축적이 오늘의 결과입니다. 우리가 예전에 비해 여유롭게 사는 것은 그 덕분입니다. 사랑 역시 기다림의 세월을 동반하지 않으면 성숙할 수 없습니다. 하나의 씨앗이 움터서 꽃 피고 열매 맺기까지 봄, 여름, 가을이 받쳐 주어야 합니다.

식당이나 고속도로 휴게소에 가서 음식을 먹어 보면 그곳의 밥은 뜸이 안 들어 있습니다. 뜸이 들지 않은 밥을 먹을 때마다 '조급한 현대인들에게 알맞은 밥이구나.' 하는 생각이 듭니다. 참고 기다릴 줄 모르고 즉석에서 해결하려고 하기 때문에 신비스런 사랑까지도 그 자리에서 끝장을 내는 것입니다.

세상을 자기중심적으로 살려고 하면 그 길이 막힙니다. 여럿이 어울려 사는 세상이기 때문에 남의 처지를 살펴야 합니다. 관계의 이웃을 고려하여, 그 속에서 자신을 찾고 닦아야 합니다.

다른 표현을 빌리자면 직선적인 사고의 틀에서 벗어나 곡선적인 사고로 전환할 수 있어야 합니다. 우리보다 앞서 살다 간 선인들의 여유로운 생활 태도를 배우십시오. 목표를 향해 줄곧 달리지 말고 때로는 천천히 돌아가야 합니다. 가는 도중 여기저기 눈을 팔면서 느긋함을 즐기기도 하고, 더러는 길을 잃고 헤맬 수도 있어야 합니다. 이것이 삶의 기술입니다.

티베트 속담에 "서둘러 걸으면 라싸에 도착할 수 없다. 천천히 걸어야 목적지에 도착한다."는 말이 있습니다. 티베트는 지역이 매우 넓고 지형이 험준합니다. 사람들은 얼마나 멀리 떨어진 데 살든지 중부지역에 있는 수도 라싸로 성지순례 가는 것이 평생소원입니다. 달라이 라마가 사는 포탈라 궁과 유명한 조캉 사원이 거기 있기 때문입니다. 동부와 북부의 히말라야 골짜기에 사는 사람들은 한 달 넘게 걸어야 이곳에 도착합니다. 빨리 도착하려면 빨리 걸어야 할 것이지만, 너무 빨리 걸으면 산소도 희박하고 길도 험해서 금방 지치거나 병에 걸립니다. 그러면 집으로 되돌아가는 수밖에 없습니다. 그러나 여유 있는 걸음으로 주위 풍경도 구경하고 길에서 만나는 사람들과 이런저런 얘기도 나누고 차도 마시고 야영도 하면서 계속 가다 보면 자신도 모르게 생각보다 빨리 라싸에 도착해 있습니다.

이것이 삶의 기술입니다. 삶에도 기술이 필요합니다. 여기에 곡선의 묘미가 있습니다. 여기서 얻은 삶의 지혜를 통해 자기 자신을 극복할 수 있고, 또한 남을 이해하고 받아들일 수 있는 아량이 생기게 됩니다. 그 인생의 저력이 쌓이는 것입니다. 무엇이든 당장에 이루려고 서두르지 마십시오. 삶이 제대로 성숙하려면 시간이 걸립니다. 안으로 여물 시간이 필요합니다. 어떤 행위는 그 자체로 끝나지 않고 연쇄적인 파장을 일으킵니다. 그것을 업력이라고 합니다.

사람 사는 세상은 하나의 메아리입니다. 불교에서는 개인이 지은 업을 '별업別業'이라 하고, 여럿이 함께 지은 업을 '공업共業'이라 말합니다. 우리가 겪고 있는 지구의 재앙은 인류의 오만한 공업에서 초래된 것입니다. 한정된 지구 자원으로 앞다퉈 대량생산, 대량소비, 대량폐기를 한 결과입니다. 세계 곳곳에서 일어나는 지진과 해일과 태풍은 우연한 현상이 아닙니다. 명상가들은 공통적으로 이야기합니다. 이것을 교만한 인류의 공업에 대한 경고의 소식으로 받아들여야 한다고. 갈수록 이러한 현상이 심해질 거라고 말합니다.

전 지구적인 재앙의 늪에서 벗어나려면 반자연적인 그릇된 습관부터 고쳐야 합니다. 우리가 먹고 입고 타고 다니는 것 전부가 하나같이 얼마나 반자연적인 행위입니까? 집도 그렇습니다. 모든 것이 자연을 등진 형태입니다. 인간은 무엇입니까? 대자연 속의 한 개체입니다. 개체이기 때문에 대자연의 흐름을 따라야 합니다. 살아 있는 생명을 무엇보다도 존귀하게 여기십시오. 자신의 목숨이든, 남의 목숨이든, 짐승과 식물의 목숨이든, 살아 있는 생명을 소중하게 여길 줄 알아야 합니다. 이런 생각을 갖지 않으면 지구는 편할 날이 없습니다.

이 청명한 가을날 이런 이야기를 꺼내기가 대단히 미안하지만, 이 땅의 현실이기 때문에 제가 말을 하지 않을 수 없습니다. 전국

산부인과 집계에 의하면 연간 낙태 시술이 35만 건에 달한다고 합니다. 북한은 포함되지 않은 남한만의 일입니다. 하루에 천 명의 어린 생명들이 살해되는 것입니다. 놀라운 일이 아닐 수 없습니다. 이와 같은 현상은 우리나라뿐 아니라 전 세계적인 현상일 것입니다. 물론 개인적으로 건강이 좋지 않다거나 그렇게 하지 않으면 안 될 상황일 수도 있겠지만, 대개는 이와 반대되는 경우입니다. 생명을 경시한 데서 오는 결과입니다.

낙태로 모든 것이 깨끗이 끝나는가? 끝나지 않습니다. 그것도 하나의 업입니다. 비유하자면 멀리서 어렵게 찾아온 손님을 방이 비좁고 먹을 것이 없다고 해서, 사교육비가 많이 든다고 해서, 도중에 걷어차 버리는 것과 마찬가지입니다. 이 세상에 태어나고 싶어서, 그 부모에게 의존하고 싶어서 나오려고 하는데, 도중에 그것을 막아 버리면 어떻게 되겠습니까?

20년 전 불일암에 살 때의 일입니다. 겨울이었는데 어떤 사람 둘이 찾아왔습니다. 대전에서 왔다고 하는데, 그중 한 사람의 얼굴을 보자마자 섬뜩한 느낌이 들었습니다. 인사를 주고받고 나서 알고 보니, 그전에 저한테 편지를 보내 한번 찾아뵙겠다고 했던 산부인과 의사였습니다. 제가 그런 인상을 받은 까닭은 아마도 낙태 시술 등을 많이 한 과보 때문일 것입니다. 수사관들의 얼굴을 보면 살기등등하지 않습니까? 얼마 전 뉴스에 나온 정보부 차장인가 하는 사람 얼굴을 보십시오. 무척 험악하게 생겼습니다. 그것이 바로 업의 얼굴입니다.

우리들 자신 역시 어머니로부터 태어난 아이들임을 잊지 마십시오. 나를 의지해서 세상에 나오려고 하는 생명을 버리지 말아야 합니다. 그것은 마치 자라나는 새싹을 무참히 꺾는 일과 같습니다. 결과적으로는 자기 자신의 싹을 꺾는 것입니다. 이는 큰 죄업이 됩니다. 업이란 두고두고 연쇄적인 파장을 일으킨다는 사실을 결코 잊어서는 안 됩니다.

끝으로 제가 잘 아는 집안 이야기를 좀 하겠습니다. 이 가을날 너무 부정적인 소리만 늘어놓은 것 같아 이제는 흐뭇한 이야기를 할까 합니다. 내일모레면 환갑이 되는, 아내와 다 키운 아들딸을 거느린 어엿한 가장의 이야기입니다. 그는 고등학교를 수석으로 졸업하고 모두가 선망하는 소위 일류대학을 나온 사람입니다. 1960년대에 우리나라가 5개년 계획을 세워서 해외로 많이 진출했지 않습니까? 그때 한 대기업에 입사를 합니다. 그리고 그 회사에서 30년 동안 착실하게 근무합니다. 그러다가 IMF 때 회사의 임원으로 보증을 잘못 서는 바람에 직장에서 해고를 당했습니다. 재판도 했지만 결국 무일푼으로 쫓겨났다고 합니다. 부인 명의로 된 얼마 안 되는 재산만 남은 것입니다. 그것이 30년 직장 생활의 전부였습니다.

예순이 다 된 이분이 한국 사회에서 새로 취업을 하기란 무척 어려운 일입니다. 어떡해야 좋을지 앞날이 막막했을 것입니다. 처음 한두 달은 마땅히 할 일이 없어서 주로 산에 다녔습니다. 산을 오르내리면서 많은 생각을 했습니다. '내가 할 수 있는 일이 과연 무엇일까?' 곰곰이 생각해 봐도 자신이 할 수 있는 일은 두 가지였습니다. 하나는 공부하는 일이고, 하나는 운전하는 일이었습니다. 이 나이에 공부하는 것은 힘들고 운전기사를 해 볼까 하는 생각이 불쑥 들었습니다. 어디서 들으니 3년만 택시 운전을 하면 개인택시 면허가 나오는 데다 정년도 없다고 했습니다. 자식들은 다 키워 놓았으니 부부가 살 길은 열릴 것이라는 생각이 들었습니다.

어느 날 부인에게 택시 기사를 해 보겠다고 하니 부인이 깜짝 놀라더랍니다. 지금 여기 오신 분들도 한번 생각해 보십시오. 자신의 아버지가 강제 퇴직을 당하고 집에서 놀다가, 갑자기 택시 기사를 한다고 하면 어떻겠습니까? 그리하여 그분은 운전면허를 1급으로 갱신하고 택시 기사 교육도 받고 자격증도 땄습니다. 처음 차를 몰고 나가던 날 불안해하는 아내에게 남편은, 25년 무사고 운전사이니 걱정하지 말라고 위로했다고 합니다. 평생 육체노동이라고는 모르고 회사일만 하던 사람이 12시간이나 되는 고된 노동을 하게 되었으니, 그 아내의 심정이 어떠했겠습니까? 그런데 일을 마치고 돌아오는 남편의 모습은 언제 보아도 밝고 활기찼다고 합니다. 남편 말이, 막상 부딪쳐 보니 이 일도 재미있더랍니다. 그렇게 6개월이 흘렀습니다.

"지난 여섯 달간 저희 집에는 많은 변화가 생겼습니다. 결혼 생활 28년 동안 요즘처럼 집안 분위기가 화기애애했던 적은 없었던 것 같습니다. 아버지라는 존재는 돈 버는 일벌레이고 가족에게는 무관심한 사람이라는 가족들의 생각이 이제는 바뀌었습니다."

이런 아버지를 자식들이 존경스러워하고 안쓰럽게 여기면서 자기 대신 이것저것 챙기는 것을 볼 때마다 부인은 가슴이 뭉클해진다고 이야기했습니다. 수입으로 치면 회사 다닐 때의 3분의 1도

안 되지만 힘든 기색 없이 꿋꿋하게 살아가는 아버지의 모습에 온 가족이 고마워합니다. 그전에 직장 다닐 때는 얼굴도 안 비추던 식구들이 이제는 아침에 아버지가 출근할 때 모두 현관에 나와서, 오늘도 아무 탈 없이 운전 조심하시라고 인사를 한다고 합니다.

"하루에 4, 50명의 손님들을 대하다 보면 세상 돌아가는 별별 이야기를 듣게 됩니다. 그들 삶의 모습을 접할 때마다 새삼스레 아내와 아이들이 그렇게 고마울 수가 없습니다. 몸은 고되지만 회사 다닐 때처럼 스트레스도 받지 않고 가끔씩 보람 있는 일도 생겨서 재미있습니다. 때로는 친절한 기사양반이라고 하면서 명함도 달라고 합니다. 노인들을 보면 부모님 같아서 잘해 드리고 싶고, 젊은이들을 보면 자식 같아서 살뜰하게 대해 주고 싶습니다."

이런 생각이 사람을 안으로 여물게 합니다.

여기 한 인생의 길에도 곡선의 묘미가 있습니다. 지나간 과거에 연연하지 않고 현재의 주어진 상황 아래서 자신이 좋아하거나 하고 싶은 일을 하면서 사는 것은, 그 어떤 명예와 부를 가진 삶보다도 값지고 축복된 삶입니다.

"가정의 행복이란 화목과 사랑의 나눔에 있음을 요즘에 이르러 새삼스럽게 깨닫게 되었습니다."

체면을 생각한다면 더 이상의 인생은 없습니다. 모든 것을 훌훌 털어 전생의 일로 미뤄 버리고 새롭게 시작해야 합니다. 자기에게 주어진 현재 상황 아래서 할 수 있는 일을 찾는 것입니다. 그렇게 되면 새로운 길이 열립니다. 이것이 인생입니다. 곡선의 묘미는 거기에 있습니다.

다시 말씀드리지만, 삶은 과거나 미래에 있지 않습니다. 지금 이 순간입니다. 바로 지금 이 순간을 살 줄 알아야 합니다. 순간순간 그날그날 내가 어떤 마음으로 어떤 업을 익히면서 사는가에 따라 삶이 달라질 것입니다. 개인의 삶만 달라지는 것이 아니라 나와 관계된 사람들의 삶도 달라집니다. 누가 나를 만들어 주는 것이 아니라 나 자신이 나를 만들어 갑니다.

이 가을, 보다 투명하고 따뜻하며 선한 이웃 되시기 바랍니다.

때가 되면 우리는 누구나 자신의 일몰 앞에 서게 된다.

그 전에 맺힌 것을 풀어서, 안팎으로 걸림 없이

자유로워져야 한다. 그 짐을 다음 생으로 지고 가지 말아야 한다.

우리가 하루하루 살아간다는 것은

날마다 새로운 날을 맞이하는 것이다.

오늘은 어제의 연장이 아니라 새로운 날이다.

무릇 묵은 시간에 갇힌 채 새로운 시간을 등지지 말아야 한다.

날마다 좋은 날

2005년 8월 19일 여름안거 해제

2,500년 전, 우기가 끝난 뒤 곳곳에서 안거 정진을 하던 수행자들이 부처님 계신 곳으로 모여들어 수행의 경험담을 나누면서, 자신의 깨달음을 점검하고, 혹시 실수한 것이나 허물이 있으면 전부 드러내 놓고 참회하던 것이 전통으로 이어져 오늘날까지 안거 해제일 의식을 갖게 되었다. 불교에서는 이날을 우란분절盂蘭盆節이라 하여 중요하게 여긴다. '우란분'이란 거꾸로 매달려 있는 사람의 고통을 풀어 준다는 의미이다. 우기의 안거가 끝나는 날이지만, 공교롭게도 이날 서울에는 비가 내려 청중들은 법당 안과 마당에 쳐 놓은 천막 밑, 큰 느티나무 아래 따로따로 무리 지어 빗소리와 법문에 귀 기울였다. 사나흘만 빼고 이달 내내 강원도는 비에 젖어 있었고, 스님은 넘친 개울물 때문에 산을 내려오는 데 애를 먹었다. 7월에는 스님의 저서 〈무소유〉가 대만의 텐샤짜지 출판사에서 출간되어 한 달 보름여 만에 4쇄를 찍었다.

더위 속에 잘들 지내셨습니까? 왜 더위가 오지요? 고온다습해야 벼농사가 됩니다. 고온다습하지 않고는 우리가 쌀밥을 먹을 수가 없습니다. 따라서 더위는 살아 있는 존재들에게 우주가 베푸는 일종의 은혜와 선물입니다.

모든 것은 순간이고 찰나입니다. 머지않아서 선들선들 가을바람이 불어올 것입니다. 산에는 요사이 노란 좁쌀 같은 마타리꽃이 피기 시작했습니다. 마타리꽃이 피기 시작하면 어김없이 선선한 가을바람이 불어옵니다.

오늘이 여름안거 해제일입니다. 지난 90일 동안 나 자신이 수행자로서 혹은 불자로서 어떤 업을 쌓으며 살아왔는지 한번 점검해 보십시오. 육체가 아니라 영혼의 나이가 한 살 더 축적될 만큼 제대로 삶의 시간을 보냈는지 되돌아보아야 합니다.

당나라 말엽의 스님으로 운문雲門 선사라는 분이 계십니다. 9세기 후반에서 10세기 초반까지 살다 간 분입니다. 〈운문록〉이라는 어록도 전해지고, 많은 후학들에게 영향을 끼친 큰스님입니다. 이분이 오늘 같은 보름날 법회에서 이렇게 말합니다.

"15일 이전의 일은 묻지 않겠다. 15일 이후에 대해 한마디 해 보라十五日以前不問汝 十五日以後道將一句來."

이미 지나간 과거사는 그만두고 앞으로 어떻게 살아야 할 것인가 하는 물음입니다. 대중들 사이에서 아무 말이 없자 스님 스스로 대신 답합니다.

"날마다 좋은 날이다日日是好日."

이 험난한 세상을 살아가면서 날마다 좋은 날이란 귀합니다. 또 좋은 날이 우리를 기다리고 있는 것도 아닙니다. 우리들 스스로가 그 좋은 날을 만들어 가야 합니다. 혹시 불행한 일이 있더라도, 그 나름의 까닭이 다 있을 것입니다. 세상사는 모두 그 나름의 의미를 가집니다. 그 의미를 알게 되면 한 생각을 돌이킬 수 있습니다.

불행한 날이 불행하지 않은 날로 바뀔 수가 있습니다.

우리는 지금 이 자리에서 이렇게 살고 있습니다. 우주 안에서, 천막 아래서, 또 법당에 앉아서 지금 현재 이렇게 살고 있습니다. 지금 이 순간 우리에게는 가난함과 부유함, 사랑과 미움, 좋음과 싫음, 많음과 적음에 대한 근심 걱정도 없습니다. 그렇지 않습니까? 아무 분별 없이 빗소리에 귀를 기울이며 이렇게 앉아 있습니다. 언제 어디서나 그 순간을 놓치지 말아야 합니다.

삶과 죽음이라는 것이 무엇입니까? 호흡에 달린 일입니다. 숨을 한 번 내쉬었다 들이마시지 못하면 몸이 굳어져 버립니다. 매 순간 우리가 숨을 쉬면서 산다는 것은 아주 귀중한 일입니다. 무심히 지나치고 말 일이 아닙니다. 일찍이 우리와 같이 살다가 돌아가신 분들은 이 숨을 제대로 못 쉬어서 지금은 다른 세상에 살고 있습니다. 순간순간을 놓쳐서는 안 됩니다. 걱정 근심에서 놓여나지 못하는 것은 그 순간보다는 이미 지나가 버린 것에 대해서, 또는 아직 오지 않은 일에 생각이 가 있기 때문에 그렇습니다. 적어도 지금 이 순간만은 아무 걱정 근심이 없지 않습니까? 이와 같이 언제 어디서나 그 순간을 놓치지 말고 충만하게 살 수 있어야 합니다.

좌선은 선방에서 스님들만 하는 것이 아닙니다. 좌선은 모든 불교도의 기본 자세입니다. 부처님의 앉아 있는 모습입니다. 또한 모든 불자들의 기본적인 수행입니다.

좌선은 새삼스럽게 깨닫기 위한 수행이 아닙니다. 그 자체가 커다란 환희의 법문입니다. 아무 잡념 없이 우리가 부처님처럼 앉아 있는 이 자체가 커다란 대안락의 법문입니다. 때 묻지 않은 청정 법신의 모습입니다. 거듭 말씀드립니다. 우리가 좌선을 하는 것은 새삼스럽게 깨닫기 위함이 아닙니다. 그러면 왜 애써서 수행을 하는가? 본래의 밝음을 드러내기 위해서입니다. 닦지 않으면 오염되기 때문에, 성장의 노력을 하지 않으면 퇴보하고 물들기 때문입니다.

지난여름, 제게 있어 가장 보람되고 즐거웠던 시간을 꼽으라면, 아침저녁으로 개울물 소리에 귀를 기울이면서 묵묵히 앉아 있던 그 시간입니다. 책 읽고 밖에 나가서 일하는 시간은 부수적인 것입니다. 아무 생각 없이 묵묵히 개울물 소리에 귀를 맡기고 조용히 앉아 있을 때가 가장 기쁜 시간입니다. 이것을 선열위식禪悅爲食이라고 하는데, 선의 기쁨으로 밥을 삼는다는 뜻입니다. 불자들은 그런 수행을 꼭 안거 기간만이 아니라 언제 어디서나 할 수 있어야 합니다. 그것은 불교 수행자의 기본적인 자세입니다. 그런 자기 충전을 통해 이 험난한 세상을 무난히 헤쳐 나갈 수 있습니다. 만일 자기 충전의 시간이 없다면 늘 중생 놀음, 여기에 팔리고 저기에 휩쓸리며 살아가게 됩니다. 자기 충전의 시간은 곧 자기 중심의 시간입니다. 순수한 자기 존재의 시간입니다. 그런 시간을 될 수 있으면 많이 가져야 합니다.

신문에서는 몇억이 있어야 노후 대책을 할 수 있고, 그래야 안심하고 죽을 수 있다는 말들을 합니다. 이런 숫자에 속지 마십시오. 순간에 사는 사람에게는 노후 대책이란 필요하지 않습니다. 삶은 숫자 놀음이 아닙니다. 자기 중심이 없고 자기 탐구가 없는 사람들은 늘 그런 것들에 정신을 빼앗긴 채 살고 있습니다. 그 순간을 살 줄 안다면 많은 돈이 없어도 노후를 제대로 보낼 수 있습니다. 돈만 있으면 해결될 것이라는 망상에서 벗어나야 합니다. 그럼 돈 많은 사람들은 죽지 않아야 하는데, 이들도 어김없이 죽습니다.

행복의 문제는 소유와 밀착되지 않습니다. 네팔 히말라야 산동네에 가 보면 우리와는 비교가 안 될 정도로 가난하게 삽니다. 그런데 그 사람들의 눈빛을 보면 그렇게 맑을 수가 없습니다. 우리보다 훨씬 적게 가지고 있으면서도 그토록 친절하고 활기차고 건강하고 밝게 삽니다. 네팔만이 아닙니다. 우리가 참으로 걱정해야할 일은 경제 수치가 아니라 점점 전락해 가는 인간성입니다.

황폐화된 인간은 많이 가질수록 더 해롭습니다. 자신뿐 아니라 타인과 환경에 해를 끼치기 때문입니다. 모자라고 아쉬운 부분을 채우려고만 할 게 아니라 즐길 줄도 알아야 합니다. 조촐하고 사소한 것으로도 얼마든지 즐길 수 있습니다. 우리에게는 안빈낙도 정신이 있지 않습니까? 넉넉하지 못한 생활환경에서도 찌들지 않고 편안한 마음으로 도를 즐기는 인생관, 이것이 우리 선인들이 지닌 처세훈입니다.

노후에 대한 불안을 미리 가불해서 쓰지 마십시오. 자신에게 주어진 순간순간을 맑은 정신을 지니고 관조하면서 살 줄 알아야 합니다. 그래야 지혜롭고 조촐한 노년을 보낼 수 있습니다.

부처님은 〈일야현자경—夜賢者經〉에서 이렇게 법문합니다.

"어느 누가 내일의 죽음을 알겠는가. 진실로 그 죽음을 피할 수 없다. 이를 바로 알아차린 사람은 낮과 밤에 한결같이 정진하나니 이런 사람이 하룻밤의 현자이다. 또한 고요함에 이른 사람이다."

또 같은 경전에서 부처님은 말합니다.

"과거를 따르지 말고 미래를 기대하지 말라. 한번 지나가 버린 것은 이미 버려진 것, 또한 미래는 아직 오지 않았다. 오늘 할 일을 부지런히 행하라. 누가 내일의 죽음을 알 수 있으랴. 지나가 버린 것을 슬퍼하지 않고 오지 않은 것을 동경하지 않으며 현재를 충실히 살고 있을 때 그의 안색은 생기에 빛난다. 분수 바깥 것을 탐내어 구하고 지나간 과거사를 슬퍼할 때 어리석은 사람은 그 때문에 꺾인 갈대처럼 시든다."

날마다 좋은 날 이루십시오.

'너'는 '나'의 동의어반복

2005년 5월 22일 여름안거 결제

하늘이 잔뜩 흐리고 전국적으로 비가 내리는 일요일임에도 불구하고 천여 명이 이날 법회에 참석했다. 법문 시작 전 스님은 청중을 향해 이렇게 인사를 건넸다. "오늘은 하안거 결제일이라서 뜨내기들은 오지 않고 꼭 절에 올 사람들만 왔습니다. 계절의 여왕인 5월이라서 그런지 일요일마다 연거푸 큰 법회가 열리고 있습니다. 이 절의 전속 배우인 저도 그때마다 출연을 합니다. 연속극도 아닌데 3회 연속 출연입니다. 오늘 아침 나오면서 '이게 무슨 짓이지? 중노릇이 이런 것인가?' 하는 의문을 갖게 되었습니다." 법회가 끝난 뒤 스님은 곧바로 빗길을 재촉해 강원도로 돌아갔다. 그리고 사흘 동안 더 비가 내렸다. 인도에서는 하안거를 '비의 안거'라고 불렀다.

7세기 대승불교의 큰 스승 중에 산티데바라는 인도 스님이 계십니다. 적천寂天 스님이라고도 합니다. 산티데바의 법문에 이런 대목이 있습니다.

세상의 모든 행복은 남을 위한 마음에서 오고,

세상의 모든 불행은 이기심에서 온다.

하지만 이런 말이 무슨 소용이 있는가.

어리석은 사람은 여전히 자기 이익에만 매달리고,

지혜로운 사람은 남의 이익에 헌신한다.

그대 스스로 그 차이를 보라.

여기서 말하는 '남'이란 나와 전혀 상관없는 타인이 아니라 또 다른 '나'입니다. 보다 큰 자기 자신입니다. 산티데바는 어떻게 보살행을 할 것인가를 두고 〈입보리행론入菩提行論〉이라는 저술을 남겼습니다. 왕자였던 산티데바는 어느 날 꿈에서 문수보살을 만납니다. 그는 문수보살로부터 "왕의 자리는 지옥과 같다."라는 말을 듣고 왕위 계승에 회의를 느낍니다. 그리하여 마침내 왕위를 계승하게 될 전날 밤, 왕궁을 몰래 빠져나와 날란다 사那爛陀寺(중인도 마가다국의 절. 세계 최초의 대학인 날란다 불교대학이 있었다)로 가서 출가합니다. 인도 불교 역사를 보면 부처님을 비롯해 왕자들이 가끔 그런 식으로 왕위 계승권을 버리고 출가하는 사례가 더러 있었습니다. 산티데바의 경우도 마찬가지입니다.

〈입보리행론〉은 보리심에는 두 가지가 있다고 이야기합니다. 하나는 보리심을 일으키는 마음, 즉 발보리심입니다. 다른 하나는 보리심을 행하는 마음, 즉 행보리심입니다. 보리심은 곧 자비심입니다. 불교는 발보리심으로부터 시작합니다. 그리하여 행보리심으로 회향합니다. 개체에서 출발해 전체에 이르는 길입니다. 나에게서 출발해 너에게 이르는 길입니다.

배움의 과정을 문聞, 사思, 수修, 세 가지로 나누기도 합니다. 어떤 가르침을 듣고, 그 뜻을 깊이 생각하면서, 스스로 그렇게 실천하고 닦아 가는 것이 배움의 과정입니다. 그런 닦음과 실천이 행보리심입니다. 수행이란 무엇입니까? 한마디로 말해서 보살행입니다. 남을 위해서 헌신하는 것, 이것이 진정한 수행입니다.

불교의 수행은 행보리심이고 보살행입니다. 행의 궁극적인 종점이 곧 깨달음입니다. 신해행증信解行證이라고 하지 않습니까? 믿고, 이해하고, 행하면 그 행의 결과로 깨달음에 이른다는 것입니다. 여기서 기억할 점은 깨닫고 나서 행하는 것이 아니라, 행의 완성이 곧 깨달음이라는 사실입니다. 행 속에 이미 깨달음이 들어 있습니다. 마치 과일 속에 씨앗이 들어 있듯이.

상징적인 이야기이지만 부처님의 전생 이야기를 보십시오. 부처님이 사람의 몸뿐 아니라 짐승의 몸을 받기도 하면서 여러 차례 윤회하며, 이웃과 중생계를 위해 많은 헌신을 했다는 보살행의 이야기들입니다. 요즘에는 그런 문서들을 보기 어려운데, 50년 전절에 처음 들어왔을 때 〈팔상록〉, 〈십지인행록〉 같은 책들이 있었습니다. 부처님이 전생에 어떻게 보살도를 행했는가 하는 기록들입니다. 상식적으로는 납득이 가지 않는 내용들로 이루어져 있습니다. 처음 절에 들어온 사람들은 믿지 않습니다. 현실과 매우 동떨어진 상징적인 이야기들이기 때문입니다. 하지만 깨닫고 나서 행하는 것이 아니라, 행의 결과가 깨달음에 이르게 한다는 사실을 기억하십시오.

부처님의 일생을 여덟 가지로 나누어 놓은 그림이 있습니다. 그것을 팔상도八相圖라고 합니다. 그 그림을 모신 곳이 절의 팔상전입니다. 전통적으로 부처님의 생애를 말할 때 팔상으로 나눕니다. 그런데 여기에 가장 중요한 사건인 성도상成道相이 없습니다. 즉 깨달음을 얻는 순간의 모습이 없는 것입니다.

잘 아시다시피 첫 번째, 도솔래의상兜率來儀相은 부처가 도솔천에서 흰 코끼리를 타고 어머니의 태 속으로 들어가는 꿈의 장면입니다. 두 번째, 비람강생상毘藍降生相은 부처가 4월 초파일에 룸비니에서 탄생하는 장면입니다. 그다음으로 부처가 생로병사를 유람하는 사문유관상四門遊觀相, 왕궁을 넘어서 출가하는 유성출가상踰城出家相, 그다음이 설산에서 수도하는 설산수도상雪山修道相입니다. 그리고 보리수 아래서 여러 악마들에게 항복받는 수하항마상樹下降魔相이 있습니다. 이 수하항마상 다음에 있어야 할 것이 성도상인데 성도상이 없는 것입니다. 다음이 녹야원에서 설법하는 녹원전법상鹿苑轉法相, 마지막으로 쌍림열반상雙林涅槃相이 나옵니다.

가장 중요한 사건을 다루는 성도상이 왜 빠졌을까 하는 의문을 갖지 않을 수 없습니다. 그것은 아마도 수행과 항마 속에 이미 깨달음이 들어 있어서 따로 성도상을 넣을 필요가 없기 때문일 것입니다. 왜냐하면 본래성불本來成佛(모두가 다 불성을 지닌 같은 존재이므로, 깨닫고 보면 중생도 본래부터 부처라는 말)이기 때문입니다. 내가 아직 깨닫지 못했는데 어떻게 남을 제도할 수 있는가? 선가에서 흔히 하는 말입니다. 그러나 이런 가설에 속지 마십시오. 그런 생각을 가지면 영원히 깨닫지 못합니다. 그것은 자신만을 생각하는 이기심이 담긴 말에 불과합니다.

지장보살은 "고통받는 모든 중생을 다 제도한 다음 성불하겠다."는 원을 세웠습니다. 단 한 명의 중생이라도 고통받고 있는 한, 자신은 성불하지 않겠다는 서원입니다. 이 서원 안에 이미 깨달음의 씨앗이 들어 있는 것입니다. 그래서 지장보살 같은 분을 성불을 원하지 않는 보살이라 해서 '비증보살悲增菩薩(남을 이롭게 하기로 원을 세우고, 자비의 마음으로 오래오래 생사의 세계에 있으면서 속히 성불하기를 원하지 않는 보살)'이라고 합니다.

종교학자들은 불교를 깨달음의 종교라 말합니다. 그렇다면 깨달음은 어디서 오는가? 어느 날 갑자기 오는가? 쉼 없는 행의 축적이 마침내 눈을 뜨게 하는 것입니다. 이것은 꽃이 피는 소식과 같습니다. 꽃은 어느 날 갑자기 피지 않습니다. 여름 더위와 겨울 추위를 견디면서, 안으로 꽃을 이루기 위해 무한한 노력을 합니다. 꽃망울이 맺혔다가도 한참 있다가 핍니다. 한 송이 꽃이 피기까지는 그와 같은 무한한 인고의 노력이 따릅니다.

깨달음에 이르는 길도 마찬가지입니다. 하루아침에 갑자기 깨닫는 것이 아닙니다. 그 배후에는 무한한 수행이 필요합니다. 불교 수행에서는 이것을 신해행증이라고 부릅니다. 믿고, 이해하고, 행하고, 증명한다는 뜻입니다. 여기서 행증은 행의 완성이란 의미입니다. 물론 완성이란 있을 수 없습니다. 중생계가 다 진리의 세계에 도착해야 완성이 있는 것이지, 한 중생이라도 남아 있는 한 완성이란 이상일 뿐입니다. 수행의 끝은 본래의 자기로 돌아가는 것입니다. 처음 이야기한 산티데바의 법문을 같이 암송해봅시다.

세상의 모든 행복은 남을 위한 마음에서 오고,
세상의 모든 불행은 이기심에서 온다.
하지만 이런 말이 무슨 소용이 있는가.
어리석은 사람은 여전히 자기 이익에만 매달리고,
지혜로운 사람은 남의 이익에 헌신한다.
그대 스스로 그 차이를 보라.

이번 여름안거 동안 내가 어떤 보살행을 할 것인지, 각자 이 자리에서 원을 세우시기 바랍니다. 그 원의 힘으로 자신의 생에서 두고두고 기억할 만한 여름을 스스로 만들어 가시기 바랍니다.

어디서 왔으며 무엇을 위해 왔는가

2005년 5월 15일 부처님오신날

불기 2549년 부처님오신날 법회가 끝나고 저녁에 열린 길상 음악회는 매우 특별한 자리였다. 3천여 명이 빼곡히 들어찬 절마당으로 김수환 추기경님이 들어오자 청중은 일제히 환호하며 기립박수를 쳤다. 스님은 자리에서 일어나 반갑고 다정하게 추기경님을 맞이했다. 수녀님 30여 분과 신부님들도 함께 자리를 빛냈다. 종교 간의 화합과 감동적인 장면들에 음악회장은 시작 전부터 열기로 가득했다. 이날 무대에선 독실한 개신교 신자인 팝페라 가수 임형주 씨가 아베 마리아를 열창했고, 불교식 발원문 대신 이해인 수녀님의 시 '부처님 오신 날'이 낭송되었다. 음악회로 모인 기부금 전액은 가톨릭에서 운영하는 성가정입양원에 지원되었다. 길은 다를지라도 종교는 영혼의 구제가 그 목적이다. 환하게 밝혀진 수많은 연등 아래에서 모두가 행복한 밤이었다.

오늘 이렇게 요란한 것은 부처님오신날이기 때문입니다. 하지만 오늘은 부처님만 오신 날이 아니라 꽃도 오고, 잎도 오고, 새도 함께 온 날입니다.

보통은 누구의 생일 또는 누구의 탄생일이라 하는데, '부처님 오신날'이라고 이름 붙인 데는 특별한 의미가 있습니다. 부처님은 어디서 왔을까요? 전설적인 이야기에 따르면 도솔천兜率天 내원궁에서 오셨다고 합니다. 고대 인도인들의 세계관 속에서 착한 사람들이 태어나 기쁨을 누리는 곳이 도솔천인데, 세속적인 어원 해석으로 '만족시키다'라는 뜻을 가졌다고 해서 도솔천을 '지족천知足天'이라고도 부릅니다. 우리나라에도 산중 높은 곳에 가면 도솔암 또는 지족암이라는 이름을 가진 암자가 많습니다.

삶에서 어떤 것이 가장 높은 경지입니까? 만족할 줄 아는 것, 즉 '지족'입니다. 도솔암이나 지족암이 산의 가장 높은 곳에 위치해 있는 것은 만족할 줄 아는 지족의 경지가 가장 높은 경지임을 암시하는 것입니다.

'부처님오신날'이라고 할 때, 어디서 왔는가는 어떤 장소를 가리키는 것이 아닙니다. 보통 "어디서 오는가?"하고 물을 때 "집에서 옵니다." "사무실에서 옵니다." "일터에서 옵니다." 하는 식으로 온 장소를 말하지만, 이 선문답에서 말하는 장소는 출발한 장소가 아닙니다.

부처님은 어디서 오셨습니까? 이 꽃과 잎들과 새들은 어디서 옵니까? 이 나무와 공기와 구름은 어느 곳에서 옵니까? 별과 모래와 행성들은 어느 곳에서 옵니까? 그리고 우리는 어디서 옵니까?

다시 한 번 묻습니다.

부처님은 어디서 오셨습니까? 무엇을 하기 위해 오셨습니까?

이런 물음을 남의 물음으로 생각하지 말고 각자 자기 자신의 일로 물어야 합니다. 그 물음 속에 부처님이 오신 뜻이 함께 들어 있습니다.

'자비심이 곧 여래'라는 표현이 있습니다. '자비심이 부처다.'
이 구절은 〈열반경〉 '범행품'에 실려 있습니다.

모든 보살과 여래는 자비심이 근본이다.
보살이 자비심을 기르면 끝없는 선행을 할 수 있다.
누가 무엇이 온갖 선행의 근본이냐고 묻거든
자비심이라고 대답하라.
자비심은 진실해서 헛되지 않고,
착한 일은 진실한 생각에서 일어난다.
진실한 생각이 곧 자비심이고
자비심이 곧 여래다.

제자의 물음에 부처님이 이렇게 대답합니다. 부처님이나 여래를 거창하게 생각하지 말고 자비심이 곧 부처임을 알라는 가르침입니다. '부처님이 어디서 오셨는가?' 하는 물음의 해답이 바로 여기에 있습니다. 부처님은 도솔천이 아니라 자비심에서 왔다는 것입니다. 무엇을 하기 위해 왔는가? 바로 그 자비심을 실현하기 위해 오신 것입니다.

절이나 교회에 갈 때면 가끔 물어보십시오.

'나는 어디서 왔는가? 또 무엇을 위해 왔는가?'

이런 물음을 던져야 합니다. 맹목적으로 절에 가서 불상 앞에 절하는 것은 별 의미가 없습니다. 불교를 가리켜 종교학자들은 '구도求道의 종교'라고 합니다. 물음의 종교라는 뜻입니다. 물음을 통해서 잠든 자아를 일깨웁니다.

깨달음이란 무엇입니까? 어느 날 새벽별을 보고 갑자기 사람이 달라지는 것이 깨닫는 일이 아닙니다. 순간순간 새롭게 알아차리는 것입니다. 무명無明의 구름에서 벗어나 맑은 하늘을 스스로 체험하는 것입니다. 그러기 위해서는 늘 이 물음을 지녀야 합니다.

'나는 어디서 왔는가? 무엇을 위해 왔는가?'

우리 자신이 스님인가 일반 신도인가, 불교에 귀의한 지 오래되었는가 몇 해 되지 않았는가에 대해선 물을 필요가 없습니다. 문제는 내가 부처님 제자로서 얼마만큼 자비심을 지니고 있는가, 그 자비심을 삶 속에서 어떻게 실천하고 있는가입니다.

이 어지러운 세상, 이 삭막한 세상, 이 무서운 세상을 그 어떤 힘으로도 구할 길이 없습니다. 자비심만이, 사랑만이 우리들 자신을 일으켜 세우고 이웃을 구하고 세상을 구할 수 있습니다. 모든 종교들이 한결같이 말합니다. 사랑에 의해서, 자비에 의해서 스스로도 구원받고 이웃도 구원할 수 있다고.

핵무기로 세상을 제압할 수 있는 것은 결코 아닙니다. 오늘날 핵보유국들이 이 지구 생명체를 위협하고 있는 그 오만함은 전체를 내다보지 못한 결과입니다. 핵무기가 있다고 잘난 체하는 것은 무지의 소산입니다. 무명이, 무지가 생사윤회의 근원입니다.

내가 살 만큼 살다가 작별할 때 한 생애에서 남는 것은 과연 무엇일까? 가끔 저도 그런 생각을 합니다. 그것은 본인에 의해서가 아니라 남은 사람들에 의해서 평가될 것입니다. 생전에 그가 얼마나 많은 존재들에게 또는 세상에 자비심을 베풀었는가, 선행을 했는가, 덕행을 쌓았는가를 놓고 평가됩니다. 관에 못을 박아 봐야 안다고 하지 않습니까?

"결국 우리는 생의 마지막 순간에 이르렀을 때 얼마나 사랑했는가를 놓고 심판받을 것이다."

알베르 카뮈의 말입니다.

우리들은 이 세상을 함께 살고 있습니다. 나 혼자만 사는 세상이 아닙니다. 나 자신이 선하게 살면 남에게 그 덕을 나눕니다. 나 자신이 선하게 살지 못할 때는 남에게 근심, 걱정, 피해를 끼칩니다. 세상 돌아가는 모습을 보십시오. 남을 의식하지 않고 저마다 자기밖에 모르기 때문에 세상이 이렇게 혼란스럽습니다. 자기 혼자 살아가는 세상이라면 자기밖에 몰라도 상관없겠지만, 이 세상은 함께 어울려 사는 곳이기 때문에 서로가 상대방을 배려해야 합니다. 자기밖에 모르는 삶은 바람직한 삶이 아닙니다.

결국 한 생애에서 무엇이 남습니까? 얼마만큼 사랑했는가, 얼마만큼 베풀고 나누었는가, 그것만이 재산으로 남습니다. 그 밖의 것은 다 허무하고 무상합니다. 아무것도 가져갈 수 없습니다.

자비심이 곧 여래라는 말을 명심하시기 바랍니다. 그리고 나 자신이 어디서 왔는지, 무엇을 위해 이 세상에 왔는지 거듭거듭 물을 수 있어야 합니다. 이런 물음을 지니고 있으면 결코 헛된 길을 밟지 않습니다.

부처님오신날, 두루 복 받으십시오.

비바람에 허물어지지 않는 집을 세우라

2005년 5월 8일 지장전 낙성식

절로 바꾸면서부터 어린이법당으로 사용해 온 대원각 시절의
낡은 콘크리트 건물을 헐고 그 자리에 한옥과 콘크리트 구조를 합
친 3층짜리 지장전을 세웠다. 건물 앞쪽에는 돌로 수로를 만들어
수련을 띄우고, 그 앞 잔디에는 둥근 연못을 파서 여름이면 백련
과 홍련이 피어나게 했다. 그곳에서의 첫 법회가 열린 이날, 쌀쌀
한 날씨에도 불구하고 많은 사람들이 운집해 법당과 주차장 마당
에 임시로 자리를 마련하여 의식을 치렀다. 낙성식 후에는 간송미
술관 학예연구실장이자 뛰어난 미술사학자인 최완수 선생을 모시
고 지장전에서 불교미술사 특강을 열었다. 사흘에 걸친 불상에 관
한 특별강좌는 첫날부터 비집고 들어갈 자리가 없을 정도로 큰 호
응을 얻었다. 그이가 지장전 후불탱화를 감수했다.

"보리누름(보리가 누렇게 익는 철)에 설늙은이 얼어 죽는다."는 말
이 있습니다. 따뜻해야 할 계절에 오히려 춥게 느껴지는 때가 있
다는 뜻입니다. 보리누름에는 무척 춥습니다. 그래서 이것을 맥추
麥秋라고도 합니다. 들에 나가면 누릇누릇 보리가 여물어 갑니다.
그 보리를 익히느라 오늘 이렇게 추운 모양입니다.

지장전이 세워지기까지 수많은 사람들의 정성과 신심이 들었습니다. 그 정성과 신심이 주춧가 되고 기둥이 되고 대들보가 되었습니다.

보시다시피 이 집은 나무와 돌과 흙과 쇠붙이와 유리와 시멘트 등으로 이루어져 있습니다. 이 집이 세워지기 전까지 이것들은 한낱 자재에 지나지 않았습니다. 그러나 이 집을 짓는 데 함께 쓰임으로써 평범하던 건축 자재는 새로운 생명력을 갖게 되었습니다. 지장전으로 인해 새로운 존재 의미를 부여받게 된 것입니다.

우리들의 삶도 이와 같습니다. 한낱 주민등록번호로 통하는 평범한 개인 존재는 인류가 지향하는 공동선共同善에 참여함으로써 진정한 인간으로 거듭나게 됩니다.

눈에 보이는 모든 것은 세월의 비바람에 의해 깎이고 삭습니다. 덧없기는 건축물도 마찬가지입니다. 오늘 이 자리에 참석하신 인연으로 세월의 비바람에 허물어지지 않을 지장전을 각자 마음속에 세웠으면 합니다.

건축물은 하나의 형상에 지나지 않습니다. 그 안에 혼이 들어 있지 않으면 빈껍데기나 다름없습니다. 지장전의 혼은 바로 지장보살입니다. 모든 보살이 그렇듯이 지장보살 역시 역사적인 존재인 동시에 언제 어디서나 실재하는 보살입니다. 이웃의 행복을 위해 자신을 기꺼이 희생한다면 우리들 자신이 곧 현존하는 이 시대의 지장보살입니다.

지장보살의 존재 의미는 고통받는 이웃을 구제하는 데 있습니다. 그러므로 중생이 없다면 보살의 존재 또한 무의미합니다. 마지막 한 중생까지도 지옥의 고통에서 구제하지 않고는 자신의 임무를 마치지 않겠다는 지장보살의 기원을 거듭거듭 음미해 보십시오. 저마다 자기 몫을 챙기기에 급급한 이 비정하고 냉혹한 세태에 지장보살의 그와 같은 염원이 어떤 의미를 지니는지 곰곰이 생각해 보아야 합니다.

그 어떤 힘보다 자비의 힘이 우리를 인간답게 만듭니다. 그리고 그것만이 세상을 구원할 수 있습니다. 지장보살의 염원을 각자 마음속에 심어 우리 함께 이 땅의 살아 있는 지장보살이 되십시다.

이 지장전 세워진 뜻이 바로 여기에 있을 것입니다.

부처님께 용돈 20만 원

2005년 4월 17일 봄 정기법회

흰 구름 한두 가닥 흘러가는 맑고 화창한 봄날, 3,500여 명이 법문을 듣기 위해 진달래와 개나리, 벚꽃 그늘 아래로 모였다. 천지간이 온통 꽃인 이때, 스님은 환절기마다 심해지는 기침으로 청중의 마음을 아프게 했다. 근처에 인가 한 채 없는 눈고장에서 아궁이에 불을 지펴 홀로 끓여 먹으며 산 지 어느덧 15년째이다. 이제 그만 편안한 곳으로 거처를 옮기시라는 제자들과 주위 사람들의 거듭된 권유에도 스님은 미소로만 답했다. 법회 이후 나흘 동안 강원도 산중에는 계속해서 비가 내렸다. 햇차가 나올 무렵, 스님은 남도를 한 바퀴 돌며 보성 차밭과 다산초당, 김영랑 고택 등에 들렀다. 이내 완연한 봄이 되었다.

꽃철에 만나 뵙게 되어 더욱 반갑습니다. 눈을 뜨면 보이는 것이 꽃입니다. 꽃이 있으니까 봄처럼 느껴지지, 꽃이 피지 않는다면 봄이라 할 수 없을 것입니다. 인간사도 마찬가지입니다. 개인이든 집안이든 생의 꽃을 피우며 살면 축복받은 것이요, 계절이 와도 꽃을 피우지 못한다면 그 개인이나 집안은 어두운 것입니다.

머지않아 가정의 달입니다. 제가 얼마 전에 당사자의 친구분한

테 들은 이야기입니다. 올해 일흔 살 된 할아버지인데, 3년 전쯤 부인이 세상을 떠났다고 합니다. 그래서 혼자 아파트에서 사는데 아들 내외가 보기 안됐으니까 아파트를 팔고 자기 집으로 들어오시면 잘 모시겠다고 몇 달 동안 사정을 했다고 합니다. 그래서 그 할아버지는 모든 것을 정리하고 아들 집으로 들어갔습니다. 물론 들어갈 때는 빈손으로 가지 않고 지참금 같은 것을 가져갔을 것입니다.

그렇게 한동안 지내다가 어느 날 무슨 일이 있어서 아들 며느리 방에 우연히 들어가게 되었습니다. 무얼 찾다가 가계부가 펼쳐져 있어서 무심히 훑어보게 되었는데 '촌놈 용돈 2만 원'이란 기록이 보이더랍니다. 자기 시아버지한테 용돈 주는 것을 '촌놈 용돈 2만 원'이라고 한 것입니다. 할아버지는 큰 충격을 받고 그날로 그 집에서 나왔다고 합니다.

이것은 실화입니다. 저도 이 말을 전해 들으면서 충격을 받았습니다. 오늘날 가정이 해체되어 갑니다. 그리고 그 자리에 텅 빈 썰렁한 가옥만 남아 있는 집안이 많습니다. 가정이란 어떤 곳입니까? 가족이 한데 모여 오순도순 살아가는 곳입니다. 밖에 나가서 지치면 돌아와 편히 쉴 수 있는 곳입니다. 언제든지 우리들을 반갑게 맞아 주고 받아들이는 곳입니다. 전통적인 가정에는 가장이 있고 주부가 있고 부모님이 계시고 자식들이 있습니다. 뿐만 아니라 눈에는 보이지 않지만 집안을 지키고 보살피는 수호신이 있습니다.

훈김이 돌지 않으면 온전한 가정이 아닙니다. 그것은 마치 혼이 빠져나간 몸뚱이나 다름없습니다. 가족끼리 대화가 단절되고 있습니다. 그것은 비극의 싹입니다. 부르고 대답하는 것이 대화가 아닙니다. 공통적인 관심사가 있고 그걸 주제로 속의 말을 털어놓을 수 있어야 합니다.

너무나 이기적이고 자기 본위로 살아가기 때문에 가족 간 단절 현상이 발생합니다. 행복한 가정은 가족끼리 서로 닮아 갑니다. 그러나 불행한 가정은 저마다 따로 삽니다.

왕이든 평민이든 가정에서 평화를 찾는 자가 가장 행복한 사람입니다. 자기 집에 들어와서 평온한 분위기를 누릴 수 있는 자가 가장 행복한 사람입니다. 사회의 구성요소인 가정이 해체되어 가고 있다는 것은 사회가 뭔가 잘못되어 가고 있다는 증거입니다. 다시 말해, 붕괴되어 가고 있는 것입니다.

그릇가게 하는 사람의 이야기를 들으니까, 요새 그릇이 잘 팔리지 않는다고 합니다. 외식문화의 영향일 것입니다. 밖에 나가 먹길 좋아하기 때문입니다. 또 옛날과 달리 집에 손님을 거의 초대하지 않습니다. 가까운 친구끼리도 밖에서 만나지 집으로 불러들이는 경우는 거의 없습니다. 그러니 친구네가 어떻게 하고 사는지 전혀 알 수가 없습니다. 연속극의 아무개 집 소식은 잘 알면서도 막상 가까이 지내는 친구의 집안 사정은 전혀 알지 못합니다. 덕분에 사생활은 보호받을지 모르지만 인간의 영역은 점점 왜소해집니다. 인간의 설 자리가 자꾸 비좁아집니다.

옛날과 달라서 요즘 사람들은 출생부터 자기 집에서 태어나지 않습니다. 집 밖의 병원에 가서 태어납니다. 돌잔치, 생일잔치, 환갑잔치, 칠순, 팔순, 구순잔치 모두 바깥에서 합니다. 죽음까지도 자기 집에서 맞이할 수가 없습니다. 이것이 오늘 우리의 실상입니다. 그렇다면 집은 무엇 때문에 존재합니까? 집은 무엇하는 곳입니까? 내 집 마련을 위해 수십 년 동안 애쓰다가 집이 생기면 좋아합니다. 하지만 결국에는 따뜻한 가정은 사라지고 차디찬 가옥만 남는 경우가 허다합니다.

우리들이 하루하루 살아가는 순간들은 어떻게 보면 지극히 평범합니다. 그러나 실제로는 그 순간들이 중요한 의미를 지니고 있습니다. 그 순간이 없다면 삶이 지속될 수 없습니다. 한 개인의 삶이 그 순간순간에 이루어지고 있습니다. 또한 그 순간들이 쌓여서 한 생애를 이룹니다. 그렇기 때문에 순간을 헛되이 보내면 삶 전체가 소홀해집니다.

얼마 전에 누가 불쑥 저한테 물었습니다.

"스님, 중노릇하는 데 가장 어려운 일이 무엇입니까?"

저는 "인간관계입니다." 하고 선뜻 대답했습니다.

세상살이도 마찬가지입니다. 우리가 이 풍진세상을 살아가는 데 가장 힘든 일이 있다면 복잡 미묘한 인간관계일 것입니다. 사람과 사람 사이의 관계가 가장 어렵습니다. 관계가 원만하면 마음이 편안하고 느긋해집니다. 그러나 관계가 원만하지 못하면 누가 보든 보지 않든 마음이 편치 않습니다. 이것은 공식입니다. 그럼 원만한 관계를 이루려면 어떻게 해야 하는가? 만나는 사람마다, 가족이든 직장 동료이든 혹은 친구이든 어떤 마음가짐으로 대하는가에 달려 있습니다.

우리의 삶은 개인의 의지와는 상관없이 어둡고 추하고 모자라고 고통스런 것들로 둘러싸여 있습니다. 이것이 이 세상의 구조입니다. 굳이 신문 방송을 접하지 않고 우리 일상만 보더라도 사건 사고가 없는 날이 없습니다. 그런 상황에서 어떤 마음을 가지고 살아갈 것인가? 마음먹기에 따라서 삶이 달라집니다. 마음가짐이 삶의 본질이 되어야 합니다.

20년 전에 제가 어떤 분을 만나 상담을 해 준 적이 있답니다. 저는 까맣게 잊어버리고 있었는데 얼마 전 그 당사자를 만나 이야기를 듣게 되었습니다. 당시 그 주부는 40대 초반이었고 너무나 이기적인 남편에게 시달려 이혼을 결심했었다고 합니다. 남편은 전혀 상대방을 배려하지 않는 사람이었습니다. 예를 들면 선풍기를 틀어도 자기 쪽으로만 돌리고 텔레비전 프로그램도 자기 위주로만 보고 꺼 버리는 사람이었다고 합니다. 대학 출신이지만 책은 전혀 읽지 않으면서 몸에 좋다는 것은 이것저것 가리지 않고 구해다가 혼자서 야금야금 먹었다고 합니다. 다른 동물들은 필요한 만큼만 먹는데 인간은 필요 이상으로 먹어 대지 않습니까? 또 몸에 좋다면 기를 쓰고 다 구해다 먹습니다.

그 여성은 아이들을 셋이나 키우면서 정작 자신의 삶은 제대로 챙기지 못했음을 뒤늦게 알아차렸습니다. 그래서 자기실현을 못한 데 대해 아쉬워하면서 마침내 이혼을 결심하게 되었습니다. 저는 당시의 대화 내용을 다 잊어버렸는데 그때 제가 이렇게 말했다고 합니다.

"식사 준비를 할 때 얄미운 인간한테 밥 준다고 절대 생각하지 말라. 부처님께 공양을 올린다는 마음가짐으로 하라."

또 이렇게도 말했다고 합니다.

"아이들 아버지가 저녁때 퇴근해 집으로 돌아오면 부처님이 돌아오신다고 여기고 반기라. 밖에 나갈 때 뒷모습을 보고도 부처님 뒷모습이라고 생각하라."

교회 다니시는 분들은 부처님 대신 주님이나 천주님으로 생각해도 좋습니다. 음식을 준비할 때도 주님이나 천주님이나 부처님에게 식사를 올린다는 생각으로 하라는 것입니다.

인도의 요가 수행자들은 주방에서 음식 만드는 사람이 불결하면 차라리 굶는다고 합니다. 마음가짐과 몸가짐이 불결한 사람이 만든 것을 먹으면 제대로 소화가 안 된다고 여기는 것입니다. 우리가 식중독에 걸릴 때 단지 음식에 세균이 있어서 그런 것만은 아닙니다. 음식을 만든 사람의 마음씨에 독하고 미운 생각이 들어 있으면 제대로 소화를 시킬 수가 없습니다. 음식 만드는 것은 손발이 하는 일이 아니라 마음이 하는 일이기 때문입니다.

저녁때 직장에서 아이들 아버지가 돌아올 때도 '부처님이 일을 마치고 돌아오시는구나.' 하고 생각하라고 했다 합니다. 또 현관을 나설 때의 뒷모습을 보고도 '아, 부처님 뒷모습이다.' 하고 생각하라고 했다는 것입니다. 그분은 처음에는 제 말이 전혀 마음에 와 닿지 않았습니다. 그러나 마음공부 삼아서 하루하루 그와 같이 대했더니 차츰 자신의 마음에 변화가 찾아왔다고 합니다. 마음이 서서히 풀린 것입니다. 마음가짐이 달라지니까 상대방에 대한 원망과 미움이 다 사라지고 없어졌습니다.

그렇습니다. 사람과 사람 사이의 관계란 마음의 주고받음입니다. 맞서면 서로가 상처 입습니다. 맞서면 부부만이 아니라 친구이든 스승과 제자이든 혹은 동료이든 연인 사이이든 서로에게 상처를 입힙니다. 그러나 생각을 돌이켜 마음을 긍정적인 쪽으로 향하면 본래의 나 자신으로 돌아갑니다. 그것이 바로 자아실현입니다. 마음공부를 열심히 한 결과 위태롭던 가정도 다시 회복되고 자식들 역시 어디에 내놓아도 손색없을 만큼 번듯하게 성장해서 위기를 극복했다는 이야기를 얼마 전에 들었습니다.

　요즘은 이혼율이 매우 높습니다. 그러나 이혼한다고 해결이 되거나 매듭이 풀리는 것이 아닙니다. 왜 내가 그런 여자, 그런 남자를 만나 이 고생을 하는가? 그것은 우연한 일이 아닙니다. 내 업입니다. 선을 잘못 봐서 순간의 선택으로 실수를 한 것이 아닙니다. 업을 고쳐야 매듭이 풀리지, 내 업은 고치지 않고 이혼을 한다고 해결이 되지 않습니다. 자기 자신을 투철하게 들여다봐야 합니다. 자기의 실체를 들여다봐야 합니다. 배우자는 내 부름에 대한 응답입니다. 내가 왜 그런 사람을 만나서 그렇게 사는 것인가? 그것이 업입니다. 업을 고치지 않고는 매듭이 풀리지 않습니다.

　부처나 보살을 먼 데서 찾지 마십시오. 절에 부처와 보살은 없습니다. 밖에서 찾지 마십시오. 내 안에 잠들어 있는 부처와 보살을, 생각을 돌이켜 일깨워야 합니다. 이렇게 화창하고 눈부신 봄날, 꽃구경 가지 않고 무엇하러 절에 옵니까? 무엇인가 일상의 삶에서 성이 차지 않기 때문에 오지 않습니까?

　〈화엄경〉에 이런 표현이 있습니다.

"마음과 부처와 중생, 이 셋은 결코 차별이 없다."

마음이니 부처니 중생이니 하지만 이 셋은 결코 근원적으로 다르지 않다는 것입니다. 단어만 다르지 뿌리는 하나입니다. 부처와 보살을 먼 곳에서 찾지 마십시오. 부처와 보살을 밖에서 만나지 말고 때로는 자기 집 안으로 불러들일 수 있어야 합니다. 그렇게 하면 시들했던 관계도 새로운 활기로 채워집니다. 그러한 과정에서 가옥이 다시 가정으로 바뀔 수 있습니다. 삶이 기쁨과 고마움으로 채워질 때 삶의 향기가 배어납니다. 이것이 바로 마음의 향기입니다.

삶이란 무엇인가? 우리가 순간순간 살고 있는 이 삶은 무엇인가? 무엇을 위해 우리가 살아야 하는가? 이것은 철학자만이 탐구하는 명제가 아닙니다. 지금 이 순간을 살고 있는 우리 모두의 근원적인 물음입니다. 나는 진정 인간답게 살고 있는가? 그렇다면 무엇을 위해 살아야 할 것인가? 이런 근원적인 물음을 가져야 합니다.

이 몸뚱이는 유기체이고 껍데기입니다. 제가 오랜만에 아는 분들을 만나면 대개 "스님 너무 야위었습니다."라고 말합니다. 저는 그런 이야기를 들을 적마다 다행이라는 생각을 합니다. 중이 살찐다고 생각해 보십시오. 시주 받아먹는 사람이 육체나 돌보고 있다고 생각해 보십시오. 그런 말을 들을 때면, '내 영혼도 야위었을까?' 하고 혼자 묻게 됩니다. 이 몸은 유기체인 동시에 껍데기이지 알맹이가 아닙니다. 콩깍지와 콩은 다릅니다. 이 육체는 콩깍지 같은 것으로 덧없고 무상합니다. 세월의 비바람에 바래져 갑니다. 그러나 콩은 세월의 비바람에도 아랑곳없이 늘 새로운 싹인 생명력을 지닙니다. 그 콩깍지에서 벗어난다 하더라도 다시 태어날 수 있는 생명력이 있습니다. 우주의 에너지 같은 것을 지니고 있습니다.

그럼 어떤 것이 참 나인가? 우리는 몸에 지나치게 집착합니다. 이 몸이 곧 자신의 실체인 것처럼 착각합니다. 그래서 몸에 좋다고 하면 국내외를 막론하고 구해다가 기를 쓰고 먹습니다. 한국인들이 자주 가는 해외 관광지에는 몸에 좋다는 약들이 한글로 선전되어 있습니다. 그것을 볼 때마다 부끄럽고 창피했습니다. 몸에 좋다고 하면 이것저것 가리지 않고 구해다 먹는 사람들은 대개 진정한 자아는 까맣게 망각하고 있습니다. 콩깍지는 생각하면서 그 알맹이인 콩은 생각하지 않습니다. 그들은 진정한 자아를 위해서는 아무 일도 하지 않습니다. 마음공부란 몸을 위한 것이 아닙니다. 우리가 기도하고 참선하고 참회하는 일은 결코 몸을 위해서가 아닙니다.

오늘 이렇게 절에 오신 것은 몸이 온 것이 아닙니다. 할 일도 많은데 무엇이 내 몸을 운전해서 여기까지 왔을까요? 이곳에 안 올 수도 있지만 한 생각이 일어나서 온 것입니다. 몸은 그저 따라올 뿐입니다. 마음공부란 무엇인가? 기도하고 참선하고 참회하는 일은 진정한 자아를 실현하기 위한 간절한 염원이며 수행입니다. 이와 같은 수행을 거치면서 사람은 인간답게 성숙해 갑니다. 나이 먹을수록 성숙해져야 합니다. 성숙하지 않고 옛날 그대로 있다면, 그 사람은 전혀 성장하지 않고 제자리걸음을 하는 것입니다.

각자 한번 물어보십시오. 나 자신, 자아의 실현을 위해서 지금 무슨 일을 하고 있는가? 하루하루 내 생을 소모하며 살고 있는데 과연 자아실현을 위해 내가 어떤 일을 하고 있는가?

여기저기서 꽃이 피어나는 것을 구경만 할 게 아니라, 이 봄철에 나 자신은 어떤 꽃을 피우고 있는지 한번 되돌아보십시오. 꽃을 피우지 않는 나무는 온전한 나무가 아닙니다. 상록수인 소나무, 잣나무, 전나무도 모두 꽃을 피웁니다. 삶이란 무엇인가, 무엇을 위해 살 것인가, 거듭거듭 물어야 합니다.

해답은 그 물음 속에 들어 있습니다. 과일 속에 씨앗이 박혀 있듯이. 그러나 묻지 않고는 해답을 끌어낼 수가 없습니다.

자신의 삶을 저마다 꽃피우면서 사는 따뜻한 가정의 가계부에는 '촌놈 용돈 2만 원'이 아니라 '부처님께 용돈 20만 원'이라는 기록이 남겨질 것입니다.

좋은 봄 맞이하십시오.

물속의 물고기가 목마르다 한다

2005년 2월 23일 겨울안거 해제

쓰나미는 해저에서의 급격한 지각변동으로 생기는 파장이 긴 해일을 말한다. 동안거 결제 기간 중인 2004년 12월 26일, 인도양 해안 일대를 덮친 쓰나미로 남아시아에서 22만 명이 순식간에 목숨을 잃었다. 인도네시아 수마트라 근처에서 리히터 규모 9.0의 지진이 발생하여 제트여객기 속도와 맞먹는 쓰나미가 해안을 엄습한 것이다. 거대한 자연 앞에 인간이 얼마나 무력한 존재인가를 보여 준 사건이었다. 1,500여 명의 청중이 극락전과 설법전을 가득 메운 가운데 이날 열린 법회에서 스님은 "복 짓는 삶을 살자." 고 강조하면서, 복 짓는 일은 사람 사이뿐 아니라 모든 생명 사이에서 이루어져야 한다고 이야기했다. 쓰나미 같은 자연재해가 왜 일어났는가 하는 의문을 오늘날 우리의 화두로 삼아야 한다며 스님은 장기적 대안으로 '덜 쓰고, 덜 버리면서 늘 깨어 있는 삶'을 제시했다.

설 잘 쇠셨습니까? 복도 많이 받으셨습니까? 복이 좋긴 좋은 모양입니다. 왜냐하면 새해에 하고 싶은 인사도 많을 텐데 모두들 "복 많이 받으십시오." 하고 인사하기 때문입니다. 주는 사람이 있든 없든 복을 받으라는 간절한 소망 자체가 좋습니다. 복은 인간을 형성하는 기본 요소입니다.

석가모니 부처님도 당신이 부처가 된 것은 복의 힘이라는 이야기를 여러 경전에서 했습니다. "복의 힘으로써 나는 부처가 되었노라." 우리가 생각하기에 참선을 통해 한 소식 하면 부처가 되는 줄 알았는데, 복을 많이 지어서 그 복의 힘으로 깨달음에 이르렀다는 것입니다.

여기에는 상징적인 의미가 있습니다. 하루하루 살아가면서 어떤 의미에서는 우리가 지니고 있는 잠재력과 에너지는 매 순간 소모됩니다. 그렇다면 어떻게 소모할 것인가? 그것이 중요합니다. 하루의 삶 자체가 복을 짓는 일이라면, 그것은 잘 사는 것입니다. 그런데 하루하루 사는 일이 복을 감하고 복을 덜어 내는 일이라면, 그것은 잘못 사는 삶입니다. 하루를 살면서 그런 결산을 하십시오. 9시 텔레비전 뉴스를 보기 전에 내가 하루 동안 복을 짓고 살았는지 복을 덜고 살았는지 스스로 자기 삶을 점검할 수 있어야 합니다. "새해 복 많이 받으십시오."란 인사는 바꿔 말하면 "복 많이 지으십시오."라는 표현과 같습니다.

아침 먹고 오셨지요? 빵을 드셨든 밥을 드셨든 그것은 단순한 밥이 아니라 여러 사람이 관계된 밥입니다. 우리가 먹고 있는 김치나 상추, 무 등의 종자가 어디서 들어오는지 아십니까? 우리나라에서는 수지타산이 맞지 않아서 그런 씨앗들을 만들지 않습니다. 모두 칠레산 종자입니다. 작년 가을, 시장에 씨앗을 사러 갔다가 깜짝 놀랐습니다. 휴대전화 같은 것을 만드느라 다른 데엔 신경 쓸 틈이 없다고 합니다. 세계화란 바로 이런 것입니다. 온 지구가 하나의 시장이 되고 있습니다.

오늘 무엇을 타고 이곳에 오셨습니까? 차는 많은 과정을 거쳐서 만들어집니다. 또 차는 그냥 움직이는 것이 아니라 정유 공장에서 만들어진 휘발유나 경유를 주유소에서 넣어야 합니다. 또 절에 오는데 맨발로 올 수 있습니까? 신발을 신고 오는데, 이 신발은 누가 만듭니까? 그 가죽은 어디서 나왔습니까?

이 모든 것들을 생각하면 내 한 몸이 아닙니다. 눈에 보이거나 보이지 않는 온 세상의 많은 인연들이, 여러 가지 조건과 상황들이 우리의 만남을 이루는 것입니다. 그렇기 때문에 내가 잘못 생각을 하거나 함부로 행동하면 내 한 몸에 그치지 않고 세계 곳곳에 영향을 미칠 수 있습니다. 한 사람이 잘 살면, 그 잘 사는 기운이 온 우주에 긍정적으로 퍼져 나갑니다. 그런데 한 사람이 잘못 살면, 그 사람을 위해 온 우주가 거들고 있는데, 나쁜 기운을 퍼트리게 됩니다. 이것이 이 세상의 구조입니다. 이와 같이 모든 것은 서로 연결되어 있습니다. 떼려야 뗄 수가 없습니다. 홀로 독립된 존재는 어디에도 없습니다. 있을 수가 없습니다.

지난 겨울안거 동안 생긴 일 중에서 가장 놀랍고 두려웠던 일은 잘 아시다시피 쓰나미입니다. 이제껏 해일이나 지진 소식을 들은 적은 있지만, 한순간에 22만 명이 목숨을 잃는 참혹한 재난은 일찍이 상상도 못했던 일입니다. 이것은 전 지구적인 재난입니다.

왜 이런 일이 일어나는가? '이 무엇인가?', '개에게는 불성이 없다.' 이런 화두만으로는 성에 차지 않습니다. 왜 이런 끔찍한 재난이 일어나는가가 모든 인류의 화두가 되어야 합니다.

전문가들에 의하면 이런 재난은 한 번으로 그치지 않는다고 합니다. 앞으로 언제 어디서 이보다 더한 일이 일어날지 예측할 수 없습니다. 지난 20세기를 대표하는 한 아메리카 인디언 영적 지도자는 이렇게 말한 바 있습니다.

"현대사회의 모든 문제는 인간이 물질적인 추구에만 너무 집착하기 때문에 발생한다."

곧 탐욕의 문제입니다. 남의 일이 아닙니다. 우리들 자신을 두고 한 말입니다. 모두가 물질 추구에 정신을 빼앗기고 있습니다. 우리 일상생활이 그렇습니다. 보다 크고 많은 것만을 원합니다. 그렇기 때문에 늘 갈증 상태입니다. 물속에 있으면서도 목말라하는 격입니다. 인간이 물질적인 추구에만 너무 집착하는 것입니다. 다시 그 인디언 지도자의 말입니다.

"그것을 해결하기 위해서는 무엇보다도 살아 있는 모든 생명체와 자신이 서로 연결되어 있음을 자각해야 한다."

이웃의 사정도 배려할 줄 알아야 한다는 뜻입니다. 이웃을 아프게 하면 나 자신도 아픕니다. 이웃을 기쁘게 하면 나도 따라서 기쁩니다. 이것이 메아리입니다. 살아 있는 모든 것은 한 뿌리에서 나누어진 가지입니다. 우리들은 지구의 자식들입니다. 그 인디언 영적 지도자는 이와 같이 충고합니다.

"날로 늘어만 가는 전쟁과 폭력, 그리고 인간이 저지른 잘못 때문에 일어나는 자연재해 등으로부터 살아남을 수 있는 유일한 길은 보다 단순하고 간소한 생활과 정신적인 추구에 있다."

진리는 이토록 간단명료합니다. 다른 말로 표현하면 덜 쓰고,

덜 버리면서 늘 깨어 있어야 합니다.

지난 연말에 있었던 끔찍한 재난이 언제 어디서 또다시 일어날지 예측할 수 없습니다. 우리가 의지해서 살아가는 이 지구는 단순한 흙이나 돌덩어리가 아닙니다. 살아 있는 생명체라는 사실을 늘 기억해야 합니다. 지구는 모든 생명의 원천이고 인간은 그 개체에 지나지 않습니다. '구르는 천둥'이라는 인디언 영적 지도자는 또 이런 말을 합니다.

"대지는 지금 병들어 있다. 인간들이 대지를 잘못 대해 왔기 때문이다. 머지않은 장래에 큰 자연재해가 닥칠 것이다. 대지가 자신의 병을 치료하기 위해 몸을 크게 뒤흔들 것이다."

이것은 벌써 수십 년 전, 1950년대에 한 말입니다. 대지를 못살게 하는 물것들을 털어 낼 것이라는 경고입니다. 마치 짐승들이 물것들이 있으면 이내 털어 내듯이, 지구에 서식하고 있는 물것들이 하도 못되게 구니까 지구가 살아남기 위해 크게 뒤흔들 것이라는 예고입니다.

전체와 개체의 상관관계를 잊지 말아야 합니다. 석가모니가 깨달은 가르침의 근본도 전체와 개체의 상관관계입니다. '연기법緣起法'이 그것입니다. '이것이 있으니까 저것이 있고, 저것이 없으면 이것도 없다. 이것이 소멸하면 저것도 소멸한다.' 이것은 불교의 기본 사상입니다. 어떤 것도 그 자체만으로 홀로 존재하지는 않으며, 인간을 포함한 모든 존재는 상호 간에 서로 의존하여 이루어집니다. 이 상호의존관계를 벗어나서는 어떤 것도 존재할 수 없습니다.

나 혼자만 세상을 사는 것이 아닙니다. 우리가 순간순간을 살아 나가는 데 온 지구가 협력하고 있습니다. 우리가 복을 지으면서 산다면 그 협력은 더 빛이 날 것입니다. 그러나 복을 덜면서 잘못 산다면 온 지구의 힘이 소멸할 것입니다. 이런 상관관계 속에서 산다는 사실을 기억해야 합니다. 우리가 잘 살고 못 사는 것, 수입 이 많고 지위가 높다는 것은 중요하지 않습니다. 우리를 둘러싸고 있는 전체와 개체의 상관관계 속에서, 우리가 잘 살 수도 있고 못 살 수도 있음을 깨달아야 합니다.

오늘은 정월대보름, 겨울안거 해제일입니다. 해제란 맺은 것을 푼다는 뜻입니다. 또한 맺힌 것을 푸는 날이기도 합니다. 맺힌 것 을 풀어야 홀가분해집니다. 얽힘에서 벗어나려면 맺음과 맺힘으 로부터 자유로워야 합니다.

해가 바뀐다는 것은 무엇입니까? 묵은해를 청산한다는 것은 무 엇입니까? 묵은 업도 청산되어야 합니다. 그래야 새 업을 받아들 일 수 있습니다. 선방에 다니며 매우 착실하게 정진하는 한 수행 자가 화두 대신 수년 전 누군가 자신을 서운하게 했던 맺힌 감정 을 품고 있다면, 그는 더 물을 것도 없이 불행한 사람입니다. 이것 은 남의 이야기가 아닙니다. 각자 살펴보십시오. 우리가 신앙생활 을 하는 사람으로서 마음에 어떤 어두운 구석을 지니고 있거나, 남에 대한 원망이나 서운한 생각을 지니고 산다면, 그것은 불행한 삶입니다. 복 받은 삶이 아닙니다.

인간을 불행하게 만드는 것은 물질적인 결핍이나 신체적인 결 함에만 있지 않습니다. 이미 지나가 버린 과거의 늪에 갇혀 헤어날 줄 모르는 데 있습니다. 과거에 갇혀 있기 때문에 현재가 없는 것입니다. 우리가 사는 것은 순간순간 바로 이 자리에서 이렇게 사는 것인데, 과거의 좁은 방에서 나오려고 하지 않습니다. 과거에 주저앉지 말고 거기에서 벗어나야 합니다. 왜냐하면 우리는 과거에 살지 않기 때문입니다. 일단 지나가 버린 전생사 가지고 다시 되뇌지 말라는 것입니다. 그러면 불행해지고, 현재와 미래가 소멸됩니다. 현재가 없으면 미래가 없습니다.

조금이라도 마음에 맺힌 것이 있다면, 오늘 푸는 날을 맞이해서 모두 풀어 버리십시오. 그래야 꽃 피고 새 우는 화창한 봄을 맞이할 수 있습니다.

문 없는 문의 빗장

2004년 11월 26일 겨울안거 결제

'무문관無門關'은 원래 '문 없는 문의 빗장' 또는 '문이 없는 문'이란 뜻으로 중국 송나라의 무문無門 선사가 48개의 화두를 모아 풀이한 책 〈무문관〉에서 비롯되었다. 안거 결제처럼 문을 걸어 잠근 채 문밖에 나가지 않고 수행할 때, 그 장소를 이르는 말이다. 깨닫기 전에는 나오지 않겠다는 각오로 스스로 문에 빗장을 지르고 들어앉는 곳이 무문관이다. 빈 가지를 흔드는 바람 소리, 겨울 새 소리만이 정적을 깨는 결제일, 스님은 "수행은 아무도 모르게 하라."고 이야기했다. 이날 영동 산간지방에는 대설주의보가 내렸다. 모두가 염려스러워했지만 법회 뒤 스님은 부지런히 강원도 오두막으로 돌아갔다. 밖에서 눈 걱정 하고 있는 것보다 오두막에서 눈 내리는 소리를 듣는 쪽이 한결 편안하다는 말을 남기고서.

편히 앉으십시오. 절에 무슨 행사가 이렇게 자주 있는지, 강원도에서 나올 때마다 번거롭습니다. 이렇게 해야만 절이 유지되는지는 몰라도 행사가 너무 잦습니다. 겨울이 되니까 동안거, 문화강좌, 창건 기념일 등이 있어서 제가 네 차례 정도 산에서 내려와야 합니다. 산중에서 중이 한가롭게 사는 것처럼 보이지만 늘 바뽑니다.

일기예보로는 오늘쯤 서울에 첫눈이 내릴 것이라 합니다. 제가 사는 산중에는 이미 두어 차례 눈이 내렸고 응달에는 눈이 쌓여 있습니다. 계절마다 특성이 있는데 11월은 단풍잎도 다 지고 남을 것만 남아 있습니다. 초록은 사라지고 바위나 빈 가지, 본질적인 것만 남는 계절이 11월입니다.

산에 울긋불긋 단풍이 드는 광경도 아름답지 않은 것은 아니지만, 산답지 않고 수선스럽습니다. 산속 나무의 잎이 다 지고 빈 가지만 남아 있을 때, 산의 본래면목이 전부 드러납니다. 산에 살다 보면 이때가 감성이 가장 투명해집니다. 귀와 눈이 밝아지는 달입니다.

오늘은 결제일이기 때문에 옛 스님들이 공부하던 것에 대해 말씀드리겠습니다.

거동이 불편한 어느 노스님이 한밤중에 깨어나자 몹시 목이 말랐습니다. 물을 마시고 싶어서 옆방에 자는 시자를 부릅니다. 시자는 깊은 잠에 빠져 일어나지 않습니다. 잠시 뒤 누군가가 시자의 방문을 두드리며 "노스님께서 물을 찾으시오." 하고 말합니다. 시자는 벌떡 일어나 물그릇을 받쳐 들고 노스님 방으로 들어갑니다. 이때 노스님이 놀라며 "누가 너에게 물을 떠 오라고 하더냐?" 하고 물으니 시자가 답합니다.

"누가 방문을 두드리며 노스님께서 물을 찾으신다 했습니다."

이 말을 듣고 노스님은 탄식합니다.

"이 늙은이가 수행하는 법을 잘 모르고 있었구나. 참으로 수행할 줄 알았다면 사람도 느끼지 못하고 귀신도 알지 못해야 하는데, 오늘 밤 나는 도량신에게 내 생각을 들키고 말았다."

이것은 당나라 때의 큰스님인 백장 선사 어록에 나오는 이야기입니다. 청정한 도량에는 그 도량을 지키는 수호신, 즉 도량신이 반드시 있습니다. 〈천수경〉에도 '도량청정무하예 삼보천룡강차지 道場淸淨無瑕穢 三寶天龍降此地.'라는 구절이 나옵니다. 도량이 청정해서 때가 없으면 옹호 신장인 천룡팔부가 강림한다는 뜻입니다.

절에서 살다 보면 가끔 경험하는 일입니다. 깊은 잠에 빠져 있을 때 "스님!" 하고 부르는 목소리가 있습니다. 깜짝 놀라 눈을 떠 보면 일어날 시간입니다. 나 자신을 지켜보는 어떤 존재가 있다는 말입니다. 그것은 스님들에게만 있는 것이 아닙니다. 그 어떤 존재가 나를 그때그때 일깨웁니다. 그런데 그 삶이 청정해야 그런 메아리가 있습니다. 생활 자체가 흐리고 탁하면 그런 반응이 전혀 없습니다. 그것은 맑음에 대한 울림입니다.

여기서 우리가 알아차려야 할 것이 있습니다. 만약 설익은 수행자라면 자신의 도력이 뛰어나서 도량신이 알고 물을 떠 오게 했다며 우쭐거리기 쉽습니다. 그러나 백장 스님은 자신이 설익었음을 부끄러워합니다. 이분은 95세까지 살았습니다. 중국 선종 사원의 조사전祖師殿(조사스님들의 영정을 모신 곳)에 가 보면 한가운데 달마 스님, 좌보처로서 마조馬祖 스님, 우보처로서 백장 스님, 이렇게 세 분을 모십니다.

수행자는 이 일화의 백장 스님처럼 마음을 써야 합니다. 참선이나 기도는 남에게 보이거나 알아 달라고 하는 것이 아닙니다. 혼자서 은밀히 해야 합니다. 여럿 속에 섞여 있을지라도 은자처럼 처신해야 합니다. 혼자 하는 기도는 조용하게 하십시오. 그렇다고 해서 자기밖에 모르는 이기심을 지녀서는 안 됩니다. 이기심은 수행이 아닙니다. 흔히 기도할 때 보면 혼자 소원을 다 차지할 것처럼 욕심 사나운 모습을 보이는 경우가 있습니다. 좋다는 기도처에 가 보면 모두가 그렇지는 않지만 탐욕스런 모습을 보이는 사람들이 더러 있습니다. 그런 것에서 벗어나야 합니다. 혼자 복을 받겠다는 생각은 부질없는 짓입니다.

모든 수행의 첫째 조건은 부드럽고 따뜻한 마음을 내는 데 있습니다. 함께 정진하는 사람들의 마음을 편하게 해 주어야 합니다. 나를 뛰어넘어 모두와 연결되어야 합니다. 함께 수행하고 있는 다른 사람들은 누구인가? 나의 분신입니다. 또 다른 나입니다.

제가 아는 스님이 풋중 시절 처음 선방에 갔습니다. 선방에 가서 얻어들은 화두 '이 무엇인가?'를 가지고 수행 정진 해도 망상만 생기고 전혀 참선이 안 되었다고 합니다. 까맣게 잊어버렸던 일들만 떠오르고 해서 제대로 정진을 할 수 없었다고 합니다. 그래서 마음을 돌이켜 '나는 참선할 인연이 못 되어 수행을 못 하니 함께 수행하는 스님들을 위해 기도해야겠다.' 하고 생각했습니다. 낱낱이 스님들 이름을 들추며 '아무개 스님, 안거 기간 동안 아무 장애 없이 수행 잘하게 해 주십시오.' 하고 한 사람 한 사람 거명하며 기도를 했습니다. 한동안 그렇게 하다 보니 마음에 환희심이 났다고 합니다. 그때 비로소 화두를 챙기고 원만하게 안거 수행을 했다는 이야기를 들었습니다. 이것은 누구에게나 해당되는 이야기입니다. 기도든 참선이든 함께 수행하는 이웃을 위한 배려가 바탕이 되어야 합니다.

절에 가면 먼저 법당에 들어오는 사람이 초를 켜 놓습니다. 그런데 자기가 가져온 초를 켜고 싶어서 남이 켜 놓은 초를 끄고 자신의 초를 켜는 사람이 있습니다. 그렇게 행동해선 안 됩니다. 오히려 먼저 초를 켜 놓은 사람에게 고마운 마음을 가져야 합니다. 향을 피우는 것도 마찬가지입니다. 누군가 향을 하나 피워 놓았으면 그냥 놓아두면 됩니다. 향이 없으면 켜 놓으면 되고, 켜 있으면 또 꽂아 둘 필요는 없습니다. 그렇게 하면 부처님이 재채기를 합니다.

마음이 안정되어야 기도와 명상을 제대로 할 수 있습니다. 그러므로 기도하러 절이나 교회에 나올 때 법당이나 교회당 안에 들어서야만 기도가 시작된다고 생각하지 마십시오. 집을 나설 때부터, 또 차 안에서부터, 지하철 안에서부터 기도하고 명상해야 합니다. 시간에 쫓겨서 빨리 절에 가야 한다, 기도 시간에 늦지 않도록 가야 한다는 바쁜 생각을 가지면 기도도 아니고 명상도 아닙니다. 문을 나설 때부터 기도가 되어야 하고 명상이 되어야 합니다.

기도와 명상은 특정 장소나 정해진 시간에만 하는 것이 아닙니다. 안팎이 한결같아야 합니다. 기도와 명상이 끝나고 나서도 한결같아야 합니다. 대개 보면 방선放禪(참선을 쉬는 것) 시간에 뒷방에서 잡담을 합니다. 기도가 끝나고 나면 기도하던 시간과는 사뭇 다르게 처신하는 경우가 허다합니다. 수행자는 이런 것에 속아서는 안 됩니다.

백장 스님에 의해 중국의 선종이 제대로 뿌리를 내립니다. 그전까지는 참선하는 스님들이 율원律院(계율을 철저히 지키는 스님들을 양성하는 불교 전문교육기관)에서 거처하고 더부살이를 했습니다. 그런데 백장 스님 때 와서 비로소 총림, 즉 수도원이 형성됩니다. 수행자가 지켜야 할 모든 규범이 그때 생겨납니다. 그전에는 온전한 선종의 수도원이 없었습니다. 마조 스님 문하에서 80여 명의 기라성 같은 큰스님들이 배출되었는데, 그중에서도 백장 스님이 가장 뛰어난 존재입니다.

한 학인이 백장 스님에게 이렇게 묻습니다.

"어떻게 해야 마음이 자유로울 수 있습니까?"

마음이 자유로운 경지를 해탈이라고 하지 않습니까? 백장 스님이 답합니다.

"부처도 찾지 않고 지혜도 찾지 않으며 더럽고 깨끗하다는 분별도 두지 않는다. 그리고 아무것도 찾지 않는다는 생각에도 머물지 말아야 한다."

대개 불자들은 부처가 어떻고 보살이 어떻고 하면서 늘 부처를 구하고 찾습니다. 또 지혜를 찾고 더러운 것을 싫어하며 깨끗한 것을 좋아합니다. 이런 분별을 두지 말라는 소리입니다.

"지옥의 고통도 두려워하지 않고 극락의 즐거움에도 관심을 두지 않는다. 이와 같이 그 어디에도 걸림이 없어야 진정 자유로울 수 있다."

이때에 이르러야 몸과 마음이 자유 그대로라는 것입니다. 이 말은 아무것도 하지 말라는 소리가 아닙니다. 부처를 찾고 지혜를 구하되 거기 얽매이지 말라는 것입니다. 공부하는 사람들은 이런 장애에 부딪히기 쉽습니다. 흔히 참선하는 사람들은 화두와 깨달음에 얽매여 본래청정을 까맣게 잊어버립니다. 귀 기울여 들으십시오. 깨달음이나 화두에 얽매여 본래청정, 본래성불을 잊어서는 안 됩니다.

무슨 수행이든 즐겁게 해야 합니다. 고슴도치처럼 잔뜩 긴장하면 안 됩니다. 물론 용맹정진은 필요하지만, 용맹정진이라고 해서 기쁨이 따르지 않는다면 온전한 수행이 아닙니다. 하는 일 자체가 즐거워야 합니다. 무엇보다 마음이 편하고 안정되어야 합니다. 무엇에 쫓겨서는 안 됩니다.

서산 대사의 법문에 나오는 말입니다.

'수본진심 제일정진守本眞心 第一精進.'

수행이 따로 있는 것이 아니라 본래 천진한 마음을 지키는 것, 이것이 으뜸가는 수행이라는 뜻입니다. 지킨다는 말에 속지 마십시오. 본래 청정한 마음을 써야 합니다. 지키고만 있으면 그것은 죽은 수행입니다.

또 기도하는 사람들은 입으로는 관세음보살이나 지장보살을 열심히 부르면서도 자신이 직접 그런 보살이 될 줄은 모릅니다. 그분들은 역사적으로 과거에 있었던 특정한 분들이 아닙니다. 누구나 관세음보살이 될 수 있고 지장보살이 될 수 있습니다. 입으로만 관세음보살을 부르지 말고 나 자신이 관음의 화신이 되십시오. 남을 위해 희생하는 것이 지장보살이고, 지극한 자비가 관세음보살입니다. 마음 밖에서 찾지 마십시오. 참선하고 기도하는 주체인 마음에서 벗어나서는 안 됩니다.

〈법구경〉에도 같은 내용의 법문이 나옵니다.

"마음은 들떠 흔들리기 쉽고 지키기 어렵고 억제하기 어렵다. 지혜로운 사람은 자기 마음 갖기를 활 만드는 사람이 화살을 곧게 하듯 한다."

남이 이 말 하면 이리 기울고, 저 말 하면 저리 기울고, 멀쩡하던 사람이 말 한마디에 갑자기 화를 내기도 합니다.

또 〈법구경〉은 이렇게 설합니다.

"마음이 번뇌에 물들지 않고 생각이 흔들리지 않으며 선과 악을 초월하여 흔들리지 않는 사람에게는 그 어떤 두려움도 없다."

경전을 읽을 때는 부처님이나 조사들이 그렇게 말했다고 생각하지 말고 자기 마음에서 울려야 합니다. 곧 나의 이야기가 되어야 합니다. 각자 자기 자신의 소리가 되어야 합니다. 2,500년 전 인도에서 있었던 일이 아니라, 오늘 나 자신의 이야기로 생각해야 합니다.

어떤 두려움도 없는 좋은 안거 되시기를 바라며 제 말을 마치겠습니다.

용서는 가장 큰 수행

2004년 10월 17일 가을 정기법회

지난 4월에 이어 이날 법문에서도 거듭 '용서'가 화두가 되었다. 스님은 울긋불긋한 단풍과 연보라색 벌개미취가 어우러진 이번 가을 법회에서 "용서로 마음에 박힌 독을 풀어야 한다."고 강조했다. 지난 4월은 대통령 탄핵과 총선으로 사회적 갈등이 첨예했던 때이다. 계절이 가을로 접어들도록 여전히 용서와 화합의 결실을 이루지 못하는 속세를 향해 다시 한 번 죽비를 든 셈일까. 봄, 가을 단 두 번뿐인 대중법문의 올해 주제를 모두 '용서'에 할애한 것이다. 인간은 때 되면 누구나 자신의 일몰日沒 앞에 서게 되는데 그 전에 맺힌 것을 풀어서 자유로워져야 한다. 스님은 "이 좋은 가을날 열린 세상에서 열고 살아가길 바란다."고 법문을 끝맺었다.

그동안 잘 지내셨습니까? 산에서 나오는 일이 무척 머리 무겁지만, 여러분들이 이렇게 오셨기에 그 무거움을 털어 버리고 왔습니다. 무엇이든 익히기 나름입니다. 익힌 대로 풀립니다. 저는 솔직히 안팎으로 어디에도 매인 데 없이 살고 싶은데, 출가 수행자인 까닭에 늘 시주의 은혜를 입고 삽니다. 물론 이곳에 와서 법문을 한다고 해서 시주의 은혜에 보답하는 것은 아니지만, 그런 의

무감에 산에서 나오게 됩니다. 사실 우리가 다 알고 있는 이야기이므로 할 말도 없습니다. 세상사라는 게 만나서 말하고 듣고 하는 것이기 때문에 이렇게 나와서 되지도 않는 소리를 합니다.

우리나라에도 몇 차례 다녀간 틱낫한 스님의 글에 다음과 같은 내용이 있습니다.

"그대가 시인이라면 종이 안에 떠다니는 구름을 볼 수 있을 것이다. 구름이 없으면 비도 없을 것이고, 비가 없으면 나무들은 자라지 못한다. 나무가 없으면 종이를 만들 수 없다. 그러므로 구름은 종이에게 가장 중요한 것이다."

이 세상에 독립된 존재는 없다는 표현입니다. 모두 서로 연결되어 있습니다. 종이를 통해 그 안에 담겨 있는 관계를 넘어다보는 것입니다. 한 장의 종이를 통해 가을 하늘에 떠다니는 구름을 봅니다. 왜냐하면 구름이 없으면 비가 내리지 않을 것이고, 또 비가 없으면 나무들이 자랄 수 없을 것이기 때문입니다. 종이는 나무로 만듭니다. 나무가 없으면 종이를 만들 수 없습니다. 그런 까닭에 구름은 종이에게 가장 중요한 존재라는 이야기입니다.

세상 모든 존재는 이러한 관계 속에서 이루어집니다. 독립되어 홀로 존재하는 개체는 어디에도 없습니다. 어머니와 아버지가 있기 때문에 자식들이 태어나고, 또 그 자식이 짝을 이루어 후세를 낳습니다. 이렇게 해서 세상이 이루어지고 생명이 존속됩니다. 저마다 독특한 자기 세계를 지니고 그곳에 존재합니다.

나무가 없으면 동물뿐 아니라 인간도 살 수 없습니다. 만약 이 도량에 나무가 없다고 상상해 보십시오. 얼마나 삭막하겠습니까?

나무가 없으면 우리가 어떻게 숨을 쉽니까? 나무는 산소를 만들어 냅니다. 나무를 통해 집을 짓고 종이를 만듭니다. 나무 아래서 친구와 만나 대화를 나누고, 사랑을 속삭이고, 또 어떤 사람은 나무 아래서 우주의 실체를 깨닫습니다. 나무만이 아닙니다. 모든 존재는 그렇게 전체 생명계를 받쳐 주는 역할을 합니다. 이 세상에 살아 있는 어느 한 가지도 없어서는 안 될 존재입니다. 모두 있을 자리에 있습니다. 서로 주고받으며 살아갑니다.

서양의 인간 중심의 오만한 사고방식이 오늘날처럼 세상을 병들게 만들고 지구를 황폐화시킵니다. 일찍이 동양에서는 그런 생각을 하지 않았습니다. 어디까지나 인간이 주인이고 모든 사물을 인간에 종속된 물체로 생각하는 발상이 지구를 황폐화시키고 병들게 합니다. 그 결과 그 안에 사는 모든 생명들이 위협받고 있습니다. 지구상에서 생물의 종이 하루에도 수백 가지씩 사라져 가고 있습니다. 보다 많이 차지하기 위해 끝없이 전쟁을 일으킵니다. 미국이 이라크를 침략해 수렁에 빠뜨린 이유가 무엇입니까? 석유를 차지하기 위해서입니다. 가질 만큼 가졌음에도 성에 차지 않아서, 더 차지하기 위한 욕심 때문에 무고한 생명들이 희생당하고 있습니다.

새와 짐승, 물고기 할 것 없이 이 지구상에 있는 종이 사라져 가고 있습니다. 생물이 다 사라지는데, 이 지구상에서 인간만 달랑 남을 수 있습니까? 인간도 결국 사라집니다. 텔레비전과 냉장고, 가전제품, 자동차, 휴대전화만 가지고 사람이 살 수 있습니까? 이 세상에 독립된 존재는 어디에도 없습니다. 모두가 서로 이어져 있습니다. 서로가 주고받으며 그물망처럼 연결되어 있습니다. 그것이 우주의 실상입니다. 이 절이 있기 때문에 우리가 여기에서 만났고, 이 절이 생기기 전에 부처님의 가르침이 있었습니다. 그리하여 그 가르침을 믿고 따르는 사람들이 모인 것입니다.

보고 듣는 것에 마음 팔리지 마십시오. 그것들은 상황에 따라 매 순간 달라집니다. 늘 자기 안에서 찾고, 자신의 소리를 들어야 합니다. 옛 스님의 글에 이런 노래가 있습니다.

옳거니 그르거니 상관 말고
산이든 물이든 그대로 두라.
하필이면 서쪽에만 극락세계랴.
흰 구름 걷히면 청산인 것을.
是是非非都不關　山山水水任自閑
莫間西天安養國　白雲斷處有靑山

시시비비를 가리지 말라는 것입니다. 모든 것은 될 대로 됩니다. 다 제 길을 가게 됩니다. 모든 것은 있을 자리에 있을 것이기 때문에, 참견하지 말고 그대로 두라는 말입니다. 극락세계가 따로 있는 것이 아닙니다. 분별 망상을 쉬면 본래 자기 모습이 드러납니다.

만나는 사람마다 선지식으로 생각하십시오. 누가 차갑게 대하면, 나 자신은 그렇게 차갑게 대한 적이 없는지 스스로 물어야 합니다.

지난 봄 정기법회 때, 바로 이 자리에서 제가 용서에 대해서 말한 바 있습니다. 그런데 그동안 얼마나 용서를 하셨습니까? 스스로 점검해 보십시오. 바쁜 세상에서, 이 좋은 날씨에 무엇하러 절에 옵니까? 되지도 않는 소리 들으려고 절에 옵니까? 귀만 아픕니다. 용서에 대한 이야기를 들었으면, 스스로 용서를 했는지 안 했는지 점검해야 합니다. 그것이 바로 신앙생활이고 수행자의 자세입니다.

최근에 제가 용서에 대한 달라이 라마의 대화집을 읽었습니다. 달라이 라마의 저서 중에서도 달라이 라마를 가장 가까이에서 느낄 수 있는 책입니다. 홍콩 출신의 중국 사람인 빅터 챈이 달라이 라마가 아침 명상에 들어갈 때 함께 명상하고, 식사를 할 때나 국제적인 행사가 있어서 여행을 할 때 동행하며 몇 년 동안 보고 듣고 대화한 용서에 대한 기록입니다. 올가을 숙제로 달라이 라마의 〈용서〉를 구해 읽으십시오. 용서는 가장 큰 수행입니다. 남에 대한 용서를 통해 나 자신이 용서받게 됩니다. 또 용서를 통해서 그만큼 인간적으로 성숙할 수 있습니다.

〈용서〉에 보면 이런 구절이 나옵니다. 중국의 티베트 침략 전부터 달라이 라마가 잘 알고 지낸 한 스님이 있습니다. 중국이 티베트를 점령하자 달라이 라마는 인도로 망명을 떠납니다. 그런데 남아 있던 그 스님은 그만 중국 경찰에 체포되어 18년 동안 감옥에 갇힙니다. 그곳에서 티베트를 비판하라고 강요받으며 온갖 고문을 당합니다. 그렇지만 모진 고문을 당하면서도 그 스님은 요지부동입니다. 그 후 가까스로 석방되어 히말라야를 넘어 인도로 탈출

합니다. 달라이 라마가 20년 만에 다람살라(티베트 망명정부가 있는 북인도 히말라야 기슭의 도시)에서 그 스님을 만났는데, 옛날의 얼굴 모습 그대로였습니다. 감옥에서 그토록 고초를 겪었음에도, 전혀 변하지 않은 것입니다.

대화를 나누다가 달라이 라마가 스님에게 묻습니다.

"스님, 18년 동안 그토록 모진 고문을 당하면서 두려웠던 적은 없습니까?"

그러자 그 스님은 이렇게 답합니다.

"나 자신이 중국인들을 미워할까 봐, 중국인들에 대한 자비심을 잃게 될까 봐, 그것이 가장 두려웠습니다. 하마터면 큰일 날 뻔했습니다."

저는 이 글을 읽으면서 몹시 부끄러웠습니다. 나 자신이 그런 처지에 있었다면 과연 이렇게 생각할 수 있었을까? 그러지 못했을 것입니다. 거듭 말씀드립니다. 용서는 가장 큰 수행입니다. 타인에 대한 용서를 통해 나 자신이 용서받게 됩니다. 또 그만큼 내 그릇이 성숙해집니다. 마음에 박힌 독을 용서를 통해 풀어야 합니다.

어떤 사람이 부처님에게 "자비와 용서를 어디서 구해야 합니까?" 하고 묻습니다. 이때 부처님은 땅을 가리키며 말합니다.

"땅은 언제나 자비롭고 용서하며 너그럽다."

땅은 모든 것을 받아들입니다. 그래서 대지를 어머니에 비유해 '어머니 대지'라고 부르기도 합니다. 더럽거나, 깨끗하거나, 거칠거나, 부드럽거나, 짓밟히거나, 허물어뜨리거나 마다하지 않고 묵묵히 받아들입니다. 이것이 대지입니다. 땅의 덕입니다. 이런 땅을 딛고 사는 우리는 이와 같은 땅보살에게 수시로 배워야 합니다.

신앙생활 하는 사람은 눈을 밖으로 팔지 말라고 했습니다. 자기 발 뿌리를 늘 살펴야 합니다. 남이 못했든 잘했든 따질 필요가 없습니다. 그것은 올바른 삶이 아닙니다. 자기 자신이 지금 어떻게 살고 있는가, 과연 이 대지에 몸담은 사람으로서 맑고 향기롭게 살고 있는가, 그것을 점검해야 합니다. 땅의 덕을 배워야 합니다.

때가 되면 우리는 누구나 자신의 일몰 앞에 서게 됩니다. 그 전에 맺힌 것을 풀어서, 안팎으로 걸림 없이 자유로워져야 합니다. 그 짐을 다음 생으로 지고 가지 말아야 합니다. 그때그때 청산해야 합니다. 맺힌 것 때문에 자기 갈 길을 가지 못하는 경우가 많습니다.

우리가 하루하루 살아간다는 것은 날마다 새로운 날을 맞이하는 것입니다. 오늘은 어제의 연장이 아니라 새로운 날입니다. 무릇 묵은 시간에 갇힌 채 새로운 시간을 등지지 말아야 합니다. 내 마음이 활짝 열리면 닫혔던 세상의 문도 따라서 활짝 열리게 됩니다.

이 좋은 가을날, 열린 세상에서 열고 살아가시기 바랍니다.

행복은 살아 있음을 느끼는 것

2004년 8월 30일 여름안거 해제

처서가 지났지만 한낮의 기온은 30도가 넘었다. 법문에 앞서 스님은 '관념적인 더위'에 대해 말했다. 요컨대 실제 더위가 아니라 언론으로부터 미리 온도가 몇 도이고 습도가 몇 퍼센트라고 들음으로써 갖게 되는 관념. "저는 가끔 그렇게 생각합니다. 더위도 우리가 살아 있기 때문에 느끼는 것입니다. 죽은 사람에게는 더위도 추위도 없습니다. 지금 같은 더위를 우리가 앞으로 몇 번이나 더 맞이할 수 있을지 누구도 알 수 없습니다. 그렇게 생각하면 무더운 여름도 원망스럽지 않을 것입니다." 이날의 법문 주제는 '행복'이었다. 8월 한 달 동안 스님이 계신 강원도 산중에는 아흐레를 제외하고 비가 내렸다. 이렇게 또 한 번의 여름이 갔다.

90일 전 여름안거가 시작되었습니다. 바로 이 자리에서 제가 안거 기간에 지닐 숙제를 내주었습니다. 기억나십니까? 더위에 땀과 함께 흘려버린 건 아닌지 모르겠습니다. 그 화두가 무엇이었습니까? '친절'입니다. 지난 90일 동안 친절을 얼마나 열심히 챙겼는지 스스로 점검해 보십시오.

작은 친절과 따뜻한 몇 마디 말이, 우리가 의지해 살아가는 이 지구를 행복하게 합니다. 지구가 행복해야 그 안에 살고 있는 우리들도 행복해집니다. 개인은 전체의 한 부분입니다. 개개인이 모여 전체를 이룹니다.

오늘은 행복에 대해 말씀드리겠습니다. 엊그제 행복에 대한 책을 한 권 읽었습니다. 지난여름 읽은 여러 책 가운데 가장 인상적이었기에, 이 자리에서 같이 음미하려고 합니다.

실제로는 불행하지 않은데도 불행하다 여기는 환자들을 날마다 대해야 하는 한 프랑스 정신과 의사가 쓴 책입니다. 많은 것을 갖고 있으면서도 스스로 불행하다고 여기는 사람들을 만나며 그도 자신의 일에 만족을 느끼지 못합니다. 정신과 의사들은 매일매일 정신 상태가 부실한 사람들을 대하기 때문에 때로는 의사 자신도 헛소리가 나온다고 합니다. 그래서 가끔씩 동료들끼리 검사를 해 준다고 들었습니다. 그것도 업입니다. 늘 그런 사람들을 대하다 보면 그 기운이 전이될 수밖에 없습니다.

이 세상 어느 곳보다 풍요로우면서도 정신과 의사가 가장 많이 사는 도시에서 일어나는 일입니다. 책에 등장하는 주인공도 저자의 분신인 정신과 의사입니다.

그는 이름난 의사였습니다. 날마다 많은 사람들이 그의 진료실로 찾아왔습니다. 상담으로 넘치는 하루하루를 보내며 그는 자신 역시 행복하지 않다는 결론을 내립니다. 많은 돈을 벌었지만 행복하지 않았습니다. 마음의 병을 안고 찾아오는 사람들을 어떤 치료로도 진정한 행복에 이르게 할 수 없다는 사실을 알고 있었기에 자신의 한계를 느꼈습니다. 그래서 마침내 진료실 간판을 내리고 세계 여행을 떠납니다. 무엇이 사람들을 행복하게 하고 불행하게 만드는가를 알기 위해 떠난 것입니다. 마치 〈화엄경〉의 선재동자 善財童子가 선지식들을 찾아 구도의 길에 나섰던 것과 같습니다.

그는 중국, 아프리카, 미국 등지를 다니며 유명하고 성공한 사람들을 만나 행복의 비결을 찾습니다. 한번은 중국에서 이름난 노스님을 만나기 위해 산길을 걷게 됩니다. 복잡한 도시에 살며 환자들만 만나다가, 모처럼 거기에서 벗어나 산길을 걷고 있으니 문득 '아, 행복은 산길을 걷는 것이구나.'라는 생각이 떠오릅니다. 행복은 먼 곳에 있는 것이 아닙니다. 여러분들도 경험하셨을 것입니다. 어쩌다가 절에 가거나 등산을 하게 되어 호젓한 산길을 걸으면 마음이 참으로 평화롭지 않습니까?

의사가 노스님을 만나 가르침을 청하자 노스님이 이와 같이 말씀하십니다.

"사람들이 행복하지 못한 것은 그 행복을 목표라고 믿기 때문입니다."

이 말을 깊이 음미하십시오. 노스님은 덧붙여 이런 격려의 말을 해 줍니다.

"당신이 행복에 대한 배움을 얻기 위해 여행에 나선 것은 무척 잘한 일입니다. 여행을 다 마치면 다시 나를 만나러 이곳으로 오십시오."

의사는 새로운 교훈을 얻을 때마다 잊어버리지 않도록 수첩에 메모를 합니다. 이렇게 다니며 많은 사람을 만난 덕에 그의 수첩에는 행복의 비결이 하나씩 기록되어 갑니다. 그 가운데 몇 가지 행복의 비결을 소개해 드리겠습니다.

행복의 첫째 비결은 다른 사람과 자신을 비교하지 않는 것입니다. 행복을 거창하게 생각하지 마십시오. 각자 자기 몫의 삶이 있는데 남과 비교하니까 기가 죽고, 불행해지고, 시기심과 질투심이 생깁니다. 소형차면 어떻습니까? 갑자기 수입차를 타면 그 차가 시시해집니다. 그것은 자기 분수와 몫을 모르는 허욕입니다. 어떤 개인이라도 그는 이 세상에 하나밖에 없는 독립된 존재입니다. 누구와도 비교할 수 없는 절대적인 존재입니다.

둘째, 행복은 자신이 좋아하는 일을 하는 것입니다. 자신이 좋아하는 일을 할 때 사람은 행복해집니다. 누가 무슨 소리를 하든, 남에게 해를 끼치지 않는 한 자신이 좋아서 하는 일은 좋은 일입니다. 개체를 뛰어넘어 전체와 연결될 수 있으면 좋은 일입니다.

셋째, 행복은 집과 채소밭을 갖는 것입니다. 집이라는 것은 안정된 공간입니다. 전셋집을 전전하는 사람들은 내 집을 마련하기 위해 피땀 흘려 일합니다. 채소밭을 갖고 흙을 가까이하며 살아 있는 생명을 가꾼다는 것은 좋은 일입니다. 자신의 땅은 아니지만 공터에 채소를 가꾸는 사람이 더러 있습니다. 무척 좋은 일입니다. 경험한 사람들은 알 것입니다. 자기가 뿌린 씨앗에서 싹이 트고, 떡잎이 나와 펼쳐지는 과정을 보고 있으면 마음이 뿌듯해집니다. 주부들도 아파트 베란다에 상추나 쑥갓 등의 채소를 얼마든지 길러 먹을 수 있습니다. 그러면 늘 보살펴야 하니까 부지런해지고, 자연에 대한 고마움과 돈으로 따질 수 없는 살아 있는 것들에 대한 신비를 느낄 수 있습니다. 이는 닳아져 가는 우리 마음을 소생시키는 계기가 될 것입니다.

넷째, 행복은 내가 다른 사람에게 쓸모 있는 존재가 되는 것입니다. 한 개인의 삶은 다른 사람에게 유용해야 하며, 서로가 서로에게 의미 있는 존재가 되어야 합니다. 우리에 갇힌 짐승처럼 사는 그런 삶을 살아서는 안 됩니다. 사람이기 때문에 관계 속에서 한몫을 하는 것입니다.

다섯째, 행복은 사물을 바라보는 방식에 달려 있습니다. 같은 장미꽃을 바라볼 때 어떤 이는 '왜 이렇게 아름다운 장미에 가시가 돋아 있나.' 하고 불만스럽게 생각할 수 있고, 다른 한쪽에서는 '아무짝에도 쓸모없는 가시에 이렇게 아름다운 꽃이 달려 있네.' 하며 고맙게 여길 수도 있습니다.

여섯째, 행복은 다른 사람의 행복에 관심을 갖는 것입니다. 나 자신만의 행복은 근원적으로 있을 수 없습니다. 왜냐하면 사람은 관계 속에서 살고 있기 때문입니다. 서로 나눌 때 행복은 몇 배로 깊어지고 넓어집니다.

그가 수첩에 적어 놓은 행복의 비결은 이 밖에도 더 있지만, 장황한 것 같아서 하나만 더 소개하겠습니다. 이 사람이 한번은 아프리카에서 친구의 초대를 받았다가 노상에서 강도를 만나 차를 빼앗깁니다. 강도들은 의사 일행을 지하실에 가두고 어떻게 처리할까 옥신각신합니다. 그런데 강도의 우두머리가 의사의 몸을 수색하다 주머니에서 행복의 비결을 적은 쪽지를 보고 의사 일행을 풀어 줍니다. 거기엔 이렇게 쓰여 있었습니다.

'행복은 살아 있음을 느끼는 것이다.'

우리가 살아 있다는 것, 그것은 하나의 기적입니다. 우리는 늘 많은 시간 속에 있으면서도 그 사실을 느끼지 못합니다. 살아 있다는 것, 그 자체가 놀라운 가능성입니다.

의사는 여행을 마무리하며 다시 노스님을 찾아갑니다. 어느 지역이라고는 나오지 않는데, 제가 보기에는 홍콩의 어느 산인 듯합니다. 노스님을 만나자 그는 수첩에 적어 놓은 행복의 비결을 보여 드립니다. 노스님은 그 수첩을 보고 나서, 매우 칭찬을 합니다.

"당신은 마음공부를 훌륭히 해냈습니다. 이 모든 내용들은 무척 훌륭합니다. 더 덧붙일 것이 아무것도 없습니다."

노스님은 의사를 데리고 말없이 산길을 걷습니다. 의사는 자신이 지금까지 겪어 온 어떤 것보다 새로운 배움을 그곳에서 얻게 됩니다. 우리는 침묵 속에 주어진 자연의 고요를 통해 많은 깨달음을 얻을 수 있습니다. 그는 복잡한 분별에서 벗어나 세상의 아름다움을 아무 사심 없이 무심히 바라볼 시간을 갖는 것, 이것이야말로 진정한 행복임을 느낍니다. 노스님은 그와 작별하며 마지막으로 이런 말을 남깁니다.

"진정한 행복은 먼 훗날에 이룰 목표가 아니라, 지금 이 순간 존재하는 것입니다."

행복은 은퇴하고 자식들 키워 다 결혼시킨 이후, 나이 들어 시골에 집이라도 한 채 마련한 다음에 오는 것이 아닙니다. 내일 일은 아무도 알지 못합니다. 이는 우리 각자에게 다 해당되는 일입니다. 사람들은 행복을 찾아 항상 지나온 과거나 미래 쪽으로 달려갑니다. '왕년에 이렇게 잘 살았는데……' 또는 '이다음에 어떻게 살 것인가?' 등등 현재에서 벗어나 늘 지나가 버린 과거와 다가올 미래 쪽으로만 관심을 기울입니다. 과거를 묻지 마십시오. 이미 지나가 버린 세월이란 뜻입니다. 그것은 전생의 일입니다. 미래는 아직 오지 않았습니다. 우리가 살아 있는 곳은 지금 이 순간, 이 자리입니다.

지금 이 순간의 현장을 회피하지 마십시오. 이 순간을 회피하면 자기 존재가 사라집니다. 늘 불확실한 미래 쪽으로 눈을 팔기 때문에, 현재의 자신을 불행하게 만듭니다.

행복은 미래의 목표가 아니라 현재의 선택입니다. 지금 이 순간 행복하기로 선택한다면 우리는 얼마든지 행복해질 수 있습니다. 모든 것은 마음먹기에 달려 있습니다. 사람은 행복하게 살 줄 알아야 합니다.

앞에서 말한 책의 제목은 〈꾸뻬 씨의 행복 여행〉입니다. 프랑스의 정신과 의사이자 심리학자인 프랑수아 를로르가 자신의 경험을 바탕으로 쓴 실화 소설입니다. 제가 지난여름 읽은 몇 권의 책 중에서 여러분에게 소개할 만한 내용이기에 오늘 법문의 소재로 삼아 보았습니다.

순간순간 어떤 마음을 지니고 어떻게 사는 것이 잘 사는 것인지, 오늘 해제일의 새로운 화두로 삼으시기 바랍니다. 우리가 참으로 인간답게 산다면 지구의 종말도 늦출 수 있습니다. 우리가 온전하고 바르게 살지 못하니까 이런 불안한 시대를 겪는 것입니다. 한눈팔지 말고 똑바로 살아야 합니다. 두루 행복하십시오.

세상에서 가장 중요한 종교는 친절

2004년 6월 2일 여름안거 결제

법문을 시작하기 전 방문객들과 차를 마시는 자리에서 스님은 요사이 기침 때문에 깊은 밤에 자주 깼다고 말했다. 처음엔 불편했지만 기침이 한밤중에 스님을 깨운 까닭을 이해했다고 덧붙였다. 그것을 이번 법회 전날 출간된 〈홀로 사는 즐거움〉에서 이렇게 풀었다. "살아온 날보다 앞으로 살아갈 날이 많지 않으니 잠들지 말고 깨어 있으란 소식으로 받아들이면 기침이 고맙게 여겨진다. 맑은 정신이 든다. 중천에 떠 있는 달처럼 내 둘레를 두루두루 비춰주고 싶다." 새 산문집 〈홀로 사는 즐거움〉의 표지화는 일전에 스님이 이당 도예원에 써 준 붓글씨와 그림으로 대신했다. 거기에는 '심심산골에는 산울림 영감이 바위에 앉아 나같이 이나 잡고 홀로 살더라.'라고 적혀 있었다.

이 세상에서 가장 위대한 종교는 무엇인가? 불교도 기독교도, 혹은 유대교도 회교도 아닙니다. 이 세상에서 가장 위대한 종교는 바로 '친절'입니다. 친절은 자비의 구체적인 모습입니다.

'사랑하다'는 매우 아름다운 말입니다. '사랑하다' 다음으로 세상에서 가장 아름다운 동사는, 이웃과 남을 '돕다'입니다.

자신에 대한 염려에 앞서 남을 염려하는 쪽으로 마음을 돌릴 때, 인간은 비로소 성숙해집니다. 자기밖에 모른다면 아직 진정한 인간이 아닙니다. 여러 가지 주변 환경 때문이기도 하지만, 오늘날은 거의 모두가 이기적입니다. 예를 들어, 자동차를 운전할 때 앞에서 끼어들어 오겠다고 신호를 주면 양보를 해야 합니다. 그런데 끝까지 양보하지 않는 별난 사람들이 더러 있습니다. 같이 흘러가야 하는데, 그렇지 않은 경우가 많습니다. 함께 사는 세상인데도 마음이 굳게 닫혀 있기 때문에, 충분히 양보할 수 있음에도 모른 척하는 것입니다. 분명 서로에게 좋을 리 없고, 마음이 개운치 않을 텐데도 그렇게 행동합니다.

어느 책에선가 읽은 구절입니다.

'친절은 두 존재의 연결이며, 가까워지려는 소망이고, 자신의 가장 깊은 자아를 타인과 나누려는 것이다. 우리가 삶에서 추구하는 것이 행복이라면 친절은 행복한 삶을 위한 중요한 요소이다.'

불교적인 세계관으로 보면 모든 것은 원인과 조건에 의해 일어납니다. 이를테면 내가 누군가를 미워하고 해치려는 마음을 갖는 것은 과거의 어떤 원인과 조건에 따른 것입니다. 그런데 나를 미워하고 해치려는 사람의 마음 역시 과거의 원인과 조건에 의한 결과임을 잊지 말아야 합니다. 따라서 우리는 그 원인과 조건을 미워해야지 사람을 미워해서는 안 됩니다.

달라이 라마는 불교가 무엇이냐는 질문에 '친절한 마음'이 곧 불교라고 말합니다. 작은 친절과 따뜻한 몇 마디 말이 지구를 행복하게 합니다. 지구를 행복하게 한다는 것은 지구 안에 살고 있는 모든 존재들이 그 행복감을 누리게 됨을 의미합니다. 이번 여름안거 기간 동안 '친절'을 화두 삼으시기 바랍니다.

누군가 저에게 "스님의 가풍은 무엇입니까?" 하고 물은 적이 있습니다. 이 자리에서 제 가풍에 대해 몇 가지 말씀드리겠습니다. 지금은 돌아가셨지만 노스님 한 분이 계셨습니다. 저와 허물없는 사이여서 그 노스님 방에 자주 가곤 했는데, 어떤 여성 신도가 와서 늘 노스님에게 안마를 해 주었습니다. 발도 주무르고 팔도 주무르고, 허리 어깨 할 것 없이 밤이 늦어 삼경(밤 11시-새벽 1시)이 가까워지도록 안마를 했습니다. 이것은 좋은 모습이 아닙니다. 그런데 그 스님의 상좌도 자기 은사스님처럼 젊은 여성 신도에게 똑같이 안마를 시키는 것이었습니다. 그런 일이 반복되다가 결국 절이 발칵 뒤집혀서 그 스님을 배척한 일이 있었습니다.

수행자에게 어울리지 않는 일은 하지 말아야 합니다. 습관이 됩니다. 업이란 하나의 습관입니다. 누가 보든 보지 않든 해서는 안될 일은 하지 말아야 합니다. 이 몸뚱이는 길들이기에 달려 있습니다. 그러므로 애초에 나쁜 길이 안 들도록 미리 단호히 끊어 버려야 합니다. 인정사정 두어서는 안 됩니다.

가풍이라 할 것은 없지만, 두세 해 전의 일입니다. 이 절에 빚이 많고 형편이 어렵다고 하니까, 어떤 업자들이 절에 납골당을 지으면 어려움을 깨끗이 해결할 수 있다며 주지스님과 저를 유혹했습니다. 설계도까지 가지고 와서 몇 차례나 졸랐습니다. 이 절을 만들 때 맑고 향기로운 도량, 또 가난한 절을 원했기 때문에 그것은 우리 이념에 맞지 않았습니다. 납골당을 만들면 돈이 쏟아져 들어

와서 신도들의 경제적인 부담은 덜어 줄지 모르지만, 그것은 진정한 도량이 아닙니다.

이 절의 신도들은 깊이 명심하십시오. 스님들은 절에서 한때 머물다 가지만, 신도들은 대를 이어 이 도량을 지키고 보살펴야 합니다. 앞으로 어떤 일이 또 벌어질지 모릅니다. 신도들이 맑고 향기롭게 지키고 가꾸려는 의지를 잃지 않으면, 그 도량은 누가 와서 살든 맑고 향기로운 도량이 됩니다. 물질이 많아서 흥청거리는 절을 더러 보셨을 것입니다. 그곳은 청정한 부처님 도량이 아닙니다. 돈 많은 절에 가 보면, 스님들 눈빛부터가 다릅니다. 그곳은 절이 아니라 장사꾼들 장터입니다. 그런 도량이 적지 않습니다.

불교가 처음 우리나라에 올 때 돈과 절을 가지고서가 아니었습니다. 간절한 부처님의 마음과 자비심을 가지고 교화하기 위해 들어왔습니다. 그 한 생각으로 지금까지 이렇게 절들이 생기고 도량이 생겨난 것입니다.

저의 또 하나의 가풍으로, 주지스님과 대중스님한테 늘 말하는 것이 있습니다. 절 일꾼이든 스님이든, 대중을 받아들이는 것은 제가 간섭하지 않을 테니 여기 사는 스님들이 알아서 하되, 누구든 자의에서가 아니라 타의에 의해 내보내야 할 경우에는, 반드시 사전에 저와 의논하라고 했습니다. 일단 이 도량에 들어왔으면 같은 식구입니다. 같은 법의 형제입니다. 그런데 맞지 않는 부분이 있다고 해서 사람을 함부로 내보내는 것은 도리가 아닙니다.

또 한 가지, 이 절에는 우리가 이 도량에 오기 전부터 살았던 나무들이 있습니다. 이 오염된 대기 중에 나무들이 있기 때문에 도량이 될 수 있는 것입니다. 살아 있는 나무들입니다. 이 나무들을 보호하지는 못할망정 다치게 해서는 안 됩니다. 제 허락 없이 나뭇가지 하나라도 자르지 말라고 늘 당부합니다. 나뭇가지가 건물을 유지하는 데 지장이 있거나 할 때는, 면밀히 검토해서 두고두고 지켜본 뒤 꼭 필요한 경우에만 나무에게 사전 양해를 구하고 가지치기를 해야 합니다. 우리 눈에 거슬린다고 해서, 그늘지고 습하다고 해서 함부로 베어서는 안 됩니다. 늘 당부합니다. 우리보다 먼저 들어와서 산 생명체들이기 때문입니다.

이런 마음으로 스님과 불자들이 도량을 가꿀 때, 그곳은 진리의 빛을 발합니다. 이곳에 오면 모두들 좋아합니다. 여기 머물고 정진하는 스님과 불자들이 그만큼 안으로 청정하게 정진하고 있어서, 그 빛이 저절로 이 도량에 비쳐 나오기 때문일 것입니다.

이 세상에서 가장 위대한 종교는 친절이라는 것을 마음에 거듭 새겨 두시기 바랍니다. 작은 친절과 따뜻한 몇 마디 말이 이 지구를 행복하게 한다는 사실 역시 기억하시기 바랍니다. 우리들 생애에서 기념할 만한 안거가 되도록 부지런히 정진하십시오.

자신을 등불 삼고 진리를 등불 삼으라

2004년 5월 26일 부처님오신날

로마 교황청의 종교간대화평의회 의장 마이클 피츠제럴드 대주
교는 부처님오신날을 맞아 전 세계 가톨릭교도들을 대표해 '불교
도들에게 보내는 경축 메시지'를 발표했다. "부처님오신날은 우리
그리스도인에게 불교를 따르는 친구와 이웃을 방문해 서로 인사
를 나눌 수 있는 기회입니다. 저는 우리의 이러한 우정 어린 관계
가 세대와 세대를 이어 계속 성장해 나가기를 바라 마지않습니다.
서로의 기쁨과 희망, 슬픔과 걱정거리를 함께 나누면서 말입니
다." 그의 선임자인 프란시스 아린제 추기경이 1995년 불교도들
에게 다정한 축하 메시지를 보냄으로써 그것이 교황청 안에서 하
나의 아름다운 전통이 된 것이다.

오늘 아침 산을 내려오며 이런 생각을 했습니다. 내가 만약 부
처님 법을 만나지 못했다면 지금쯤 무엇이 되어 있을까? 카드빚
때문에 곤경에 처해 있을까? 혹시 무료 급식소나 기웃거리지 않
을까? 제가 한때 원했던 산지기나 등대지기의 자리에서도, 아마
지금쯤은 세월의 물결에 휩쓸려 밀려났을 것입니다.

한 사람의 출생은 그 정신적 깊이만큼 주위에 파장을 일으킵니

다. 부모와 친구, 스승의 영향도 적지 않지만 종교적인 성자의 경우에는 그 영향이 온 세상에 널리 파급됩니다. 하지만 한 사람의 단순한 출생만으로는 존재 의미가 그리 크지 않습니다. 그 삶의 모습과 자취가 온 세상에 빛을 발할 때, 세상의 어둠을 밝힙니다.

오늘을 '부처님오신날'이라고 흔히 말합니다. 그러나 부처님은 일찍이 오지도 않았고 가지도 않았습니다. 우리가 찾아서 만나야 할 존재입니다. 그럼 부처님을 만난 적이 있습니까? 내가 부처님을 만난 적이 있는가, 스스로 물어보십시오. 부처님을 어느 특정 인이라고 생각하지 마십시오. 2,500년 전 인도 석가족 출신의 성자라고만 생각하지 마십시오. 부처라는 말은 단 한 사람밖에 없는 고유명사가 아니라 보통명사입니다. 누구든 부처가 될 수 있기 때문입니다.

부처를 한정된 틀에 가둘 수는 없습니다. 불자들이 현재 이해하고, 믿고, 행하고 있는 것만을 불교로 생각해서는 안 됩니다. 가장 비불교적인 것을 불교로 잘못 알고 있는 경우도 허다합니다. 다시 말하지만, 부처나 불교를 어떤 틀에 고정시키지 말아야 합니다. 그것은 부처도, 그 가르침도 아닙니다.

우리는 하루에도 몇 차례씩 살아 있는 부처를 만날 수 있습니다. 그러면서도 어떤 특정한 인물만을 부처로 떠받들려고 하기 때문에 스치고 지나갑니다. 부처를 어떤 특정 인물로 고정시킬 수는 없습니다. 그렇게 하면 살아 있는 참 부처를 놓치게 됩니다.

경전에 나오는 이야기 가운데 부처님이 살아 계실 당시의 일화가 하나 있습니다. 부처님에게는 박카리라는 제자가 있었습니다.

어느 날 박카리가 중병이 들어 나을 기약 없이 앓고 있었습니다. 그는 죽기 전 부처님을 꼭 한 번 뵙고 하직 인사를 드리는 것이 원이었습니다. 그래서 자신을 간호해 주던 스님에게 부탁해서, 부처님을 마지막으로 한 번 뵙게 해 달라고 청을 드립니다. 그 소식을 전해 들은 부처님이 앓고 있는 박카리를 찾아갑니다. 이때 박카리가 부처님에게 소원을 말합니다.

"죽기 전 부처님을 꼭 한 번 뵙고 하직 인사를 드리는 것이 제 소원이었습니다."

이 말을 듣자 부처님은 정색하며 말합니다.

"언젠가는 썩어질 이 몸뚱이를 보고 예배를 해서 어쩌자는 것인가? 법을 보는 자는 나를 보아야 하고, 나를 보는 자는 법을 보아야 한다. 진정한 나를 보려거든 법을 보라."

여기서 말하는 법이란 진리, 혹은 도리입니다. 부처님을 본다는 것은 부처님의 육신을 보는 것이 아닙니다. 그분의 정신과 가르침, 세상의 도리를 보는 것입니다. 〈금강경〉에도 나오지 않습니까?

"범소유상凡所有相이 개시허망皆是虛妄이니 약견제상若見諸相이 비상非相이면 즉견여래卽見如來니라. 모든 현상은 다 허망한 것, 허망하다는 것은 실체가 없다는 것이다. 그러므로 모든 현상이 실상이 아닌 줄 안다면 곧 여래를 볼 것이다."

현상은 일시적인 것이지 영원한 것이 아닙니다. 결국 허상입니다. 그렇기에 현상이 실상이 아닌 줄 안다면, 진리를 볼 수 있다는 가르침입니다. 그러므로 부처님은 어느 특정한 시대나 장소에만 존재하는 것이 아닙니다. 먼 곳에 있는 것도 아닙니다. 바로 지금 우리 곁에 있을 수 있습니다. 눈이 있는 사람이라면 언제 어디에서나 만날 수 있는 그런 존재입니다. 불타 석가모니는 육신의 나이 여든이 되어 생을 마치면서, 마지막으로 제자들에게 이렇게 설법합니다.

"자기 자신에게 의지하고, 진리에 의지하라. 자기 자신을 등불 삼고, 진리를 등불 삼으라自燈明 法燈明."

여기서 자기 자신이라는 것은 성내고, 화내고, 삐뚤어진 자기가 아니라 본래적인 청정한 자기입니다. 이것이 불교가 타 종교와 다른 점입니다. 설령 부처님 자신이라 하더라도 그것은 타인입니다. 불교란 부처님의 가르침을 믿고 따르는 것만이 아니라, 스스로 부처가 되는 길입니다. 그렇기 때문에 우리가 의지할 것은 본래적인 자기와 진리, 이것뿐입니다. 자신과 진리를 제쳐 두고 다른 데 의지하는 것은 일시적인 위로에 지나지 않습니다. 강을 건너기 위해 다리에 선 것에 불과합니다.

인생의 길은 저마다 자기 자신이 걸어가야 합니다. 누구도 대신가 줄 수 없습니다. 살고 죽는 일도 각자의 몫입니다.

부처님의 가르침은 대장경 안에만 있는 것이 아닙니다. 살아 있는 가르침은 언제나 지금 이 자리에 이렇게, 그때 그곳에 그렇게 있습니다. 우리가 사랑하고 미워하며, 즐거워하고 괴로워하며 살아가는 바로 그곳에 진리가 있습니다. 무엇에도 정신을 빼앗기지 않고 깨어 있으며 삶의 지혜와 사랑을 실천하는 그 자리에 부처님의 가르침이 있습니다. 지혜와 사랑을 스스로 행하는 그때 그곳에 부처님은 오십니다.

여래如來라는 이름에는 두 가지 뜻이 있습니다. 하나는 진리에 도달한 자라는 뜻이고 또 하나는 진리에서 온 자라는 뜻입니다. 다시 말하면 진리를 말하러 온 사람이라는 뜻입니다. 산스크리트 어로 타타가타, 타타아가타, 이렇게 두 가지로 불립니다.

부처님 탄생게에 이런 노래가 있습니다. "천상천하 유아독존天上天下 唯我獨尊." 태어나자마자 갓난아기가 사방으로 일곱 걸음을 걸으며 한 손으로는 하늘을 가리키고 다른 한 손으로는 땅을 가리키면서 "천상천하 유아독존." 하고 말했다는 것입니다. 물론 이것은 역사적 사실이 아니라, 후세에 부처님을 신격화한 데서 온 말입니다. 그런데 여기에는 깊은 불교적인 의미가 담겨 있습니다. 이를 현대적인 용어로 표현하면 이렇습니다.

"하늘과 땅 사이에 살아 있는 것은 다 존귀하다."

이 세상에 귀하지 않은 것은 하나도 없다는 뜻으로 생명의 존엄성을 선언한 말입니다.

살아 있는 모든 생명체는 안락과 행복을 바랍니다. 폭력과 죽음을 두려워하고 싫어합니다. 이와 같은 도리를 안다면 남에게 폭력을 가하거나 해쳐서는 안 됩니다. 결국 그것은 크게 보면 자기 자신에게 폭력을 가하고, 스스로를 해치는 결과를 가져옵니다. 생명이 존귀하다는 것은 그 자체가 무엇과도 바꿀 수 없는 절대 가치이기 때문입니다. 생명은 단 하나밖에 없는 존재의 뿌리입니다. 생명의 무게를 다는 저울이 있다는 소리 들어보셨습니까? 그런 저울은 어디에도 없습니다. 우리가 이렇게 만나서 이야기하고 들고 있는 것은 살아 있기 때문입니다.

어떤 사람이 죽을 때 혼자만 죽는 것은 결코 아닙니다. 그의 가족과 친척, 친구들, 그와 관계된 모든 세계가 함께 무너져 내립니다. 심지어 그가 평소에 지녔던 물건까지도 빛을 잃습니다. 그러므로 한 사람의 목숨을 앗아 가는 것이 얼마나 많은 사람들에게 상처를 입히는 일인가를 명심해야 합니다.

어린 생명을 죽이는 동반 자살은 분명 살인 행위입니다. 왜 어린 싹들을 죽입니까? 돈 때문에 생명을 수단으로 여기는 일은 일반 동물계에서는 상상도 할 수 없는, 어리석은 인간만의 소행입니다. 하늘과 땅 사이에 생명의 높고 귀함은 사람만이 아닙니다. 살아 있는 것들은 식물이든 동물이든 다 존귀합니다. 어떤 경우에는 동물의 사랑이 더 지극하고 원시적입니다.

오늘날 지구 생태계의 위기 앞에서 우리가 각성해야 할 첫 번째 과제는 바로 생명의 존엄성에 대한 인식입니다. 우리가 의지해 살아가고 있는 지구는 인간만의 독무대가 아닙니다. 살아 있는 것들끼리 서로 조화와 균형을 이루며 연결되어 있는 하나의 커다란 생명 공동체입니다. 이 지구는 무기물이 아닙니다. 그 커다란 생명체 가운데 하나가 우리 자신들이고 개체입니다. 부처 탄생의 노래인 이 말을 기억하십시오.

"하늘과 땅 사이에 살아 있는 것은 다 높고 귀하다."

종교는 별다른 것이 아닙니다. 매 순간 친절과 자비를 실천하는 일입니다. 절에 다니고, 교회에 다니는 것 그 자체는 대단할 것이 없습니다. 그곳에서 배워 오는 가르침들을 일상의 삶 속에서 행할 때, 그것이 바로 살아 있는 종교를 믿고 행하는 일입니다. 그런 과정을 통해 진짜 부처가 되고, 보살이 되고, 신이 되어 가는 것입니다. 그런 행이 없고 종교적인 이론만 머리에 머물러 있다면 그것은 회색의 이론일 뿐입니다. 거기에는 생명력이 없기 때문에 어떤 가치도 없습니다.

오늘 부처님오신날을 기리기 위해 이 자리에 오신 여러분들, 이 시대 이 공간에서 다 같이 부처와 보살이 되십시다. 자비심이 곧 부처이고 보살이라는 말을 깊이깊이 새겨 두십시오. 이와 같은 우리들의 결의가 곧 부처님을 이 땅에 오시게 하는 일이고, 우리 불교도들의 도리입니다.

우리가 누군가를 용서하면
신도 우리를 용서한다

2004년 4월 18일 봄 정기법회

지난해 12월 말 스님은 10년째 이끌던 시민단체 '맑고향기롭게'의 회주와 길상사 회주직을 내놓는다고 발표했다. 모든 공식 직책을 내려놓고 자연인으로 돌아가기로 한 것이다. 대신 스님은 "회주는 그만두어도 한 사람의 불자와 '맑고향기롭게'의 회원으로 머물며 힘닿는 데까지 돕겠다."고 말했다. 그리고 두 달에 한 번씩 열던 정기법회를 매년 봄, 가을 두 차례만 갖기로 했다. 최화우催花 雨(꽃을 재촉하는 비) 뿌리는 이날, 약속대로 봄 정기법회를 위해 산에서 내려온 스님은, 살아 있는 뭇 생명들이 겨우내 응축한 생명수를 마음껏 뿜어내며 꽃피우는 찬란한 봄을 노래하는 것으로 말문을 열었다. 스님이 사는 산중에는 4월 말에도 두 차례 눈이 내렸지만 지난해보다 이른 이번 주에 오두막 옆 개울물이 첫 진달래 꽃잎을 싣고 내려왔다.

온 천지가 지금 꽃과 잎입니다. 겨울 동안 아무 표정도 없이 묵묵히 있던 나무들이 저렇게 활짝 잎을 펼치고 있습니다. 살아 있는 생물들은 봄철이면 안으로 차곡차곡 지녔던 생명력을 마음껏 뿜어냅니다. 보십시오, 나무마다 다른 빛깔을 하고 있습니다. 이것이 그 나무의 진짜 빛깔입니다. 이 기간이 지나고 나면 모두 거의 같은 초록이 됩니다. 그러나 처음 피어날 때는 그 나무만이 지니는 아주 독특한, 여리고 투명한 빛깔들을 볼 수 있습니다. 사람도 마찬가지입니다. 누구나 자기 특성들을 지니고 있는데 세상에서 어울려 살다 보니까 그 특성들이 소멸되고 거의 비슷비슷하게 닮아 가는 것입니다.

제가 겪은 경험인데, 꽃은 가까이서 볼 꽃과 멀찌감치 떨어져서 바라볼 꽃이 있습니다. 매화나 수선화, 배꽃, 제비꽃은 가까이에서 보아야 합니다. 그런데 복사꽃이나 산벚꽃은 멀리 떨어져서 바라보아야 합니다. 솔직히 말씀드리자면, 복숭아꽃을 보고 있으면 이 나이에도 가슴이 설렙니다. 또 그런 분위기에 반쯤 기대고 싶어집니다. 봄날 핀 분홍색 꽃에는 그렇게 사람을 들뜨게 하는 묘한 마력이 있습니다.

하지만 복숭아꽃 빛깔이 너무도 좋아서 거기에 홀려 한 가지 꺾어다가 화병에 꽂아 볼까 하고 가까이 다가가서 보면 이건 아닙니다. 비슷한 경험을 하신 분들이 있을 것입니다. 복숭아꽃에게는 미안하지만, 멀리서 바라볼 때는 아주 환상적이고 사람을 들뜨게 하는데 바로 가까이에서 대하면 그 맛이 사라집니다.

인간사도 마찬가지입니다. 가까이에서 대해야 그 사람을 바르게 이해할 수 있는 경우도 있지만, 가까이 대하면 실망하는 경우도 있습니다. 이런 때는 멀리서 바라보는 것으로 그쳐야 합니다. 저를 포함해서 수행자들은 멀리서 바라보아야지 가까이 대하면 크게 실망할 수가 있습니다.

'청정한 승가야중僧伽耶衆에게 귀의한다.'고 기도하지 않습니까? 제가 몇 해 전에 어떤 사람에게서 듣고 크게 깨쳤습니다. 그 사람은 절이 아닌 스님들이 모이는 사무실 비슷한 곳에서 경전 강의가 있어 몇 차례 갔었다고 합니다. 그런데 스님들한테서 역겨운 냄새가 풍겨 도저히 들어가고 싶지 않았답니다. 먹는 것, 입는 것을 포함해 함부로 지내는 사람들이 모이는 곳에서는 그런 역겨운 냄새가 나는 모양입니다. 그 사람은 속으로 '아, 도 닦기 전에 몸부터 닦아야 하겠구나.' 하고 느꼈다고 합니다. 그 이야기를 들으면서 저도 많은 깨우침을 받았습니다.

승려들은 좀 무심해서 입는 것에 별로 신경을 쓰지 않습니다. 일하다가 땀이 나도 잘 씻을 줄 모르고, 〈반야심경〉에서 늘 '불구부정不垢不淨(더러운 것도 없고 깨끗한 것도 없음)'이라고 하니까 깨끗할 것도 더러울 것도 없다는 것이 관념화되어 잘 씻지 않습니다.

꽃과 새 잎사귀가 펼쳐지는 이 눈부신 신록 앞에서 '사람도 꽃과 나무처럼 철 따라 새롭게 피어날 수는 없을까?' 이런 생각을 하게 됩니다.

한 제자가 스승에게 묻습니다.

"전 생애를 두고 제가 행할 수 있는 가르침을 한마디 내려 주십시오."

스승은 이렇게 말합니다.

"그것은 바로 용서이다."

용서란 남의 허물을 감싸 주는 일입니다. 또 너그러움이고 관용입니다. 용서는 인간의 여러 미덕 중에서도 가장 으뜸가는 미덕입니다.

오늘은 용서에 대해 이야기하려고 합니다. 저 자신을 포함해 사람에게는 누구나 크고 작은 허물이 있습니다. 허물 없는 사람이 어디 있습니까? 그 허물을 낱낱이 지적하면서 꾸짖으면 결코 고쳐지지 않습니다. 허물을 지적받고 질책받는 사람은 그만큼 마음에 상처를 입게 됩니다. 여기서 우리가 미리 가려야 할 것은, 선의의 충고와 꾸짖음은 본질적으로 다르다는 점입니다. 선의의 충고는 인간 형성의 길에 유용합니다.

그렇지만 함부로 꾸짖거나 흉을 보거나 해서는 안 됩니다. 허물을 감싸 주고 덮어 주는 용서는 사람을 정화시킵니다. 순식간에 정화시키고 맺힌 것을 풀어 줍니다. 용서는 마음속에 사랑과 이해의 통로를 열어 줍니다. 지금 우리가 사는 세상은, 가정과 사회를 가릴 것 없이 용서의 미덕이 점점 사라져 가고 있습니다. 남의 결점만을 들추는 사람은 남이 지닌 미덕을 볼 수 없습니다. 어떤 사람이든 다 결점 투성이일 수는 없습니다. 그런데 결점만을 들추면 그 사람이 지니고 있는 미덕을 놓치게 됩니다. 그의 시선에는 온기가 없기 때문입니다.

이 봄날, 꽃과 잎이 눈부시게 피어나고 만물이 소생하는 것은 훈훈한 봄기운 덕입니다. 제가 사는 곳도 예전 같으면 4월 말이나 5월 초순이 되어야 진달래가 피는데 벌써 피어나고 있습니다. 날씨가 따뜻하니까 꽃과 잎들이 서둘러 피어납니다.

가을날 잎이 지고 만물이 시드는 것은 차디찬 서릿바람 때문입니다. 남의 허물이나 결점이 눈에 띌 때 그 시선을 돌려서 자기 자신을 들여다볼 수 있어야 합니다. 내게는 그런 허물과 결점이 없는가, 스스로 물어야 합니다. 중생계는 너나 할 것 없이 비슷비슷한 속성들로 이루어져 있습니다.

〈법구경〉에 이런 법문이 있습니다.

남의 허물을 보지 말라.
남이 했든 말았든 상관하지 말라.
다만 너 자신이 저지른 허물과 게으름만을 보라.

한 제자가 스승에게 묻습니다.

"어떻게 해야 참된 수행자가 될 수 있는지 말씀해 주십시오."

스승은 다음과 같이 말합니다.

"네가 진정으로 마음의 평화를 누리고 싶거든 언제 어디서나 '나는 누구인가?' 하고 물으라. 그리고 그 누구의 허물을 들추지 말라."

이것이 스승의 가르침입니다. 자기 자신을 주시함으로써 밖으로 한눈파는 일이 사라지게 됩니다.

일단 지나간 일을 다시 들추지 마십시오. 과거를 묻지 마십시오. 그것은 아물려는 상처를 건드려 덧나게 하는 것과 같습니다. 친구 간이든 부모 자식 간이든 또는 부부간이든 이미 지나간 과거사를 들추어내어 다시 곱씹는 것은 누구에게도 이롭지 않습니다.

가족 사이도 예측할 수가 없습니다. 좋은 업을 지어서 같이 단란하게 사는 가족이 있는가 하면, 갈등이 심해 늘 분란이 있고 편치 않은 가정이 있습니다. 이것은 어떤 단면만 가지고 보면 이해하기 어려운데, 시작도 끝도 없는 업의 흐름으로 보면 이전에 지었던 업의 찌꺼기가 남아서 지금도 파동이 이어지고 있는 것입니다. 멀리 있으면 안 되니까 바로 그 집의 자식이나 아내가 되어서 낱낱이 들쑤셔 놓는 것입니다.

옛날 사막지방에서 신앙생활을 하던 수도자들이 있었습니다. 이들의 일화를 모아서 엮어 놓은 글이 〈사막 교부들의 금언집〉입니다. 그 책을 보면 수도자들이 어떤 생각을 가지고 수도했는가를 엿볼 수 있습니다. 한 수행자가 선배인 원로에게 묻습니다.

"내 이웃의 잘못을 보았을 때 그것을 지적하지 않고 그대로 덮어 두는 것이 과연 옳은 일인가요?"

누구나 지닐 수 있는 의문입니다. 이때 원로의 대답은 다음과 같습니다.

"우리가 이웃의 잘못을 덮어 주면 그럴 때마다 하느님께서도 우리의 잘못을 덮어 주신다네. 그리고 우리 이웃의 잘못을 폭로할 때마다 하느님께서 우리의 잘못을 폭로하시지."

용서가 있는 곳에 신이 계십니다. 이 말을 기억하십시오. 부처와 보살들이 나를 지켜보고 있습니다. 우리가 이 세상을 사는 것은 일종의 업의 놀음입니다. 업이란 무엇입니까? 몸으로 그렇게 행동하고, 입으로 그와 같이 말하고, 속으로 그와 같이 생각하는 것, 이것이 업입니다. 내가 살 만큼 살다가 이 세상과 작별할 때 내 영혼의 그림자처럼 나를 따르는 것은 내가 살아온 삶의 자취이자 찌꺼기인 업입니다.

업은 한 생애로 끝나지 않습니다. 우리는 시작도 끝도 없는 업의 바다에서 떠올랐다가 가라앉기를 무수히 되풀이하고 있습니다. 이것을 불교 용어로 윤회라고 합니다. 마치 수레바퀴가 돌듯이 한다는 뜻입니다. 육도 윤회라고 하는데, 육도라는 것은 중생이 업에 의해 생사를 반복하는 여섯 가지 세계로 지옥계, 아귀계, 축생계, 수라계, 인간계, 천상계를 가리킵니다.

업으로 인해 맺힌 꼬투리를 풀어야 합니다. 그래야 자유로워집니다. 어디에 맺혀 있으면 안팎으로 자유롭지 못합니다. 나 혼자 사는 세상이 아니고 늘 관계 속에서 살기 때문에 서로의 관계가 투명해야지, 무언가 꼬투리가 있어서 얽히게 되면 서로가 불편합니다. 그것은 누가 어쩔 수 있는 것이 아니라 마음이 그렇게 만듭니다.

언젠가 자기 차례가 오면 누구나 이 세상을 떠납니다. 싫든 좋든 일단 죽음이 나를 찾아오면 받아들여야 합니다. 피할 수 없습니다. 모든 생명의 현상입니다. 죽음을 나쁘게 생각하지 마십시오. 1막의 끝입니다. 2막으로 들어가기 위해 무언가 맺어짐이 있어야 합니다.

죽음을 어두운 것으로, 괴로운 것으로, 두려운 것으로 생각하지 마십시오. 죽음은 새로운 삶을 시작하기 위해 매듭을 짓는 일입니다. 이 육체가 나의 전부라고 생각하여 육체의 소멸을 아쉬워하고 무서워하고 이다음에 어떻게 될 것인가 두려워하지만, 우리 영혼은 어디서 태어나지도 않고 죽지도 않습니다. 불생불멸입니다. 본래 그렇게 있는 것입니다. 늘 인연 따라 새로운 몸을 받았다가 버리고 또다시 받을 뿐입니다. 나무를 보십시오. 저 나무가 살 만큼 살고 죽는다고 해서 그걸로 끝이 아닙니다. 씨앗이 떨어져서 새로운 나무를 이룹니다.

모든 살아 있는 것은 그렇습니다. 죽음도 살아가는 모습으로 생각해야 합니다. 이다음 생을 하나의 새로운 시작으로 생각하면 두려울 것이 없습니다. 평소부터 그런 생사관을 갖는다면 순간순간 사는 일이 그렇게 막막하지 않습니다. 죽음이 두려울 수가 없습니다. 그 대신 순간순간 내가 어떻게 살아야 할 것인가를 새롭게 챙겨야 합니다. 죽음 앞에서는 모든 것을 다 받아들이지 않을 수 없습니다. 인생의 종점에서 용서 못 할 일은 없습니다. 한세상 업의 놀음에서 풀려나야 됩니다. 부모는 자식을 가르치면서 자식의 허물을 끝없이 용서하고 받아들입니다. 이런 과정을 통해서 한 여성과 한 남성이 강인한 어머니가 되고 아버지가 됩니다. 대지의 어머니, 아버지가 됩니다.

아메리카 인디언들의 속담에 "남의 모카신을 신고 십 리를 걸어가 보기 전에는 그 사람에 대해 말하지 말라."는 말이 있습니다. 그 사람의 처지에 서지 않고서는 그 사람을 바르게 이해하기 어렵습니다. 용서는 내 입장이 아니라 저쪽 입장에서 생각하는 것입니다. 용서를 거쳐서 저쪽 상처가 치유될 뿐 아니라 굳게 닫힌 이쪽 마음의 문도 활짝 열리게 됩니다. 용서하는 사람은 너그럽습니다. 일단 마음의 문이 열리고 나면 그 문으로는 무엇이든 다 드나들 수 있고 받아들일 수 있습니다. 이와 같은 용서를 통해서 인간됨이 형성되고, 그 사람의 그릇이 커집니다. 이것이 또한 사람이 꽃피어 나는 소식이고 인간이 성숙해 가는 소식입니다.

지금 여기 오신 분들 중에 만약 누군가와 맺힌 것이 있는 분이 계시다면 오늘 이 자리에서 제 이야기를 들은 인연으로 다 풀어 버리십시오.

새잎이 펼쳐지는 이 눈부신 계절에 마음의 문을 활짝 열고 살아야 합니다. 그래야 내 안에 잠재된 좋은 기운이 새잎처럼 펼쳐질 수 있습니다. 마음의 문이 열리지 않으면 설령 내 안에 아무리 좋은 잠재력과 가능성이 있다 하더라도 잠들어 버리고 맙니다. 무거운 짐을 부려 놓고 가볍게 살아야 합니다. 얽히고설킨 업의 관문에서 벗어나십시오. 그물에 걸리지 않는 바람처럼 그렇게 살 수 있어야 합니다.

제 말은 이만 마칩니다. 남은 이야기는 지금 눈부시게 피어나고 있는 나무에게서 들으시기 바랍니다.

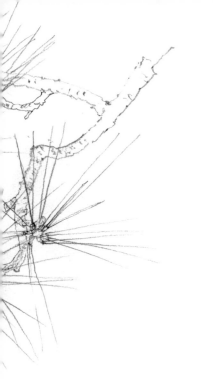

커다란 침묵과 하나 될 때 내가 사라진다.
무아의 경지에 든다. 어딘가에 순수하게 집중하고 몰입할 때
나라는 존재가 사라진다. 내가 없는 그 무한한 공간 속에
강물처럼 끝없이 흐르는 에너지가 있다.
말없이 가만히 앉아 있다고 해서 혼돈 상태가 아니다.
정신은 또렷하고 아무 번뇌 망상 없는 그 침묵 속에
강물처럼 흐르는 에너지가 있다.

노파가 암자를 불태우다

2004년 2월 5일 겨울안거 해제

겨울이 끝나 감에도 영하인 날씨 속에 동안거의 빗장이 풀렸다. 이날 스님은 강원도의 흰 눈을 몸에 묻히고 산에서 내려왔다. "설들 잘 쇠셨습니까? 강원도에는 오늘 눈이 많이 와서 제가 길상사 오는 데 시간이 좀 걸렸습니다. 그런데 여기 서울 쪽으로 오니까 눈이 전혀 안 내립니다." 법회 이튿날, 강원도엔 기어이 폭설주의보가 내렸고, 눈은 닷새 동안이나 더 이어졌다. 낮 최고기온도 영하 8도를 밑돌았다. 이해엔 4월 말까지도 눈이 왔다. 추위가 기승을 부리고 물 사정이 나빠 좀 더 낮은 곳에 겨울용 임시 거처를 마련할까도 생각했지만 스님은 견뎌 보기로 했다. 스님이 사는 지역을 잘 아는 사람 얘기로는 전기도 없는 그곳에서 겨울을 나는 것은 알래스카 체험과 맞먹는다고 했다. 2, 3월이면 몹시 스산한 골짜기바람이 온종일 휘몰아친다.

해가 바뀌면 나이가 한 살씩 보태지는 사람도 있고 한 살씩 줄어드는 사람도 있습니다. 보태지는 쪽인지 줄어드는 쪽인지 한번 헤아려 보십시오. 육신의 나이는 세월이 알아서 하니까 집착할 것 없습니다. 사람은 살아온 세월만큼 인간적으로 성숙해야 합니다.

성숙할수록 젊어집니다.

성숙해져야 모든 것이 제대로 보입니다. 전에는 결코 들리지 않고 보이지 않던 것들이 나이를 먹고 안으로 여물기 시작하면 새롭게 다가옵니다. 산마루에 올라가서 내려다보면 자기가 한 걸음 한 걸음 밟고 올라온 길이 한눈에 내다보입니다. 인간의 삶도 마찬가지입니다.

선의 역사서에 다음과 같은 일화가 있습니다.

어떤 재가신도인 보살이 한 스님을 지극히 받들어서 공양합니다. 그 스님도 점잖고 빈틈없는 분이었습니다. 20년을 두고 하루같이 섬겼습니다. 집에서 조금 떨어진 암자에 모시고 보살폈는데, 보살은 열여섯 살 난 자기 딸에게 늘 스님에게 가져다줄 음식을 나르도록 시켰습니다. 20년 동안 날랐으니 그 집 딸도 서른여섯 살이 되었습니다.

어느 날 어머니가 딸에게 말합니다.

"오늘 공양을 가져다 드린 뒤 스님을 끌어안고서 이렇게 물어보거라. '스님 이런 때는 어떻습니까?' 라고."

평범한 보살이 아니고 식견이 있는 보살입니다. 이것은 요즘 이야기가 아니라, 약 천 년 전의 오래된 일입니다.

딸이 어머니가 시키는 대로 스님을 껴안으며 묻자, 스님이 대답합니다.

"마른나무가 차디찬 바위에 기대니 한겨울에 따뜻한 기운이 없다枯木依寒巖 三冬無暖氣."

아주 빈틈없이 열심히 수행을 한 스님입니다. 아름다운 여인이 자기 품에 안기는데도 차디찬 바위처럼, 고목처럼 흔들림이 없다는 것입니다. 대단한 경지입니다. 그러나 보살은 그 말을 전해 듣고 크게 분개합니다.

"내가 사람을 잘못 봤구나. 20년 동안 겨우 속한俗漢을 공양했더란 말이냐."

속한이라는 것은 속물, 사이비 중입니다. 보살은 당장 그 스님을 암자에서 쫓아냅니다. 그리고 암자를 불태워 버립니다.

20년 동안 제대로 수행을 했다면 마른나무가 되어서도 안 되고 차디찬 바위가 되어서도 안 됩니다. 20년 동안 수행을 하지 않아도 그렇게 될 수 있습니다. 여기에 종교와 도덕의 차이가 있습니다. 종교와 도덕은 다 같이 선을 추구하면서도, 종교는 상식의 틀에서 벗어납니다. 극복하고 뛰어넘습니다. 그것이 종교의 세계입니다.

도덕은 인간의 윤리를 그대로 짊어집니다. 착한 일을 해야 하고, 남의 여인을 끌어안아서는 안 됩니다. 도덕적인 입장에서 보면 수행자가 여인을 차디찬 바위와 고목으로 보는 것은 지극히 당연한 일이지만, 종교적인 세계에서는 아닙니다. 그래서 보살이 그 스님에게 속았다며 당장 내쫓아 버리고 암자를 불태운 것입니다. 이 일화는 선의 역사에 '파자소암婆子燒庵'이라는 화두로 기록되어 있습니다.

시줏밥이란 이렇듯 무서운 것입니다. 스무 해 동안 수행했다는 사람이 겨우 마른나무와 차디찬 바위를 닮아서는 안 됩니다. 그것은 잘못된 일입니다. 그렇다면 여러분들이 이런 일을 당할 때 어떻게 할 것인가? 각자 생각해 보십시오. 보살님들은 남자에게서 시봉을 받았다고 가정하고 한번 생각해 보십시오. 이럴 때 나는 뭐라고 답할 것인가?

저 같으면 그렇게 하지 않습니다. 그 딸의 등을 토닥토닥 다독거려 주면서 이렇게 칭찬하겠습니다.

"그래, 20년 동안 나를 위해서 참 수고 많이 했다."

오늘이 겨울안거 해제일입니다. 맺은 것을 푸는 날입니다. 살다 보면 사람끼리 맺힐 일이 있습니다. 맺힌 것도 나로 인해서 맺혔고, 맺힌 것을 푸는 것도 내가 나서서 풀어야 합니다. 이것이 종교인의 자세입니다. 자신이 주체입니다.

종교인으로 산다는 것은 자기 자신을 살피면서 그때그때 좋지 않은 것을 털어 버리는 일입니다. 묵혀 두어선 안 됩니다. 묵혀 두면 그것이 업의 그림자가 되어 내가 어떤 일을 하려고 해도 그 업력에 이끌려 잘되지 않습니다.

〈반야심경〉에 "심무가애 무가애고 무유공포 원리전도몽상心無罣碍 無罣碍故 無有恐怖 遠離顚倒夢想, 마음에 걸림이 없고 걸림이 없으므로 두려움이 없어서 뒤바뀐 헛된 생각을 아주 떠난다."는 구절이 있습니다. 안팎으로 걸림이 없어야 합니다. 걸림이 없어야 본질적인 자기가 드러납니다. 걸림이 있으면 어딘가에 묶여 버립니다. 더구나 인간관계에서 맺힌 것이 있으면 아주 부자유스럽습니다. 마음이 상쾌해야 부자유가 사라집니다. 다 풀고 쉬어 버려야 합니다. 우리가 살 만큼 살다가 마지막에 남는 것은 좋은 인간관계입니다. 남에게 따뜻한 내 마음을 열어 보인 일만 자신의 자산으로 남을 것입니다.

옛날 농경사회에는 이웃이 있었습니다. 이웃이 없으면 살 수 없도록 사회가 이루어져 있었습니다. 그런데 도시화되고 산업화된 사회에서는 이웃이 없어도 살 수 있습니다. 작은 자기에 갇혀 큰 자기를 잃어버렸습니다. '나'는 그 자체로서 존재하는 것이 아닙니다. 많은 타인과의 관계를 통해서 내가 얼마든지 크게 펼쳐질 수 있습니다. 그늘을 넓게 드리울 수 있습니다. 타인과 따뜻한 마음을 주고받음으로써 나 자신이 전체와 하나가 됩니다. 이것이 성숙한 삶입니다.

다시 말하지만, 사람은 살아온 세월만큼 성숙해져야 합니다. 인간은 성숙해질수록 젊어집니다. 세월에 찌들지 말고 더 젊어지시기 바랍니다.

중생이 앓으면 나도 앓는다

2003년 12월 21일 길상사 창건 6주년

사석에서 스님은 평소 가까이 지내는 이에게 당부의 말을 했다. 자신이 죽으면 절대로 거창한 다비식이나 화장 의식을 거행하지 말라고. "무슨 제왕이라고 세상 떠들썩하게 장례식을 치르고, 또 사리를 줍는다고 재를 뒤적이는가. 절대로 그렇게 하지 말라. 수의도 만들 필요 없다. 내가 입던 승복 그대로 입혀서, 내가 즐겨 눕던 작은 대나무 침상에 뉘여 그대로 화장해 달라. 나 죽은 다음에 시줏돈 걷어서 거창한 탑 같은 거 세우지 말며, 어떤 비본질적인 행위로도 죽은 뒤의 나를 부끄럽게 만들지 말라." 평소보다 많은 청중이 모인 이날 법회에서 스님은 '떠남'과 '새로움'의 의미를 반추했다.

"중생이 앓으면 나도 앓는다."

〈유마경維摩經〉에 나오는 교훈입니다. 이웃이 앓기 때문에 나도 앓는다는 것입니다. 함께 나누는 윤리입니다. 이 윤리 없이는 세상이 존속될 수 없습니다. 말 그대로 맑은 가난을 표방한 길상사라면 앞으로 어떤 수행자들이 살든 간에 이 도량에서는 그런 정신이 길이 이어져야 합니다.

최근에 들어서 큰스님들이 많이 돌아가시고 있습니다. 총무원에 근무하는 어느 스님 이야기를 들으니 한 달 사이에 여섯 분이 돌아가셨다고 합니다. 다른 사람의 죽음은 남은 사람들에게 많은 것을 가르쳐 줍니다. 저도 스님들 죽음의 모습을 지켜보면서 여러 가지 생각을 많이 했습니다.

언제부터인지 선가에서는 죽음에 이르러 마지막 한마디를 남기는 일이 마치 무슨 의식처럼 행해지고 있습니다. 이를 임종게臨終偈 또는 유계遺戒라고 합니다. 열반송이라는 말은 한국에서만 요즘 쓰고 있을 뿐 불교 역사 어디에서도 찾아볼 수 없습니다.

임종게는 대개 짧은 문장으로 생사에 걸림이 없는 심경을 말하고 있습니다. 죽음에 임박해 가까운 제자들에게 직접 전하는 생애의 마지막 한마디입니다. 따라서 죽기 전에 미리 써 놓은 것은 유서일 수는 있어도 엄밀한 의미에서 임종게는 아닙니다. 타인의 죽음을 모방할 수 없듯이 마지막 남기는 그 한마디도 남의 것을 흉내 낼 수가 없습니다. 그의 살아온 자취가 그를 지켜보고 있고, 그의 죽음까지도 주시하고 있기에 가장 그 자신다운 한마디여야 합니다.

남악 현태南嶽玄泰 스님이 있습니다. 이분이 예순다섯 살에 입적합니다. 외떨어진 암자에서 홀로 아주 맑게 산 분입니다. 가끔 지나가는 스님들만이 찾을 뿐 세상과는 교섭이 없었습니다. 그런데 임종하기 바로 전날입니다. 곁에 아무도 없자, 산 아래로 내려가서 지나가는 한 스님을 불러다가 화장을 당부합니다. 나무를 암자 앞에 쌓아 두고 승복을 입고 그 위에 앉아서 입적합니다. 이분이 남긴 임종게가 있습니다. 그때 화장을 도운 객스님에 의해 전해 내려온 것입니다. 〈전등록〉과 〈조당집〉에는 이분의 행적이 자세하지는 않지만 간략하게 나오고, 임종게도 기록되어 있습니다.

> 내 나이 올해 예순다섯,
> 사대가 주인을 떠나려고 한다.
> 도는 스스로 아득하고 아득해서
> 거기에는 부처도 없고 조사도 없다.
>
> 今年六十五 四大將離主
> 其道自玄玄 箇中無佛祖

> 머리를 깎을 필요도 없고
> 목욕을 할 필요도 없다.
> 한 무더기 타오르는 불덩이로
> 천 가지 만 가지가 넉넉하다.
>
> 不用剃頭 不須澡浴
> 一堆猛火 千足萬足

대개 돌아가시기 전에 머리 깎고 목욕하는 일이 있지만, 한 무더기 타오르는 불덩이 속에 모든 것이 갖추어져 있는데 무엇하러 굳이 목욕하고 삭발을 하는가, 이런 뜻입니다. 요즘 선사들의 임종게처럼 전혀 알아들을 수 없는 야단스러운 소리가 아니라, 자기 심경 그대로를 평범한 말로써 표현하고 있습니다.

육조 혜능 스님의 제자로 남양 혜충南陽慧忠 국사라는 큰스님이 있습니다. 한번은 법회에서 왕이 많은 질문을 했는데 스님은 그를 전혀 눈여겨보지도 않습니다. 왕은 화가 나서 말합니다.

"대 당나라의 황제인 나를 국사가 거들떠보지도 않는 것은 무슨 이유인가?"

그러자 스님이 왕에게 묻습니다.

"폐하께서는 허공을 보십니까?"

왕이 대답합니다.

"그렇소."

그러자 스님은 다시 묻습니다.

"허공이 폐하에게 눈짓이라도 하던가요?"

남양 혜충 스님은 임종에 이르러 유언을 듣고 싶어 하는 제자들을 꾸짖으며 말합니다.

"내가 지금까지 그대들에게 말해 온 것이 모두 내 유언이다."

따로 구차하게 유언 같은 것이 필요 없다는 소리입니다.

또 어떤 스님은 제자들이 임종게를 청하자 이렇게 나무랍니다.

"아니, 임종게가 없으면 죽지도 못한단 말이냐?"

그러면서 지금까지 자신이 해 온 말 외에 다른 임종게가 어디 있느냐고 반문합니다.

죽을 때 어떻게 죽는가, 무슨 말을 남기고 죽는가는 대단한 것이 아닙니다. 한 생애를 어떻게 살았는가가 중요할 뿐, 죽음의 현장에서 야단을 떠는 것은 바람직하지 않습니다. 구차하게 임종게니, 유계니, 유언이니 남기지 않고 바람처럼 흔적 없이 사라진 큰

스님들이 불교 역사에 아주 많습니다.

또 스님들을 화장하면 사리라는 것이 나왔다고 요란을 떨곤 하는데, 사리가 나온 것도 그리 대단한 일이 아닙니다. 사리는 원래 산스크리트어에서 온 말로, 타고 남은 유골을 가리킵니다. 불교에서 화장을 하는 이유는 아무것도 남기지 않기 위해서입니다. 본래 한 물건도 없는, 본래무일물을 그대로 드러내 보이는 소식입니다. 바로 그것이 가풍입니다. 죽어서 사리를 많이 남기면 큰스님이고, 사리가 없으면 큰스님이 못 되는 것은 결코 아닙니다.

13세기 송나라 때 조원祖元 스님이라는 분이 있습니다. 송나라 말기 원나라 군사가 쳐들어와 조원 선사가 있던 온주 능인사에도 군사들이 난입합니다. 그러나 선사는 태연자약하게 다음과 같은 게송을 읊습니다.

"천지에 지팡이 하나 꽂을 땅 없으니 기쁘도다. 사람도 비고 법마저 비어 있네. 원나라의 무거운 삼척검은 번뜩이는 그림자 속에 봄바람을 베누나."

그러자 원의 군사들이 그의 의연한 자세에 놀라 모두 칼을 거두고 엎드려 절했다는 일화가 있습니다.

조원 선사는 이런 임종게를 남겼습니다.

부처니 중생이니 모두 다 헛것.
실상을 찾는다면 눈에 든 티끌.
내 사리 천지를 뒤덮었으니
식은 재는 아예 뒤지지 말라.

諸佛凡不同是幻 若求實相眼中埃

老僧舍利包天地 莫向空山撥冷灰

　사리 줍는 것을 한번 보십시오. 타고 남은 유골을 돌에 갈고 체
에 거른 뒤, 거기서 또 무엇을 골라냅니다. 마치 사금이라도 캐는
것 같습니다. 얼마나 불경스러운 일입니까? 돌아가신 스님이 타
고 남았으면 그대로 처리해야 하는데, 이것을 덜덜 갈아서 체에다
거른 뒤 사리인지 냉면인지를 가려냅니다. 그렇게 해서 발견한 사
리가 그토록 대단한 것입니까?

　그렇다면 부처님의 진신 사리는 어디에 있는가? 부처님의 육신
에서 나온 사리, 그것은 망치로 때리면 깨집니다. 대단치 않은 것
입니다. 부처님의 진신 사리, 진짜 법신 사리는 어디에 있는가?
45년 동안 중생을 교화하면서 가르친 바로 그것입니다. 대장경으
로 전해진 바로 그것, 그 법문입니다. 그러한 가르침이 없었다면
불교가 오늘까지 존재할 수가 없습니다. 진짜 사리는 그분의 가르
침입니다.

　고려 말에 백운白雲 선사라는 큰스님이 계셨습니다. 그분은 이
렇게 읊었습니다.

　사람이 칠십을 사는 일

　예로부터 드문 일인데

　일흔일곱 해나 살다가

　이제 떠난다.

人生七十歲 古來亦希有

七十七年來 七十七年去

내 갈 길 툭 틔었거니
어딘들 고향 아니랴.
무엇하러 상여를 만드는가.
이대로 홀가분히 떠나는데.

虛濫皆歸路 頭頭是故鄕

何須理舟楫 特地慾歸鄕

내 몸은 본래 없었고
마음 또한 머문 곳 없으니
태워서 흩어 버리고
시주의 땅을 차지하지 말라.

我身本不有 心亦無所住

作灰散十方 勿占檀那地

　임종게를 보면 고향으로 돌아간다는 표현들이 많이 나옵니다. 스님들이 죽으면 5만 개 또는 7만 개의 국화 송이로 요란하게 상여를 만들곤 합니다. 곧 태워 버릴 것을 그런 식으로 장식합니다. 백운 스님의 임종게는 아주 간절한 유언입니다. 살아서도 늘 시주의 은혜 속에 지냈는데, 죽어서까지도 뼈에서 무엇이 나왔다며 부도나 탑을 만들어 또다시 시주의 은혜를 입지 않게 해 달라는 것입니다.

　지금까지는 남의 이야기입니다. 만약 우리 자신이 내일 죽게 된다면 마지막으로 무슨 말을 남기겠습니까? 각자 한번 정리해 보십시오. 당장 내일이 아니더라도 언젠가는 반드시 그때가 옵니다. 저마다 섣달 그믐날이 옵니다. 그때를 가끔 생각해야 합니다. 우리가 하루하루 살아 있다는 것은 기적 같은 일입니다. 이런 기적 같은 삶을 헛되이 보낸다면 후회하는 때가 반드시 옵니다. 죽음을 어둡고 기분 나쁘게 생각하지 마십시오. 삶의 한 모습입니다. 삶의 한 과정입니다.

　죽음이 없다면 삶은 무의미해집니다. 죽음이 받쳐 주고 있기 때문에 삶이 빛날 수 있습니다. 사람이 만약 2백 년, 3백 년 산다고 가정해 보십시오. 얼마나 끔찍한 일입니까? 살 만큼 살았으면 교체되어야 합니다.

　죽음이 싫으면 살 줄을 알아야 합니다. 죽음을 좋아하는 사람이 누가 있습니까? 사는 즐거움을 누려야 합니다. 그리고 삶의 목적이 있어야 합니다. 살아갈 이유를 갖고 있는 사람은 어떤 어려운 환경에서도 살아남습니다.

　오래전에 들은 이야기를 소개해 드리겠습니다. 한 어머니가 큰 수술을 여덟 번이나 받아서 마치 몸이 굴속 같았다고 합니다. 자궁암을 비롯해 위암, 장암 등 암이 전이되면서 그때마다 위험한 수술을 되풀이하게 됩니다. 이런 수술들을 받고도 그 어머니가 어떻게 살아 있는지 의사들 자신도 매우 놀라워하면서 신기해합니다. 삶은 실로 기적 같은 일입니다. 그 어머니가 죽지 않고 살아 있는 것은 집에 정신박약아 아들이 하나 있기 때문입니다. 아들은 항상 누워서만 지내기에 대소변까지 받아 내야 합니다. 나이가 스무 살인데도 서너 살짜리 유아 정도의 지능밖에 안 됩니다. 말도 세 살 먹은 아이들 정도밖에 못 합니다. 아이가 부실하게 태어난 지 얼마 안 되어서 부부는 이혼을 합니다. 의사들은 아이가 3년을 넘기지 못할 것이라고 말했지만, 생명의 신비를 현대 의학은 알지 못합니다.

어머니가 일하러 나갔다가 집으로 돌아오면 아들은 이불 속에서 어머니를 쳐다보며 얼굴 가득 웃음을 띠고는 아주 좋아 어쩔 줄 모릅니다. 종일 혼자 누워 있다가 유일한 가족인 엄마가 밖에서 돌아오니까 대단히 기쁜 것입니다. 이런 아들을 대할 때마다 어머니는 하루 일의 피로를 잊고 어떻게 해서든지 이 아이를 위해서 내가 살아야 한다는 결심을 하게 됩니다. 큰 수술을 여덟 번이나 받았으니 오죽하겠습니까? 날씨가 궂거나 무거운 것을 들면 수술 자리가 아파서 견딜 수가 없습니다. 차라리 죽었으면 하고 몇 번이나 자살도 결심합니다. 그러다가도 '이 아이를 혼자 남겨 두고 내가 죽을 수는 없다. 저 아이가 어미인 나를 기다리고 있다. 내가 살지 않으면 저 아이 혼자서는 도저히 살아갈 수 없다.'는 이 한 생각으로 자신이 고통받는 것은 생각할 여유조차 없습니다. 이 것이 여덟 번이나 수술을 받고도 이 어머니가 살아갈 수 있는 비결입니다.

의사들이 3년을 넘기지 못할 것이라고 했던 아이가 스무 번째 생일을 맞이하는 날, 어머니는 아들이 좋아하는 팥을 넣은 찹쌀밥을 지어서 생일을 축하해 줍니다. 이날 아들은 어머니 얼굴을 뚫어지게 쳐다보면서 "엄마, 고마워요." 하고 말합니다. 아들은 그저 생일을 축하해 주어서 고맙다고 말한 것이겠지만 어머니에게는 스무 살 성년이 된 오늘까지 키워 주어서 정말 감사하다는 말로 들렸습니다. 정박아인 자식을 연민의 정으로 보살피는 어머니의 그 지극한 정성이 어머니 자신의 죽을 고비조차 몇 번이고 무사히 넘기게 한 것입니다.

단 한 사람을 위해서라도 인생은 살아갈 만한 가치가 있습니다. 장애자인, 정박아인 단 한 사람을 위해서라도 인생은 살아갈 만한 가치가 충분히 있습니다. 어쩌면 그 어머니를 병고로부터 살려 내기 위해 보살이 정박아가 되어서 그 집에 태어난 것인지도 모릅니다. 세상일은 알 수 없습니다. 의미로 보면 충분히 그렇습니다. 살아갈 이유를 갖고 있는 사람은 어떤 어려운 환경 속에서도 살아남습니다.

합장하고 저를 따라 외우시기 바랍니다.

중생이 끝없지만 기어이 건지리라.
중생이 끝없지만 기어이 건지리라.
중생이 끝없지만 기어이 건지리라.

날씨가 추워 밖에서 떨고 계시는데 오늘 제 이야기가 너무 길어졌습니다.

언젠가 세상에 없을 그대에게

2003년 11월 8일 겨울안거 결제

가을의 해시계도 지붕을 지나가고 겨울이 서리 묻은 발로 성큼 문지방을 넘어왔다. 남쪽 섬에서 겨울을 나다가 갑작스런 폐렴으로 병원에 입원한 어느 날 스님은 말했다. "내게 주어진 시간이 그리 많지 않다. 그런데 그 시간을 무가치한 것, 헛된 것, 무의미한 것에 쓰는 것은 남아 있는 시간들에 대한 모독이다. 또 얼마 남지 않은 시간을 긍정적이고 아름다운 것을 위해 써야겠다고 순간순간 마음먹게 된다. 이것은 나뿐 아니라 모두에게 해당되는 일이다. 우리 모두는 언젠가 이 세상에 없을 것이기 때문이다."

요즘 남쪽 차고장에는 차꽃이 핍니다. 제가 몇 해 전 겨울 한 철을 동해안 쪽에서 지내며 차씨를 얻어다 심었는데 작년부터 차꽃이 피었습니다. 차꽃은 모든 꽃이 다 지고 난 이 늦가을에서 초겨울까지 핍니다. 차꽃은 겸손해서 아래를 향해 핍니다.

차꽃에는 베이지색 노란 꽃술이 달립니다. 꽃을 따서 향기를 맡으니 찔레꽃 향기와 같습니다. 따서 찻잔에 올려 차 한 잔을 마시니 그렇게 행복할 수가 없습니다. 행복을 거창한 곳에서 찾지 마십시오. 내 둘레의 사소한 것으로 더없이 행복해질 수 있습니다.

오늘 비가 촉촉이 와서 단풍 빛깔이 선명해졌습니다. 성질이 급한 잎사귀들은 벌써 지고 있습니다. 따서 가져가도 되니까 집에 돌아가실 때 단풍잎 몇 장 따다가 수반 같은 곳에 한두 장 띄워 보십시오. 집 안 분위기가 달라질 것입니다. 꽃시장에 갈 필요 없이 가을의 정취가 집 안까지 들어옵니다.

사는 일이 그렇습니다. 그런 것이 없으면 삶이 팍팍해집니다. 그것이 하나의 삶의 운치이고 물기입니다. 그저 경제 타령만 하고 걱정에만 휩싸여 있으면 우리 가장 가까이에 있는 행복의 소재들을 모른 체하고 지나치게 됩니다. 메마른 감성에 촉촉하게 물기를 적셔 주는 것은 중요한 일입니다.

세상이 변해 가면서 아름다움에 대한 인식이 사라져 가고 있습니다. 아름다움의 인식은 살아가는 데 근원적인 것입니다. 가장 아름다운 것이 무엇입니까? 사랑입니다. 너무 삭막한 나머지 우리는 아름다움을 느끼지 못합니다. 마음의 문을 열고 보면 어디에든지 아름다움이 있습니다. 우리 집에도 있습니다. 그 속에서 아름다움을 가꾸어야 합니다. 자기 삶을 가꾸는 것입니다.

또 우리가 습관이 안 되어서 그렇지만, 집 안에 가끔 꽃을 두십시오. 분위기가 달라집니다. 고기 몇 근 사 먹는 것보다 훨씬 낫습니다. 그런 사소한 데 전혀 신경 쓰지 않으니까 집 식구들이 살벌해지고 정서가 메말라서 걸핏하면 화를 내는 것입니다.

아름다움을 가꾸어야 합니다. 그래야 그 삶이 아름다워집니다. 사소한 것이지만 둘레에 있는 아름다움을 찾아내어 삶을 꽃피어 나게 해야 합니다. 종교적인 생활의 꽃은 마치 모든 꽃이 지고 난

다음에 피는 차꽃 같은 것입니다. 남들이 시시하게 여기고 돌아보지 않는 상황에서도 꽃을 피울 수 있어야 합니다.

오늘은 입동立冬, 겨울이 시작되는 날이고 음력 10월 보름 겨울 안거 결제일입니다. 안거는 내일부터 시작됩니다. 세월에 달리 결제가 있고 해제가 있는 것이 아닙니다. 시작도 끝도 없는 세월에 금을 그어서 결제니 해제니 하지만, 사실은 맺을 것도 풀 것도 없습니다. 맺고 푸는 것은 어디까지나 범부의 일입니다. 장부에게는 본래 맺을 것도 풀 것도 없습니다. 그럼 오늘 이 결제일이 누구를 위한 결제일인지, 어떤 사람을 위한 맺음인지 각자 살펴보시기 바랍니다.

나에게 남은 목숨이 앞으로 3년밖에 없다고 가정해 보십시오. 의사로부터 선고를 받았든 혹은 염라대왕으로부터 초대장을 받았든 앞으로 나 자신이 3년밖에 못 살 거라고 상상해 보십시오. 이런 선고를 받으면 정신이 번쩍 들 것입니다. 그러면서 남은 생을 어떻게 보낼 것인가가 하나의 과제로 떠오릅니다. 동시에 내가 지금까지 어떻게 살아왔는가, 나에게 주어진 시간들을 과연 바람직하게 소모해 왔는가, 아니면 부질없는 일에 쏟아 버렸는가 돌아보게 됩니다. 삶에서 어떤 것이 가장 의미 있는 일이고 중요한 일인지 스스로 판단하게 될 것입니다.

우리에게 주어진 시간이 많다면 그런 것들을 챙길 여유가 생기지 않지만, 앞으로 주어진 시간이 단 3년뿐이라고 못을 박으면 그 3년이라는 세월을 어떻게 살 것인지, 어떤 것이 진정으로 사는 일이고 부질없는 일인지 스스로 깨닫게 됩니다.

그러므로 자신의 삶에서 참으로 중요한 것이 무엇인지 우선순위를 헤아려 봐야 합니다. 우리들의 남은 목숨이 일 년이 될지, 한 달이 될지, 일주일이 될지 그것은 아무도 알 수 없습니다. 이런 생사관을 가지고 세상을 살아간다면 순간순간을 소홀히 지낼 수 없을 것입니다.

저도 나이를 먹은 탓인지, 그동안 육신의 나이에 대해서 까맣게 잊고 살아왔는데 최근에 와서야 이것을 생각하게 됩니다. '내가 올해 몇 살이지? 몇 년을 살았지? 나한테 남은 세월이 얼마나 될까?' 2, 30년 전 제가 불일암에 처음 갔을 때가 섣달 그믐날이었습니다. 누워서 자다가 '내가 설 쇠면 몇 살이지?' 하며 헤아려 보고는 정신이 번쩍 들었습니다. '머지않아 50살? 60살?' 셈이 여기에까지 미치자 순간 아득해졌습니다. 그러다가 마음을 돌이켜 생각했습니다.

'그렇다, 내가 지금까지 살아온 것만 해도 얼마나 고마운 일인가. 나보다 먼저 간 사람들, 태어나자마자 간 사람도 있고 10년쯤 살다 간 사람도 있고, 20대에 데모하다 총 맞아서 간 사람도 있고, 교통사고로 간 사람도 있다. 그런데 내가 이 나이만큼 살았다는 것 자체가 얼마나 고마운 일인가?'

그러자 마음의 위로가 되고 '남은 세월을 어떻게 보낼 것인가?'를 생각할 수 있었습니다. 그때부터 더욱 깨어 있게 되었습니다. 절에 들어와 중이 되어서 시주의 은혜만 입고 그 은혜를 갚지 못하면 빚만 잔뜩 지고 가는 생이 되겠다는 생각이 들어서 가끔 내 남은 세월의 잔고를 헤아리게 됩니다.

그러므로 언제 어디서 자기 생의 섣달 그믐날을 맞이할지 알 수 없다는 자각을 잃지 않아야 합니다. 모든 하루를 자기 생애 최후의 날인 것처럼 그렇게 살아야 합니다. 미루면 후회가 남습니다. 그날 할 일은 그날 하면서, 마치 내일이면 이 세상에 없을 것처럼 후회 없이 살라는 것이 앞서 간 모든 사람들의 교훈입니다.

자신에게 주어진 한때를 아무렇게나 보내서는 안 됩니다. 그 한때는 두 번 다시 오지 않습니다. 이번 겨울철 안거 기간에는 먼저 무의미한 걱정 근심에서 벗어나십시오. 현재를 충만하게 살면 걱정할 일이 없습니다. 이미 지나간 과거를 가지고 불행해하거나 오지도 않은 불확실한 미래를 가지고 미리 걱정 근심을 앞당기니까 밤에 잠을 이루지 못하는 것입니다.

지금 이 순간을 충만하게 살아야 합니다. 순간순간의 연장이 한 생애이기 때문입니다. 사람은 즐겁게 살아야 합니다. 이 세상이 즐거움만으로 이루어진 곳이 아니기에 나 자신만이라도 즐거움을 만들며 살아야 합니다. 즐겁게 살되 아무렇게나 살아서는 안 됩니다. 각자 자기 삶의 질서를 가지고 살아야 합니다. 자신에게 가장 의미 있고 중요한 일이 무엇인가를 이 자리에서 헤아리십시오.

진정으로 해야 할 일이 무엇인가, 그 일을 찾아서 거기에 열정을 쏟아야 합니다. 인욕정진이라는 말이 있듯이, 수행에는 반드시 인욕, 참고 견디는 것이 따릅니다. 과연 이 나이, 이 상황에서 내가 첫 번째로 해야 할 일이 무엇인가, 그것을 찾으십시오. 그 일이 바로 결제이며, 이를 통해서 90일 안거를 하루하루 정진하며 살아 나갈 수 있습니다.

끝으로 〈법구경〉의 한 구절을 독송하며 제 말을 마치겠습니다.

젊었을 때 수행하지 않고
정신적인 보배를 모아 두지 못한 사람은
부러진 활처럼 쓰러져 누워
부질없이 지난날을 탄식하리라.

어리석어 지혜가 없는 사람은
게으름과 방종에 빠지고
생각이 깊은 사람은
부지런을 가보처럼 지킨다.

부처님이 여든 살에 이르러 생을 마치면서 다른 할 말도 많았을
텐데 마지막으로 남긴 말은 이것입니다.
"모든 것은 덧없다. 게으르지 말고 부지런히 정진하라."
게으름은 어떻게 해 볼 재간이 없습니다. 부지런해야 합니다.
다시 〈법구경〉의 구절입니다.

게으름에 빠지지 말라.
육체의 즐거움을 가까이하지 말라.
게으르지 않고 생각이 깊은 사람은
큰 즐거움을 얻게 되리라.

자기로부터의 자유

2003년 10월 19일 가을 정기법회

법회가 열리기 전 차를 마시는 자리에서 한 기자가 스님에게 물었다. "스님은 산중 수행자이면서 글을 쓰시고 전에는 주기적으로 신문 칼럼까지 쓰셨는데, 특별한 이유라도 있습니까?" 그 대답으로 스님은 해인사 선방에서 수행하던 시절의 이야기를 했다. 하루는 팔만대장경을 모셔 둔 장경각 쪽에서 할머니 한 분이 내려오면서 스님에게 "팔만대장경이 어디 있습니까?" 하고 물었다. "지금 내려오신 곳에 있습니다." 하고 일러 주자, 할머니는 "아, 그 빨래판 같은 거요." 하는 것이었다. 그때 스님은 깨달았다고 했다. 우리 불교가 옛것만 답습하고 제도권 안에만 머물러 있으면 팔만대장경의 말씀도 한낱 '빨래판 같은 것'에 불과할 뿐임을. 살아 있는 언어로 불교를 전해야겠다는 생각을 하게 된 것이다. 또한 산중에 혼자 사는 스님에게 글쓰기란 '세상과 소통하는 방식'이다.

그동안 잘들 지내셨습니까? 파리에 있는 길상사 창건 10주년이어서 거길 좀 다녀왔습니다. 그곳 주지스님이 편지 보내기를, 저를 그곳에 오게 하기 위해 봄부터 기도를 했답니다. 기도의 영험이 있었는지, 제 마음이 움직여서 다녀왔습니다. 한 열흘 돌아다

니면서 해 주는 밥 얻어먹다 보니 새삼스럽게 혼자 끓여 먹기가
머리 무거워집니다. 습관이란 그렇습니다. 어디에 의존해 버릇하
면, 타성이 생겨서 자기가 지니고 있는 능력이 개발되지 않고 쇠
퇴해 버립니다. 될 수 있으면 의존하지 않고 사는 것이 좋습니다.

제가 10여 년 전 처음 유럽 여행을 하는 길에 파리에 들렀습니
다. 그곳에서 불자들의 모임에 참석했었는데, 절이 없어서 한 불
자가 운영하는 식당 한켠을 빌려 집회하는 것을 보았습니다. 그때
그들의 바람이 조촐한 절 하나 갖는 것이라 했습니다. 그렇게 그
들과 의논해 절을 갖기로 마음을 내었습니다.

〈화엄경〉에 '일체유심조一切唯心造'라는 말이 있듯이 모든 일이
한 마음에서 시작됩니다. 천당도 지옥도 마음에서 이루어집니다.
그렇게 절을 갖자는 한 생각으로 인해 절이 세워졌습니다. 좋은
일에는 마음을 같이하는 이웃이 생깁니다. 절을 세운다고 하니까
파리의 한국 화가들이 작품들을 내놓고 국내에 있는 분들도 작품
을 내놓아서, 기금 마련을 위한 전시회를 열었습니다. 다 모아지
지는 않았지만 그렇게 시작이 되었습니다. 모든 일이 이와 같습니
다. 한 생각 일으키는 데서 시작됩니다.

제가 1975년에 서울에서 지내다가 문득 서울이 싫어졌습니다.
중노릇을 다시 시작해야 되겠다 생각하고 여기저기 터를 찾아다
니다가 조계산(전남 순천시 송광면과 주암면에 위치한 수려한 산으로 서
쪽 기슭에는 송광사, 동쪽 기슭에는 선암사가 있다)에 아무도 살지 않는
허물어진 빈 암자가 있어서 그곳에 집을 지었습니다. 그때까지 절
에 들어와 지내며 옛 스님들이 지어 놓은 집에서 공부를 하다가

'나도 이번 생에 나뿐만 아니라 이다음에 오는 스님들도 공부할 수 있는 그런 작은 암자를 하나 이루어야겠다.'는 생각이 불현듯 들었습니다. 그래서 그 당시 불일암을 짓게 된 것입니다.

절만이 아닙니다. 새집으로 이사 가든 새로운 직장을 마련하든 혹은 배우자를 만나 결혼하든 한 생각 일으키는 데서 시작됩니다. 한 생각 일으키지 않으면 일이 시작되지 않습니다. 한 마음을 어떻게 내는가에 따라서 상황이 달라집니다. 밝게 내면 밝은 쪽으로 가고, 어둡게 내면 어두운 쪽으로 갑니다. 우리가 세상을 살아가는 것은 순간순간 보고 듣고 말하고 생각하고 행동하는 일입니다. 그것이 우리들 각자의 구체적인 삶입니다.

과거, 현재의 모든 부처들이 공통적으로 말한 가르침이 있습니다. 이것을 '칠불통계七佛通戒'라고 하는데 그 내용은 이렇습니다.

"악한 짓 하지 말고 선한 일 두루 행해서 그 마음을 맑히라. 이것이 모든 부처님의 가르침이다諸惡莫作 衆善奉行 自淨其意 是諸佛敎."

불교란 무엇인가? 어려울 것 없습니다. 누구나 들으면 알 수 있습니다. 그러나 실제로 행하기는 결코 쉽지 않습니다.

언제 어디서 어떻게 살든 한순간을 놓치지 말아야 합니다. 매 순간 마음을 맑히는 일로 이어져야 합니다. 한숨 내쉬고 들이쉴 때마다 마음을 맑히는 일이 되어야 합니다. 그 한순간을 잊어서는 안 됩니다. 그 한순간이 바로 생과 사의 갈림길입니다.

불교 수행법 중에 관법觀法이 있습니다. 자신의 행위와 생각을 낱낱이 관찰하는 정진입니다. 달마 스님의 〈관심론〉에 이런 구절이 나옵니다.

"마음을 살피는 이 한 가지 일이 모든 행위를 조절한다觀心一法 總攝諸行."

여기에서 모든 행위란 우리의 업을 의미합니다.

또 〈법구경〉에는 이런 법문이 있습니다.

> 물 대는 사람은 물을 끌어들이고
> 활 만드는 사람은 화살을 곧게 한다.
> 목수는 재목을 다듬고
> 지혜로운 사람은 자기 자신을 다룬다.

종교적인 삶을 살아가는 사람은 항상 자기 자신을 살피는 사람입니다. 어느 절과 교회에 나가고 어느 종파에 속해 있는가는 중요하지 않습니다. 그것은 전체가 아니라 한 부분에 지나지 않습니다. 불교이든 기독교이든 회교이든 한 부분에 불과합니다. 전체가 아닌 부분에서는 항시 대립과 갈등이 생겨납니다. 내 절 네 절 따지고, 내 종교 네 종교 따집니다. 진정한 신앙의 세계는 어디에도 종속되지 않고 본래의 자기 자신으로 돌아가는 길입니다. 하느님을 의지했든 부처님을 의지했든 혹은 예언자를 의지했든 결국 자기 자신에게로 돌아가는 길입니다.

인도에서는 예로부터 쉰 살의 나이를 '바나프라스타'라고 불러왔습니다. '산을 바라보기 시작할 때'라는 뜻입니다. 나이 쉰이 되면 자식 키우는 일도 대충 마쳤으니 서서히 산으로 떠날 준비를 할 때라는 것입니다. 세속적인 의무를 다했으니 이제는 자기 몫의 삶을 위해 마음을 닦으라는 가르침입니다.

명상을 하지 않고 자기 자신을 안으로 살피지 않는 종교는 맹신에 빠지기 쉽습니다. 광신자가 바로 그들입니다. 그런데 이 세상에 존재하는 모든 종교는 어떤 선각자의 명상을 통해 이루어진 것이기 때문에 명상을 하지 않고 종교를 접하려는 것은 마치 뿌리를 잊어버리고 가지를 붙드는 일과 같습니다.

수십 년을 절에 다니면서 자기 자신을 들여다보고, 귀 기울이고, 낱낱이 살피고 분석하고 되돌아보려면 깊은 주의력과 인내력과 집중력이 필요합니다. 입으로는 염불을 외면서 마음으로는 다른 생각을 하는 경우가 많습니다. 집중은 다르게 말하면 커다란 침묵의 세계입니다. 그 안에 시간과 공간이 전혀 존재하지 않는 바닷속 같은 깊은 침묵입니다. 그곳에는 무어라 이름 붙일 수 없는 성스럽고 영원한 것이 깃들어 있습니다.

그 누구도, 설령 부처님이라 할지라도 우리에게 깨달음을 줄 수는 없습니다. 왜냐하면 깨달음은 이미 우리들 각자의 마음속에서 빛나고 있기 때문입니다. 마치 열매에 씨앗이 들어 있듯이 우리들 심성 한가운데 깨달음의 빛이 들어 있습니다. 우리 자신이 그것을 찾아내지 못하고 있을 뿐입니다. 움틔우지 않고 묵혀 두고 있는 것입니다.

커다란 침묵과 하나 될 때 내가 사라집니다. 무아의 경지에 듭니다. 어딘가에 순수하게 집중하고 몰입할 때 나라는 존재가 사라집니다. 내가 없는 그 무한한 공간 속에 강물처럼 끝없이 흐르는 에너지가 있습니다. 이것은 우리가 흔히 경험할 수 있는 일입니다. 말없이 가만히 앉아 있다고 해서 혼돈 상태가 아닙니다. 정신은 또렷하고 아무 번뇌 망상 없는 그 침묵 속에 강물처럼 흐르는 에너지가 있습니다.

세상에는 여러 종류의 자유가 있지만, 궁극적인 자유는 자기로부터의 자유입니다. 자기 하나의 무게를 어찌하지 못해서 이 세상을 도중하차하는 사람들이 얼마나 많습니까? 결국 자기 문제입니다. 자기로부터의 자유는 본질적인 자유입니다.

무엇인가에 집중하는 것은 현재를 최대한으로 사는 일입니다. 어떤 사람이 불행과 슬픔에 젖어 있다면 그는 이미 지나가 버린 과거의 시간 앞에 아직도 서 있는 것입니다. 우리는 지금 이 자리에 이렇게 살고 있습니다. 지금 이 순간을 최대한으로 산다면 과거도 미래도 없습니다. 집중력이라는 것은 바로 그것입니다. 침묵의 세계라는 것이 바로 그것입니다.

인간에게는 누구나 삶의 과제들이 주어져 있습니다. 누구에게는 앓는 일로, 누구에게는 재산적 손해로, 또 누구에게는 정신적인 갈등으로. 그것을 딛고 일어서야 합니다. 그래야 그 생에 연륜이 쌓입니다. 육신의 나이만 먹어서는 동물과 다를 바 없습니다. 어떤 어려움이 다가올 때 회피하지 말고 맞닥뜨려야 합니다. 그리고 자기 존재에 깊은 물음을 던져야 합니다. "나는 누구인가?", "왜 나에게 이런 문제가 닥쳤는가?" 그것을 화두 삼아야 합니다. 자기 삶의 과정이라고 생각해야 합니다.

불교는 물론 부처님의 가르침이지만, 우리가 불교를 배운다는 것은 자기 자신을 배우는 일입니다. 자기 자신을 배운다는 것은 자기를 내세우지 않고 잊어버리는 것입니다. 온갖 집착에서, 작은 명예에서, 사소한 이해관계에서 벗어나는 것입니다. 자기를 텅 비울 때 모든 것이 비로소 하나가 되며, 자기를 텅 비울 때 그 어떤 것에도 대립되지 않는 자유로운 자기 자신이 드러납니다. 이를 불교적인 표현으로 '진공묘유眞空妙有'라고 합니다. 즉, 텅 비울 때 오묘한 존재가 드러난다는 것입니다.

모든 고난으로부터 해탈된 자기, 모순과 갈등을 벗어 버린 자기, 개체인 자기로부터 전체인 자기로의 변신이 있습니다.

기억하십시오. 불교는 부처님을 믿는 종교가 아닙니다. 부처님의 가르침을 듣고 자기 자신이 부처가 되는 길입니다. 깨달음에 이르는 길입니다. 자기실현의 길이고, 형성의 길입니다. 부처는 단지 먼저 이루어진 인격일 뿐입니다. 부처님의 가르침을 통해 스스로 온전한 인간에 이르는 길입니다.

불교는 이와 같이 자기 탐구의 종교입니다. 자기로부터 시작하며, 자기 탐구의 길에서 수많은 자기를 만나게 됩니다. 타인과 세상의 존재를 인식하게 됩니다. 초기 불교에서 자기 자신을 강조한 것은 자기로부터 시작하라는 뜻에서입니다. 자기로부터 시작해 타인과 세상에 도달하라는 것입니다.

자기에 머물러 있으면 그것은 불교가 아닙니다. 개체에서 전체로의 변신, 이것은 질적인 변화입니다. 자기 자신에게만 갇혀 있다면 그것은 불교도 아니고 종교도 아닙니다. 참된 지혜란 함께 살고 있는 이웃의 존재를 찾아내는 따뜻하고 밝은 눈입니다.

〈원각경圓覺經〉은 설합니다.

"한 마음이 청정하면 온 법계가 청정해진다."

이 복잡한 세상을 살다 보면 자기가 완전히 해체되어 산산이 흩어져 버립니다. 하루 한 시간이라도 자신의 마음을 비추는 시간, 좌선이나 명상하는 시간을 가지십시오. 하루 한 시간이라도 홀로 조용히 앉아서 자기 자신을 들여다보는 시간을 가져야 합니다. 이것은 종교인만이 아니라 사람이면 누구나 해야 할 가장 중요한 일 가운데 하나입니다.

그리고 일주일에 적어도 하루나 이틀 정도는 남을 위해서 봉사하는 시간을 가져야 합니다. 우리가 세상을 살아가면서 이웃으로부터 얼마나 많은 은혜를 입고 있습니까? 그런 이치를 깨닫고 적어도 자기가 건강할 때 일주일에 하루 이틀은 자신이 진 빚을 갚는 시간으로 삼아야 합니다. 그리고 한번 마음먹고 시작한 일은 어기지 말아야 됩니다. 하나하나 약속을 지켜 나감으로써 자신에 대한 믿음이 싹트고 자신감이 생깁니다. 삶의 질이 향상됩니다.

〈법구경〉에 이런 법문이 있습니다.

스스로 자신을 일깨우라.
스스로 자신을 되돌아보라.
자신을 일깨우고 되돌아보면
그대는 마침내 안락하게 될 것이다.

현재의 삶에 만족하게 될 것이라는 소식입니다. 삶에서 정말로 중요하다고 생각하는 일에 자신의 능력과 시간을 기울이고 있는가? 스스로 물어야 합니다. 무가치한 일에 시간과 능력을 탕진하면 인생이 녹슬어 버립니다. 쇠만 녹이 스는 것이 아닙니다. 인생에도 녹이 습니다.

〈빠삐용〉이라는 오래된 영화가 있습니다. 실제로는 살인을 하지 않은 빠삐용이 살인 혐의로 수감됩니다. 무인고도에 있는 감옥의 독방에 갇혀서 몇 번이나 탈출을 시도하지만 그때마다 실패합니다. 그리고 며칠째 굶김을 당한 채 혼수상태에서 재판을 받습니다. 재판관에게 자기는 살인을 하지 않았는데 억울하게 옥살이를 하고 있으니 풀어 달라고 하자 재판관이 말합니다.

"너는 인생을 낭비한 죄다."

자기에게 주어진 시간과 능력을 무가치한 일에 낭비한 죄라는 것입니다. 빠삐용에게만 해당되는 진리가 아닙니다. 자기에게 주어진 건강과 시간을 무가치한 일에 소비해 버리면 그 생이 녹슬 뿐 아니라 어딘가에 갇혀 버립니다.

〈숫타니파타〉의 '성인의 장'에 제가 가장 좋아하는 구절이 나옵니다.

홀로 행하고 게으르지 말며
비난과 칭찬에 흔들리지 말라.
소리에 놀라지 않는 사자처럼
그물에 걸리지 않는 바람처럼
진흙에 더럽히지 않는 연꽃처럼
남에게 이끌려 가지 않고,

남을 이끄는 사람이 되라.

자기 확신을 가지고 어디에도 거리낌 없이 살라는 교훈입니다.

세상을 살아가노라면, 항상 내 등 뒤에서 나를 지켜보고 주시하는 눈이 있습니다. 그는 누구입니까?

시작도 끝도 없는 아득한 전생부터 밤이고 낮이고 나를 지켜보는 그 눈길의 주인은 누구입니까?

고단해서 아침에 일어나는 시간을 놓치면 "스님!" 하고 부르는 목소리가 있습니다. 그것이 누구입니까?

그 누구를 말의 틀에 끼워 맞추려고 하지 마십시오. 나를 지켜보는 그와 떨어져 있지 말고 순간순간 그를 의식하면서 그와 하나가 되어야 합니다.

그는 붙잡으려고 하면 멀어지고, 찾으려고 하면 사라집니다. 눈을 안으로 향해야 합니다. 그 안에 모든 것이 갖추어져 있습니다. 자신의 목소리 속의 목소리에 귀를 기울여야 합니다.

이러한 제 말을 들을 줄 아는 그는 또 누구입니까? 헛눈 팔지 말고 늘 깨어 있어야 합니다.

문명은 서서히 퍼지는 독

2003년 10월 4일 대구 맑고향기롭게 초청 특별강연

경북대학교 대강당에서 열린 이 특별강연에는 통도사 방장 원명 스님과 동화사 주지 지성 스님, 경북대 김달웅 총장을 비롯해 사부대중 3천여 명이 참석했다. 참석자들은 자리가 부족해 강단 뒤편에까지 앉아서 강연을 들었으며, 늦게 도착한 사람은 입장을 못하고 되돌아가기도 했다. 현 국회의원인 이계진 아나운서가 사회를 보았다. 가사장삼 없이 소탈한 승복 차림으로 강단에 선 스님은 '생태윤리'를 주제로 특강을 펼쳤다. 창립 10주년을 맞은 '맑고향기롭게' 전국 모임의 마지막 강연이었다. 스님은 이 생에서의 순회강연은 이번이 처음이자 마지막이라고 했다. 또한 이것은 2003년 9월, 기상 관측 이래 가장 강력했던 태풍 매미가 할퀴고 간 자리에 남은 영호남지역 수재민들을 보듬어 안기 위함이었다.

대구는 제가 1957년 해인사 선원에서 지낼 적에 인연을 맺었던 도시입니다. 그때는 해인사에서 대구까지 비포장도로로 4시간 반 남짓 걸렸습니다. 파출소마다 버스 차장이 내려서 신고를 하던 시절이었습니다.

일이 있어 대구에 나왔다가 돌아갈 때면 남은 차 시간을 보내기

위해 역전에 있는 음악 감상실 '하이마트'에 들르곤 했습니다. 그 무렵 주로 듣던 음악이 라흐마니노프 피아노협주곡 2번이었습니다. 내 20대의 풋풋한 시절이었습니다.

또 〈녹색평론〉이라는 격월간지가 있는데, 이 책이 대구에서 발행되는 걸로 알고 있습니다. 〈녹색평론〉은 생태 환경 운동 순수지입니다. 창간호부터 구독하고 있는데, 저는 생태에 관련된 많은 지식과 정보를 여기서 얻어듣습니다. 이런 잡지가 널리 읽힌다면 우리가 사는 세상이 지금보다 훨씬 좋아질 것입니다. 그래서 오늘 이야기의 주제를 생태윤리로 잡았습니다.

지금 세계 곳곳이 물난리와 가뭄에 시달리고 있습니다. 흔히 기상이변이라고들 하는데, 그럼 기상이변은 어디서 오는 걸까요? 더 물을 필요도 없이 사람들의 생활 형태가 기상이변을 불러들인 것입니다. 여기저기 함부로 버려 놓은 쓰레기를 집중호우가 아니면 누가 치우겠습니까? 강물에 떠내려가는 온갖 쓰레기를 보고 어떤 생각들을 하십니까? 이것이 현재 우리들의 속얼굴이고, 우리 한국인의 현주소입니다. 아무리 '대-한민국'을 외쳐 봐야 쓰레기 하나 치우지 못한다면, 4강 아니라 우승을 한들 무슨 이익이 있겠습니까?

기상학자들의 말을 들어보면, 배기가스와 재와 산 등 여러 가지 오염물질이 뒤섞여 만들어 낸 구름층이 햇볕을 가려 대지와 해수면을 비정상적으로 냉각시킵니다. 자연히 그 위의 공기는 더워집니다. 이것들이 그 지역의 비구름을 만들어 소위 게릴라성 집중호우를, 다시 말하면 신경질적으로 비를 쏟아붓습니다. 이런 구름층

326

의 부조화로 일부 지역에서는 홍수가, 다른 지역에서는 극심한 가뭄이 생깁니다. 이런 기상이변은 갈수록 심해질 것입니다.

휴가철 고속도로와 국도를 가릴 것 없이 꽉 메운 자동차들 때문에 평소 두세 시간이면 갈 거리를 열 시간이 넘어야 겨우 닿을 수 있습니다. 그 많은 차들이 내뿜는 배기가스가 어디로 가겠습니까? 그게 결국 집중호우가 됩니다.

커다란 생명체인 우리 강산을 한번 돌아보십시오. 어느 한 곳 빠한 곳이 없습니다. 산이고 들녘이고 강이고 상처투성이입니다. 흐름과 맥을 죄다 끊어 놓았습니다. 그러니 공기와 물의 순환이 제대로 이루어질 수 있겠습니까?

경제 논리와 개발 논리로 인해 자연이 말할 수 없이 파괴되고 소멸되어 갑니다. 자연이란 무엇입니까? 대지는 모든 생명체의 어머니입니다. 누구도 대지를 소유할 수 없습니다. 대지는 모든 생명체의 뿌리요, 어머니입니다. 이런 어머니를 그 자식들인 인간이 마구잡이로 허물고 더럽히고 있습니다. 지구는 우리 인간과 마찬가지로 그 자체의 의지를 지닌 보다 높은 차원의 커다란 생명체입니다. 그런 까닭에 육체적으로나 정신적으로 건강할 때가 있고 병들 때가 있습니다.

이 대지에 상처를 입히는 것이 곧 자기 자신에게 상처를 입히는 일임을 사람들은 전혀 모르고 있습니다. 오늘날 전국의 병원마다 환자들로 북새통을 이루고 있는데 그 까닭을 알고 계십니까? 이런 현상은 우리들 자신이 어머니인 대지를 병들게 한 그 보상입니다. 인간은 대지에서 나누어진 한 지체이기 때문입니다. 모체가 앓고 있는데, 그 지체가 어찌 성하겠습니까?

현대인의 삶은 남을 희생시켜 가면서 자신의 이익을 추구하는 것으로 이루어져 있습니다. 삶의 기본적인 진리는 남을 해치지 않아야 한다는 것입니다. 사람만이 아니라 모든 살아 있는 것들에 대해서도 마찬가지입니다.

모든 존재는 어떤 방해도 받지 않고 그 자신의 방법으로 살아감으로써 우주적인 건전한 조화를 이룹니다. 살아 있는 존재들은 서로 연결되어 주고받으면서 함께 생명의 강을 이룹니다.

자연은 그 나름의 질서를 지니면서 스스로 정화하는 자정 능력을 함께 갖고 있습니다. 그런데 기술문명이 이 질서와 능력을 파괴하는 것입니다. 문명은 독약입니다. 점진적인 독약입니다.

현대 과학 기술 문명의 문제점은 환경오염과 생태계 파괴로 집약됩니다. 그리고 정보 과학 기술의 발전은 전통적인 세계관을 허물고 문화의 혼란을 가져옵니다. 돈과 권력, 육체적 향락과 경제적 부만을 최고의 가치로 여깁니다. 각종 비리와 부정부패는 바로 이것에 뿌리를 두고 있습니다. 세상을 끝없이 시끄럽게 하고 짜증스럽게 하는 요인이 바로 여기에 있는 것입니다.

사람들이 기계에 의존하는 습관을 들이면서부터 결국은 기계가 내리는 결정을 받아들이지 않을 수 없게 되었습니다. 여기에는 선택의 여지가 없습니다. 우리는 컴퓨터의 지시에 따라 움직이는 로봇형 인간이 되어 가고 있습니다. 그러나 기계는 만능이 아닙니다. 불시에 고장을 일으킵니다. 이때 사람들은 당황하며 일손을 놓습니다. 이것이 기술문명 사회의 한계이며 실상입니다. 전기,

전화, 수도, 가스가 고장 나면 그 도시는 마비됩니다.

〈장자〉 외편 '천지天地'에 이런 이야기가 나옵니다.

한 노인이 밭을 경작하는데, 우물 속으로 내려가서 항아리에 물을 길어다 밭고랑에 붓는 작업을 하고 있었습니다. 그러나 힘만 들고 물이 충분하지 못해 일에 진척이 없었습니다.

이 광경을 지켜보던 한 나그네가 말했습니다.

"노인장, 어째서 양수기를 사용하지 않습니까?"

노인의 대답은 이렇습니다.

"양수기를 이용하면 편리하다는 것을 난들 왜 모르겠소. 그러나 한번 기계에 맛을 들이기 시작하면 그 기계에서 벗어날 수가 없소. 기계가 있으면 그에 따라 기계의 일機事(고장, 사고)이 있고 또 기계의 일이 있으면 반드시 기계의 마음機心이 있게 마련이오. 기계가 내 마음속에 들어오면 순박함을 잃게 되오. 순박하지 못하면 정신이 안정을 이루지 못하오. 불안정하면 사람의 도리를 제대로 지킬 수 없소. 그래서 나는 기계의 편리함을 모르는 것이 아니나 스스로 그것을 쓰지 않소."

또 마하트마 간디는 이런 말을 합니다.

"오늘날 수많은 사람들이 자신들의 손을 더 이상 손으로 사용하지 않게 된 것이 가장 큰 비극이다. 손은 신이 우리에게 준 귀중한 선물이다. 기계에 대한 열광이 지속되면 결국 우리는 무능력하고 나약해질 수밖에 없다. 그리하여 우리에게 주어진 고마운 그 생명의 손을 잊어버리게 된 것을 스스로 저주할 날이 올 것이다."

우리는 신이 준 고마운 선물을 어디에 쓰고 있는지, 어떻게 쓰고 있는지 스스로 물어야 합니다. 이것은 머리와 기계로만 사는 현대인들에게 울리는 엄숙한 경종입니다.

우리가 의지해 살아가는 이 대지는 단순한 흙더미가 아닙니다. 흙과 식물과 동물이 서로 조화로운 순환을 통해서 살아 움직이는 생명의 원천입니다. 그렇기에 생태윤리가 절실히 요구되는 것입니다.

한 사람 한 사람이 이 대지의 건강을 위해 자신의 의무를 깨닫고 실천하는 일이 절실합니다. 윤리는 말보다도 실천에 그 의미가 있습니다. 순간순간의 작은 결정에 달려 있습니다. 생태계 보전의 요점은 아주 단순합니다.

현재 우리가 사용하는 재산이나 물건은 우리 조상들이 남겨 준 유산입니다. 그러므로 이다음 세대, 곧 우리의 미래의 필요도 생각해야 합니다. 앉은자리에서 싹쓸이를 한다면 우리에게는 내일도 희망도 없습니다. 지구로부터 얻은 물자를 소중히 다루는 것은 곧 지구환경을 돌보는 일입니다.

생태윤리를 위한 몇 가지 실천사항을 말씀드리겠습니다.

첫째, 색다른 물건을 보면 거기에 현혹되어 충동적으로 사들이지 말아야 합니다. 충동구매에는 반드시 후회가 따릅니다. 그 물건이 지금 나에게 없어서는 안 될 만큼 꼭 필요한 것인가를 거듭거듭 물어야 합니다. 그리고 편리하다고 해서 대형 할인매장에 가는 것을 조심해야 합니다. 거기에는 장바구니가 아니라 커다란 손수레가 우리를 기다리고 있습니다.

둘째, 우리가 자동차를 원하는 이유는 그 자체를 소유하기 위해서가 아니라 다른 장소에 쾌적하고 쉽게 가기 위해서입니다. 값비싼 자동차를 보고 그의 사회적인 신분이나 부를 생각하기보다는 그것이 일으키는 대기오염과 환경 파괴를 먼저 생각해야 합니다. 배기량이 적은 차일수록 환경을 덜 오염시킵니다. 이것도 하나의 생태윤리입니다.

셋째, 광고에 속지 말아야 합니다. 소비주의를 부추기는 광고는 생태적 위협입니다. 광고를 대할 때 거기에 말려들지 말고 제정신 차리고 멀리 내려다볼 수 있어야 합니다. 들여다보지 말고 내려다보아야 합니다. 들여다보면 거기에 빨려 들기 쉽기 때문입니다.

캐나다는 해마다 1만 7천 헥타르의 원시림을 엄청난 광고가 실리는 미국의 신문용지를 대기 위해 벌목하고 있습니다. 우리가 받아 보는 신문용지가 어디서 온 것인지 생각해 보아야 합니다. 비슷비슷한 소식을 전하는, 밤낮 물고 뜯고 죽이고 사기 치는 소식을 지겹게 전하는 그런 신문은 하나만으로도 충분합니다. 두세 개를 하나로 줄이는 것도 생태윤리의 실천입니다.

텔레비전 보는 시간도 줄여야 합니다. 귀중한 시간과 전력과 체력을 무가치한 일에 낭비하지 말아야 합니다. 그 앞에서 정신을 빼앗겨 가며 등신처럼 앉아 있는 일상적인 자신을 냉엄하게 주시할 필요가 있습니다.

넷째, 꼭 필요한 것만을 갖고 불필요한 것에 욕심을 부리지 않는 것도 생태윤리입니다.

결론적으로 말씀드리겠습니다. 온 세상이 대량소비, 대량폐기를 하면서 그렇게들 사는데, 몇 사람이 다른 방식으로 살아간다고 한들 세상에 변화를 가져올 수 있겠는가 하고 생각하는 이들이 있습니다.

그러나 영적인 차원에서는 세상의 모든 것이 서로 연결되어 있습니다. 그렇기 때문에 우리는 실제로 서로에게 영향을 끼치고 서로를 변화시킬 수 있습니다. 한 마음이 청정하면 온 우주가 청정해진다는 말도 있지 않습니까? 개개인이 자기 훈련과 자기 절제를 받아들이지 않는 한 현실적으로 이런 문제에는 어떤 해결책도 나올 수 없습니다. 우리가 건드리지 않고, 있는 그대로 두는 것이 많으면 많을수록 우리들의 삶은 그만큼 건강해집니다.

자연은 있는 그대로의 궁극적인 존재입니다. 당장에 편리하다고 해서 문명의 연장에 너무 의존하면 그 문명의 연장으로부터 배반을 당하기 쉽습니다. 문명은 서서히 퍼지는 독약임을 거듭 명심하시기 바랍니다. 문명에서 온 질병을 또 다른 문명으로는 결코 치유할 수 없습니다. 오직 자연만이 그 병을 고칠 수 있습니다. 문명의 해독제는 자연밖에 없습니다.

흙과 나무와 풀과 꽃, 새와 짐승들을 가까이하십시오. 구름과 별과 달과 바람과 이슬을 보고 우주의 아름다움과 신비를 느낄 수 있어야 합니다. 그리고 우리 마음속에 깃들어 있는 자연스러움도 함께 일깨워야 합니다. 우리가 살 만큼 살다가 돌아가 의지할 곳이 어디인지 이따금 생각해 보아야 합니다.

영혼의 밭을 가는 사람

2003년 9월 27일 광주 맑고향기롭게 초청 특별강연

'맑고향기롭게'는 1993년 8월 세상과 자연, 마음을 맑고 향기롭게 가꾸며 살자는 스님의 뜻에 따라 시작된 시민단체로, 그동안 환경보호와 생명 사랑을 꾸준히 실천해 왔다. 1994년 강연에서 스님은 그 취지에 대해 이렇게 말했다. "흔히들 마음을 맑히라고, 비우라고 한다. 그러나 어떤 것이 마음을 맑히는 법이라고 얘기하는 이는 없다. 마음을 비우고 사는 사람을 만나기도 쉽지 않다. 마음이란 말이나 관념으로 맑혀지고 비워지는 것이 아니다. 구체적인 선행을 실천했을 때 마음은 맑아진다. 선행이란 다름 아닌 나누는 일이다. 내가 잠시 맡아 가지고 있던 것을 되돌려 주는 일이다." 맑고향기롭게 전국 모임 10주년을 맞아 스님 초청 특별강연이 광주 2003년 9월 27일(남도예술회관), 경남 창원 10월 1일(KBS홀), 부산 10월 2일(롯데호텔 3층), 대구 10월 4일(경북대학교 대강당)에 열렸다.

일찍이 근대과학의 좌우명은 속도였습니다. 빠르게, 더 빠르게. 그래서 영국과 프랑스가 합작해 콩코드라는 초음속 여객기를 만들었습니다. 이 비행기는 한동안 대서양을 횡단하는 등 많이 날아

다녔습니다. 그러나 그 종말이 어떠했습니까? 결국 소리보다 더 빠르다던 그 비행기는 공중폭발 하고 맙니다. 이는 빠름에 대한 하나의 상징입니다. 세상을 살아 나가는 데는 어느 정도의 속도가 필요하지만, 지나친 속도는 오히려 해로운 것입니다.

무엇을 위해 빠르게, 더 빠르게, 좀 더 빠르게 해야만 합니까? 남보다 앞서기 위해서? 앞선다고 해서 더 행복합니까? 경쟁 심리에는 매우 비인간적이고 냉혹한 이기심이 작용합니다. 기업들은 "일류가 아니면 살아남지 못한다."고 말하지만, 전혀 옳지 않은 소리입니다. 이류, 삼류도 필요하며 또 얼마든지 살아남습니다. 일류란 불행한 것입니다. 더 올라갈 자리가 없습니다. 일류인 사람들 중에 정신질환의 잠재성을 지닌 사람들이 가장 많다고 합니다. 얼마나 초조하겠습니까? 최고라는 것, 일류라는 것은 바람직하지 않습니다.

우리가 가야 할 곳은 어디인가? 결국 자기 자신입니다. 빠르게 더 멀리 뛰어 보았자 결국 제자리입니다. 자기 자신으로 돌아옵니다. 자동차를 타고 갈 때면 저도 가끔 그런 실수를 범합니다. 흔히 도착지를 먼저 생각합니다. 몇 시까지 어디에 도착하겠다는 집념 때문에 그 과정을 중요하게 여기지 않습니다. 목적만을 위해서 수단을 무시하게 됩니다. 교통사고도 거기에서 오는 것입니다. 과정을 즐길 수 있어야 합니다.

사람이 하나의 인간으로 성장하는 데는 시간이 필요합니다. 하나의 씨앗이 땅에 묻혀서 꽃피고 열매 맺기까지는 사계절의 순환이 필요합니다. 여기에는 기다림과 그리움이 동반됩니다. 삶을 살 줄 아는 사람은 당장 움켜쥐기보다는 쓰다듬기를 좋아합니다. 목표를 향해 곧장 달려가기보다는 여유를 가지고 구불구불 돌아가는 길을 선택합니다. 직선이 아닌 곡선의 묘미를 압니다. 여기에 삶의 비밀이 담겨 있습니다.

모든 일이 뜻대로 되지 않는다고 불행해하지 마십시오. 그 나름의 의미가 다 있습니다. 때로는 천천히 돌아가기도 하고, 가다가 쉬기도 하고, 또 길을 잃고 헤맬 수도 있어야 합니다. 고속도로를 달리다가 국도나 지방도로를 달리면 훨씬 여유가 있습니다. 둘레를 돌아볼 수 있는 여유가 생깁니다.

시간에 쫓기는 사람은 한마디로 죽으러 가는 사람입니다. 출퇴근 시간 바쁠 때 보면 한 치의 양보도 없이 서로가 앞서려고 합니다. 만약 화장터나 묘지, 죽음으로 가는 길이라면 서로 뒤처지려고 할 것입니다. 시간을 즐기는 사람은 영혼의 밭을 가는 사람입니다. 어떤 일을 하면서도 그 일의 노예가 되지 않습니다. 그 일을 자기 삶의 소재로 생각하고 모든 과정을 즐길 줄 압니다.

모든 일을 삶의 소재로 삼으십시오. 그래야 일을 하되 그 일로부터 자유로워집니다. 〈화엄경〉에서는 보살이 중생을 가르치는 것을 '유희삼매遊戲三昧'라고 합니다. 아이들이 소꿉장난할 때 아무 잡념이 없습니다. 시간 가는 줄도 모르고 어머니가 기다리는 것도 잊고 그 자체가 즐거워서 몰입합니다. 이것이 유희삼매입니다. 세상을 살 때도 그렇게 살라는 것입니다. 어떤 일을 하면서 그 일로부터 자유로워지라는 것입니다. 일에 갇히면 그 일이 좋을 수가 없습니다.

제가 이야기하고자 하는 주제는 '업'입니다. 제가 나와서 이렇게 이야기하는 것도 업이고, 또 여러분들이 바쁜 시간에 오셔서 제 이야기를 듣는 것도 업이 됩니다. 우리가 순간순간 보고 듣고 말하고 생각하고 행동하는 것, 모두가 업이 됩니다. 다른 말로 하면, 이것들이 나를 형성합니다.

제가 잘 아는 화가로부터 이런 얘기를 들은 적이 있습니다. 최근 100년 동안의 세계 미술사에서 인간의 형상이 사라졌다고 합니다. 그리고 그림에서 자연현상을 찾아볼 수 없게 되었다고 합니다. 인간과 자연이 20세기 그림에서 다루어지지 않았다는 말을 듣고 저는 큰 충격을 받았습니다. 저는 미처 생각 못했었는데 그 화가가 이것저것 자료를 제시하면서 설명해 주었습니다. 자코메티나 루오 등의 극소수 예술가를 제외하고는 대부분의 예술가들이 작품에서 인간과 자연을 제외시켰다는 것입니다. 이것은 심상치 않은 하나의 암시입니다. 거리의 풍경을 그리는 한 화가는 집과 거리만 그릴 뿐 전혀 사람을 등장시키지 않습니다. 지난 시대들의 그림과는 전혀 다릅니다. 사람이 없는 삭막한 거리를 한번 생각해 보십시오. 이 시대의 모습입니다. 인간이 사라지고 자연이 말할 수 없이 짓밟힌 시대의 자화상입니다.

아름다움을 지향하는 예술 세계에서 인간과 자연이 사라졌다는 사실은 적지 않은 충격입니다. 인체를 하나의 도구처럼 다루면서도 인간은 다루지 않았다는 것입니다. 인간 부재의 예술이 우리 인간에게 어떤 의미를 지니는지 묻지 않을 수 없습니다.

사람은 홀로 사는 존재가 아닙니다. 저희 같은 중들이 산속 오두막에서 혼자 산다고 해서 홀로 사는 것이 아닙니다. 시간적으로 혹은 공간적으로 떨어져 있다 하더라도 완전히 홀로 살 수는 없습니다. 서로가 관계 속에서 사는 것입니다. 사람은 홀로 있지 않고 많은 것에 의지해서 삽니다. 흙과 물과 바람과 나무와 새와 수많은 생물들과 함께 어울려서 삽니다. 그러면서 커다란 생명의 흐름을 이룹니다. 생태계란 무엇입니까? 모든 생명으로 이루어진 세계인데, 인간 위주로 접근하기 때문에 자연을 훼손시켰고, 또 그 결과 인간 스스로가 왜소해졌습니다. 부분에 집착해 전체를 내다보지 못한 까닭에 공생 공존의 틀이 무너졌습니다.

지금 환경위기시계는 9시 15분을 가리키고 있습니다. 아사히 글라스(일본의 유리 제조업체) 재단에서는 세계 각국의 환경 전문가들을 대상으로 한 설문조사를 토대로 매년 환경위기시간을 발표합니다. 환경위기시계에서 6시부터 9시 사이는 '상당히 불안한' 시간이고, 9시부터 12시는 '매우 불안한' 시간입니다. 지금 우리는 그런 매우 불안한 시간 속에서 살고 있습니다. 올해 환경위기시계가 가리킨 9시 15분은 사상 최악이라고 합니다. 지구환경 파멸의 시간은 12시입니다. 그러니 지금은 2시간 45분 전입니다.

하나밖에 없는 우리 지구를, 우리 삶의 터전을 누가 이렇게 만들었습니까? 말은 기상이변이라고 하지만 인간이 스스로 불러들인 위기입니다. 미국은 지금 화석연료 소비로 인한 이산화탄소 배출량이 세계의 26퍼센트에 이르고 있습니다. 세계 각국이 공해와 대기오염을 스스로 억제하기 위해 만든 교토의정서에서도, 미국은 부시 행정부가 들어서면서 탈퇴합니다. 지구를 병들게 만든 것은 지구 위에서 살아가는 모든 사람들의 책임이지만 특히 선진국 들의 허물이 큽니다. 현대 과학 기술의 과오입니다.

균형과 조화로 이루어진 생명의 흐름을 무너뜨린 결과는 거친 폭력으로 드러납니다. 저마다 이기적인 인간이 되어서 남을 받아 들이려고 하지 않습니다. 컴퓨터 게임에 열중하던, 아이도 아닌 어른이 게임에 번번이 패하자 상대방을 찾아가 폭력을 휘두릅니다. 또 한 고등학생은 평소 자신을 괴롭히던 같은 반 친구를 수업 중에 살해합니다. 인터넷을 통해 폭력 영화를 40번이나 반복해 보면서 폭력의 불을 지펴 온 것입니다. 다시 말하자면 폭력의 업을 익혀 온 것입니다.

가상 세계이든 현실 세계이든 우리가 보고 듣고 말하고 행동하는 것은 업이 됩니다. 업 자체가 관성의 법칙을 가지고 있기 때문에 보통의 의지로는 그것을 막아 낼 수 없습니다. 업에 놀아나는 것입니다. 자기 자신조차 이성적으로 그것을 억제할 수 없습니다. 극장가에서는 국산 영화라는 이름 아래 매년 폭력물이 등장합니다. 흥행에 성공했다고 좋아할 것이 아니라 그런 폭력물이 관객에게 정서적으로 어떤 영향을 끼칠 것인가 생각해야 합니다. 치고 받고 쓰러뜨리고 짓밟고 죽고 죽이는 장면을 즐기면 우리 기억의 필름 속에 찍혀서 잠재의식을 이룹니다. 마음밭에 그와 같은 씨앗이 뿌려지는 것입니다. 그 씨앗이 어떤 상황을 만나면 움트고 싹이 나고 줄기가 펼쳐지고, 그렇게 해서 예상치 못한 결과를 낳습니다. 이것이 업의 파장이고 흐름입니다.

세상에서 일어나고 있는 온갖 일들은 인과관계의 고리로 이어져 있습니다. 미국에 대한 테러도 보십시오. 미국이 어떤 나라입니까? 감히 누가 도전할 수 없는 막강한 초강대국인데, 그 본토에서 세계적으로 자랑하던 쌍둥이 빌딩이 공격을 당합니다. 수많은 사람들이 희생됩니다. 이것이 21세기의 전쟁 양상입니다. 아마도 이런 일은 두고두고 되풀이될 것입니다. 컴퓨터 게임이나 폭력 영화를 통해, 가상 세계에서 공격하는 업을 우리가 익혀 온 것입니다. 일찍이 그렇게 상상했기 때문에 어떤 상황에 도달했을 때 현실적으로 이루어지게 됩니다. 업이란 그런 것입니다.

폭력과 인간 부재의 시대에서 우리가 사람답게 살아가려면 이와 같은 인과의 고리를 잊지 말아야 합니다. 남에게 상처를 입히는 것은 결과적으로 나 자신에게 상처를 입히는 일입니다.

모든 것이 넘치는 정보사회에서는 저마다 자기 삶의 질서가 있어야 합니다. 불필요한 것들에 대해 자제할 줄 알아야 합니다. 무엇이든지 받아들이려고 하지 마십시오. 보지 않아도 될 것은 보지 말고, 듣지 않아도 될 소리는 듣지 말고, 먹지 않아도 될 것은 먹지 말고, 읽지 않아도 될 글은 읽지 말아야 합니다.

저는 전기도 안 들어오고 텔레비전도 없어서 그런 피해를 입지 않지만, 가끔 세상에 나와서 텔레비전을 볼 기회가 있을 때면, 국민들한테 불쾌감만 주는 정치꾼들 이야기 때문에 금방 꺼 버립니다. 그러고는 아예 접근을 하지 않습니다. 내 삶에 아무 도움이 안 될뿐더러, 내 존재를 그런 지저분한 것들로 채우고 싶지 않기 때문입니다.

될 수 있는 한 적게 보고, 적게 듣고, 적게 먹고, 적게 입고, 적게 갖고, 적게 말하는 습관을 들여야 합니다. 그래야 참으로 볼 것, 들을 소리, 또 살아야 할 삶을 챙길 수 있습니다. 그렇게 할 때 업의 덫에 걸려들 확률이 줄어듭니다. 이것은 소극적인 생활 태도가 아니라 지혜로운 삶의 선택입니다.

생각과 말과 행동은 우리 정신에 깊은 자국을 남깁니다. 그것은 마음밭에 뿌리는 씨앗과 같아서 이다음에 반드시 그 열매를 거두게 됩니다. 순간순간 우리들이 갖는 생각과 염원은 사라지지 않고 우주에서 진동을 한다고 명상가들은 말합니다. 남을 미워하면 그 자신이 미움의 진동이 되고, 남을 사랑하면 그 자신이 사랑으로 진동합니다. 우주의 진동과 파장은 같은 것끼리 연결되기 때문입니다.

처음 만났지만 오랜 친구처럼 정다운 사이가 있고, 또 섬뜩해서 자리를 같이하고 싶지 않은 사람도 있습니다. 그 사람이 발산하는 에너지 때문입니다. 그 사람이 평소 어떤 업을 지녔는가가 민감한 사람에게는 그대로 와 닿는 것입니다.

위산 스님의 법문에 이런 구절이 있습니다.

"아무것도 가져가지 못하고 업만 남아 따라간다."

우리가 이 세상을 하직할 때 증권이든 예금통장이든 가구든 아무것도 가져가지 못합니다. 자기가 평소에 지은 업만 남아서 신원증명서처럼 따라가는 것입니다.

우리는 매 순간 끝없이 형성되어 가는 과정에 있습니다. 지금 이 자리에 있는 저도 그렇고 여러분도 마찬가지입니다. 내가 나를 만듭니다. 내가 내 삶을 살기 때문에 누가 대신해서 나를 만들어 줄 수 없습니다. 어떤 나를 만들 것인가는 나 자신의 결단에 달려 있습니다. 업의 놀음에 이끌려 가지 말고 순간순간 새로운 자신을 만드시기 바랍니다.

마음은 채우는 것이 아니라 비우는 것

2003년 6월 15일 6월 정기법회

서울에도 강원도에도 이달 10일부터 말일까지 거의 하루도 빠짐없이 비가 내렸다. 예년보다 이른 장마가 세상을 빗방울로 가득 채웠다. 법회가 열린 이날, 스님도 비를 맞으며 산을 내려왔고 청중들도 비 내리는 일요일 우산을 받치고 하나둘 절의 일주문을 들어섰다. 스님은 물이 넘친 오두막 앞 개울을 건너기 위해 쓰러진 나무둥치를 끌어다 다리를 놓아야 했다고 말했다. 이 6월 법회를 마지막으로 스님은 지금까지 두 달에 한 번씩 해 오던 대중법회를 일 년에 두 번으로 줄이기로 했다. 스님은 이러한 대중법회가 성격에 맞지 않지만, 시주의 은혜에 의존해 살아가는 승려로서 세상에 조금의 역할이라도 하기 위함이라고 했다.

비 오는 날, 절에 오시느라고 힘드셨겠습니다. 주차할 곳도 마땅치 않고 장소도 협소한데 이렇게 또 만났습니다. 올해는 장마가 일찍 오는가 봅니다. 그래서 저도 장마철에 땔 나무를 며칠 전 미리 나뭇간에 들여놓았습니다. 해마다 되풀이되는 장마이기 때문에 미리 대비해야 합니다.

솔직히 말해서, 저는 이와 같은 대중법회를 별로 좋아하지 않습니다. 추상적이고 의례적인 모임에 나와서 어쩔 수 없이 떠들고 있지만 제 성에는 차지 않습니다. 시원한 나무 그늘에 앉아 한 사람 한 사람 마주 바라보면서 묻고 대답하는 그런 과정에서 삶의 이야기를 나누는 모임이 그립습니다. 길상사는 형편상 그럴 수 없기 때문에 비 오는 날 이렇게 천막 속에 앉혀 놓고 저 혼자 떠들고 있는 것입니다. 진정 좋은 법회라면 말하는 사람과 듣는 사람이 서로 주고받아야 합니다. 삶에 대한 이야기를 나누면서 서로가 새로운 길을 모색하고 찾아야 하는데, 지금 형식으로는 그럴 수가 없습니다.

참으로 뜻있는 만남과 모임은 결코 좋은 말을 많이 늘어놓는 데 있지 않습니다. 침묵 속에서 마주 바라보고, 서로 귀 기울이고, 같이 느끼면서 존재의 기쁨을 함께 누릴 수 있어야 합니다. 그런 자리에 진정한 만남과 모임의 의미가 있을 것이라고 저는 생각합니다. 2,500년 전 부처님과 그 제자들이 모여서 주고받은 이야기가 경전으로 결집되어서 오늘날까지 전해지고 있습니다. 어떤 경전을 보아도 부처님 혼자서 말한 집회는 없었습니다. 그곳에 모인 대중과 주고받으면서 이야기를 풀어 나갔습니다.

오늘 제가 법회에 나오면서 이 법회의 형식에 대해 생각되는 바가 있어 미리 말씀드렸습니다. 언젠가 시절인연이 오면 그런 모임을 갖고 싶습니다.

지난 하안거 결젯날 황벽 선사에 대해서 이야기했습니다. 황벽 선사와 배휴裴休 거사가 주고받는 문답이 〈전심법요傳心法要〉에 기록되어 있습니다. 거기 이런 구절이 나옵니다.

"시방세계의 모든 부처님께 올리는 공양이 한 사람의 무심도인無心道人에게 올리는 공양만 못하다. 왜냐하면 무심자에게는 온갖 분별과 망상이 없기 때문이다."

비슷한 법문이 〈사십이장경四十二章經〉에도 나옵니다. 아마 황벽 선사가 이 법문을 했을 때 〈사십이장경〉에서 참고했을 것입니다. 무심도인이 부처님보다 뛰어난 존재라는 뜻이 아니라, 무심을 강조하기 위해 이런 비유를 쓴 것입니다. 무심도인이나 부처님이나 그 경계는 다르지 않습니다.

황벽 선사는 같은 법문에서 부처님의 가르침을 인용하며 갠지스 강의 모래를 비유로 들고 있습니다. 갠지스 강을 한문 경전에서는 항하라고도 합니다. 현지에서는 강가라고 합니다.

"항하의 모래는 부처와 보살과 제석천帝釋天(불교의 수호신)이 밟고 지나갈지라도 조금도 기뻐하지 않는다. 소나 양, 벌레들이 밟고 지나갈지라도 모래는 조금도 화내지 않는다. 진기한 보배와 향료가 쌓여 있을지라도 탐내지 않으며, 똥오줌의 악취에도 모래는 싫어하지 않는다. 이런 마음이 무심을 통달한 마음이다."

모든 분별을 다 내려놓은 것입니다. 황벽 선사는 또 말합니다.

"불도를 구하는 사람들이 지금 당장, 바로 지금 이 자리에서 무심하지 않는다면 무량겁이 지나도록 수행할지라도 끝내 도를 이룰 수 없다."

도를 이루려면 무심해야 됩니다.

"어떻게 도에 들어갈 수 있습니까?"

누군가 묻자 달마 스님은 답합니다.

"밖으로는 모든 반연攀緣(마음이 대상에 의지하여 작용하는 것)을 쉬고 안으로는 헐떡거리는 생각이 없어서 마음이 벽과 같아야 비로소 도에 들어갈 수 있다."

이 역시 마음이 모든 분별을 떠나 무심해야 한다는 뜻입니다. 따로 도에 들어갈 것 없이 무심한 그 마음이 바로 도입니다. 그것이 곧 부처의 마음입니다. 본래 청정한 우리 마음입니다. 중생의 마음이나 부처님의 마음이 다르지 않습니다. 분별을 두면 중생이 되는 것이고, 분별을 거두고 본래 조용한 마음으로 돌아가면 그것이 바로 부처의 마음입니다.

무심이란 마음이 없는 것이 아닙니다. 마음속에 아무것도 담아 두지 않았다는 것입니다. 비유하자면 텅 빈 항아리와 같습니다. 관찰해 보십시오. 지금 내 마음에 담아 둔 것이 있는가? 항아리처럼 텅 비었는가? 아니면 무엇으로 가득 채웠는가?

마음속에 있는 욕망, 미움, 질투, 번뇌와 같은 분별 망상 때문에 우리 마음이 평화롭지 않습니다. 그것들을 비울 때 본래의 자기로 돌아갑니다. 본래의 내 마음이 곧 무심입니다. 황벽 선사는 그것을 본원청정심本源淸淨心, 본원청정불本源淸淨佛이라고 부릅니다. 근원적인, 더없이 청정한 마음이라는 것입니다. 모든 분별에서 떠난, 때 묻지 않은 맑고 투명한 마음입니다. 그것이 우리의 본래 마음입니다.

분명하게 보려면 어디에든지 얽매임 없이 텅 비어야 됩니다. 가령 우리가 어떤 그림을 볼 때, 가구를 볼 때, 아무런 선입관념이 없어야 합니다. 그래야 그 가구나 그림이 지닌 실체, 아름다움을 우리가 바로 받아들일 수 있습니다. 누가 만들었고 어떤 재료를 썼고 값은 얼마 나가겠고 이렇게 따지게 되면 그 물건이 지니고 있는 본래 모습을 우리가 제대로 인식할 수 없습니다. 직관력이란 것은 선뜻 보는, 첫눈에 보는 그것입니다. 첫눈에 반한다고 하지 않습니까? 아무 분별 없이 첫눈에 선뜻 받아들일 때 그것이 바른 것입니다. 첫인상은 중요합니다. 그런데 평소에 마음을 텅 비운 상태에서 보는 첫인상이 되어야지, 무언가 거기에 끼어들면 잘못 된 것입니다. 그것에 속지 마십시오. 첫인상 때문에 한세상 신세 망친 사람들이 적지 않습니다. 눈 바짝 떠야 합니다. 자기 안을 늘 들여다보고 자기 자신을 응시하라는 것입니다. 자기 발 뿌리를 살 펴야 합니다.

옛날 어떤 스님이 천수주력千手呪力(〈천수경〉을 일심을 다해 독송하는 것. 천수주력을 통해 득도한 선사들이 여럿 있다)을 해서 신통력이 났습니다. 점쟁이한테 가지 않아도 어떤 일들을 잘 알아맞혔습니다. 그런데 곁에서 경전을 잘 아는 이가 들으니 이 스님이 〈천수경〉을 앞뒤가 맞지 않게 뒤바꿔서 외우고 있는 것입니다. 그래서 바로 지적을 해 주었는데, 그 뒤로 신통력이 없어졌습니다. 전에는 아무 생각 없이 믿고 삼매에 빠진 상태로 경을 암송해 자기도 모르게 의식이 투명해져서 어떤 사물을 알아차렸는데, 이제는 분별이 생겨 순수하게 몰입할 수 없게 된 것입니다. 이와 비슷한 이야기는 많습니다.

우리의 일상 경험을 통해서도 알 수 있습니다. 글씨를 쓰거나 그림을 그리거나, 평소 아무 생각 없이 아이들이 흙장난하듯 무심히 할 때는 아주 잘됩니다. 그런데 전시회에 내거나 누구한테 주거나 하는 목적이 있을 때는 제 실력을 발휘하지 못하는 경우가 있습니다. 무심이 아니기 때문에 그렇습니다. 무심의 경지에서 하는 것은 바른 것입니다. 무심하지 않고 분별이 개입하면 제대로 될 수가 없습니다.

아무 분별 없는 그 자체가 기쁨입니다. 무슨 일이든지 그 일에 온 마음을 기울여 순수하게 몰입하면 그 자체로 환희의 상태입니다. 많이 아는 것은 더 구할 것이 없는 상태보다 못합니다. 달마 스님의 〈이입사행론二入四行論〉에 '무소구행無所求行'이란 말이 있습니다. 더 구할 것이 없는 행, 더 구할 것이 있으면 채워야 하니까 더 보태고 덜어 낼 것이 없어야 합니다. 그것은 불완전하다는 말입니다.

도인이란 일 없는 사람입니다. 이것을 무사인無事人이라고 합니다. 일이 없다고 해서 빈둥거리며 노는 존재가 아닙니다. 일을 하면서 그 일에 걸림이 없는 사람이란 뜻입니다. 일이 나를 구속하지 않습니다. 아무 분별이 없기에 그렇습니다. 그 일 자체를 삶의 내용으로 알고 기쁨으로 알기 때문에 무심히 할 뿐입니다.

배휴 장관이 황벽 선사에게 이렇게 묻습니다.

"자재인이란 어떤 사람입니까?"

자재인이란 자유인이라는 뜻입니다. 관세음보살을 관자재보살이라고 하지 않습니까?

황벽 선사가 답합니다.

"하루 종일 밥을 먹더라도 한 톨의 밥알을 씹지 않으며, 하루 종일 걷더라도 한 걸음도 옮기지 않는다. 이와 같은 때 너니 나니 하는 상이 없으며, 하루 종일 일상적인 일을 하면서도 그 경계에 팔리지 않아야 비로소 자재인이라고 할 수 있다."

황벽 선사의 제자가 임제 스님입니다. 임제 스님에 이르면 같은 내용을 가지고도 아주 과격한 표현으로 자유인을 이야기합니다. 무의진인無依眞人, 어디에도 의존함이 없는 진짜 사람, 어떤 계층에도 속하지 않는 참사람을 이야기합니다. 스승 황벽은 마음을 문제 삼고 있지만 제자인 임제 스님은 사람을 이야기합니다. 〈임제록〉에 보면 '사람'이라는 말이 많이 나옵니다. 그리고 무려 1,200년 전에 '자유'라는 말이 어록에 등장합니다.

"그대가 바른 견해를 얻고 싶거든 사람으로부터 미혹을 받지 말라. 안으로나 밖으로나 만나는 족족 죽이라. 부처를 만나면 부처를 죽이고, 조사를 만나면 조사를 죽이고, 아라한阿羅漢(소승불교에서 불제자들이 도달하는 최고의 경지)을 만나면 아라한을 죽이고, 부모를 만나면 부모를 죽이고, 친척을 만나면 친척을 죽이라. 그래야 비로소 해탈을 얻어 자유자재하리라."

죽이라는 말은 극복하라는 뜻입니다. 부처나 조사나 아라한이라면 불교에서는 가장 귀한 존재가 아닙니까? 그렇다고 거기에 매달리지 말라는 뜻입니다. 부모나 친척을 섬기는 것은 유교윤리의 기본입니다. 그런 기존의 틀에 갇히지 말라는 이야기입니다. 내 안에서 극복하라는 가르침입니다. 내 안에서 부처를 개발하고 내 안에서 조사를 일깨우고 내 안에서 아라한을 이루라는 것입니다. 아무리 위대한 존재라 하더라도 뛰어넘어야 합니다. 이미 군어 버린 존재는 부처나 조사라 하더라도 생명력이 없습니다.

부처나 조사도 현재 살아 있는 자기 자신 안에서 일깨우라는 것입니다. 부처나 조사라 하더라도 너무 그에 의존하게 되면 그의 노예, 복사품에 지나지 않습니다. 새로운 부처를 이룰 수 없습니다. 나아가 임제 스님은 어록에서 이렇게 말하고 있습니다.

"이와 같이 하는 내 말에도 얽매이지 말라."

여기에 불교의 묘미가 있습니다. 어떤 종교에서 만일 자기네 교주를 죽이라든가 한다면 당장 화형감입니다. 불교의 독특한 모습입니다. 이를 잘못 받아들이면 무례한 언동이 되지만, 진짜 알고 무심한 상태에서 얘기한다면 조금도 문제되지 않고 오히려 부처님의 뜻을 이어받는 일이 됩니다.

말에 팔리지 말고 말 뒤에 숨은 뜻을 안다면 이 말들이 무슨 뜻인지 이해하게 될 것입니다.

무슨 재미로 사는가 각자 생각해 보시기 바랍니다. 비도 오니까 얘기해 보겠습니다. 저마다 다른 상황에서 살지 않습니까? 저도 가끔 질문을 받습니다.

"스님, 무슨 재미로 그 산중에서 혼자 지내십니까?"

저는 그때마다 선뜻 답을 합니다.

"시냇물 길어다가 차 달여 마시는 재미로 삽니다."

엉뚱한 소리가 아닙니다. 내가 혼자 산중에 살면서 차를 마시는 일이 없다면 얼마나 빡빡하겠습니까? 한 잔의 차를 통해서 늘 삶에 대한 고마움, 이 세상에 대한 고마움, 출가 수행승이 된 고마움을 느끼게 됩니다.

최근에는 또 하나의 재미가 생겼습니다. 한밤중에 깨어나서 조용히 벽에 기대어 밤시냇물 소리에 귀를 기울이고 있으면 그렇게 좋을 수가 없습니다. 경험해 본 사람들은 알 것입니다. 낮에 듣는 물소리와는 다릅니다. 모든 것이 잠들어 있는 그 시간에 흐르는 시냇물 소리에 조용히 귀를 맡겨 두고 있으면 더없이 마음이 평화롭고 정신이 투명해집니다. 전에도 느끼지 못한 것은 아니지만 요즘 들어 그것을 재미로서 누리고 있습니다.

자는 시간을 줄이십시오. 우리가 한평생 60년을 산다면 20년은 잠으로 보냅니다. 우리에게 주어진 시간은 무한하지 않습니다. 시간의 잔고는 많지 않습니다. 누구에게나 하루 24시간이 주어집니다. 이것은 시간의 부피입니다. 시간의 알맹이를 어떻게 사용하는가에 따라 남보다 몇 곱을 살 수 있고 형편없이 잘못 살 수도 있습니다.

시간은 한번 지나가면 다시 되돌릴 수 없습니다. 잠자는 시간은 휴식이기도 하지만 한도를 넘으면 죽은 시간입니다. 깨어 있는 시간을 많이 가져야 합니다. 자다가 깨면 다시 잠들려고 하지 마십시오. 깨어 있는 그 상태를 즐겨야 합니다. 한밤중의 그 고요와 적막을, 맑고 투명한 그 의식을 누릴 수 있어야 합니다.

깨어 있는 시간이 많다는 것은 그 인생이 그만큼 알찬 삶을 누리고 있다는 뜻입니다. 일상에서 재미를 찾으십시오. 그러면 세상은 살아갈 만한 곳이 됩니다.

우중에 제 얘기 듣느라 고생 많으셨습니다.

지금 이 자리에서 생사가 벌어지고 있다

2003년 5월 15일 여름안거 결제

화사하게 피었던 꽃들이 지고 산천이 초록으로 물들어 가는 5월이지만, 스님이 있는 강원도 산중의 5월은 이제 막 꽃철이 시작될 무렵이다. 벼랑 끝에서는 진달래가 피어나고, 지난겨울의 잔설이 녹아 흐르는 개울물 소리에 귀가 시리다고 스님은 말했다. 하안거 결제일이면서 스승의날이기도 한 이날, 법문에 앞서 절의 주지가 스님에게 한 다발의 꽃을 선물했다. 청중이 다 함께 '스승의 은혜'를 부르자, 스님은 약간 부끄러운 듯 "왜 안 하던 짓을 하느냐."며 꽃다발을 옆에 내려놓고 말씀을 시작했다. 스님은 이날 "우리가 애써 정진하는 것은 새삼스럽게 깨닫기 위해서가 결코 아니다. 본래의 밝음을 드러내기 위해서 정진하는 것이다. 갈고닦지 않으면 더럽혀지기 때문이다."라며 정진으로 이 여름을 날 것을 당부했다. "졸음과 망상으로부터 깨어나라. 지금 앉아 있는 이 자리에서 생사가 벌어지고 있다."

오늘은 황벽 희운 선사에 대해 말씀드리려고 합니다. 이분이 언제 태어났는지에 관한 정확한 기록은 없지만 서기 850년 경, 그러니까 지금으로부터 1,200여 년 전 사람입니다. 그리고 유일하게 이분만 어떤 문헌을 찾아보아도 속성俗姓을 알 길이 없습니다. 임제 스님, 조주 스님 할 것 없이 거의 모든 선사의 속성이 기록으로 남겨져 있습니다. 육조 혜능 스님도 속성이 '노' 씨입니다. 속성이 남아 있지 않다는 것은 황벽 스님의 탈세속적인 면모를 잘 드러내 줍니다.

중국 선종사를 보면 이름난 큰스님들은 재가불자들, 특히 할머니들로부터 많은 영향을 받습니다. 절에 다니는 불자들 가운데서도 특히 할머니들의 눈이 밝습니다. 덕산 스님도 떡장수 할머니에게서 길을 안내받았고, 조주 스님에게도 영향을 끼친 노파가 있었습니다. 이러한 이야기들이 역사 속에 많이 나옵니다.

황벽 스님 역시 그러했습니다. 스님은 항상 걸식을 했는데, 갈 때마다 문이 닫혀 있는 집이 있었습니다. 다른 집은 문을 열어 음식도 주곤 하는데, 한 집만은 늘 닫혀 있는 것입니다. 하루는 그 집 문이 활짝 열려 있어서, 스님이 들어가 걸식을 청합니다. 집주인 할머니는 황벽 스님을 보더니 이렇게 호통을 칩니다.

"이런 염치도 없는 어리석은 화상 같으니!"

만나자마자 다짜고짜 이런 소리를 합니다. 그래서 황벽 스님이 황망히 되묻습니다.

"밥도 주지 않으면서 염치없다고 꾸짖으니 웬일입니까?"

이에 노파가 대꾸합니다.

"겨우 그 모양이라니, 한심한 화상이로군."

이때 황벽 스님은 노파가 보통 사람이 아니라는 것을 알아차립니다. 노파는 황벽 스님이 큰 기량을 지닌 분임을 미리 알아보고 그렇게 말한 것입니다. 노파는 집 안으로 스님을 맞아들인 뒤, 공양을 잘 올리고 나서 묻습니다.

"스님은 지금까지 어떤 공부를 해 왔습니까?"

황벽 스님은 노보살에게 믿음이 가서 자신의 속마음을 다 열어 보입니다. 어떤 과정을 거쳐 어떻게 공부했는지 이야기하자, 노보살이 말합니다.

"나는 다섯 가지 장애가 있는 몸이라 법기(법의 그릇)가 아닙니다. 백장 대사는 선림禪林의 스승으로 우뚝 솟은 분이니 찾아가서 묻고 배우십시오."

이어 노보살이 당부합니다.

"스님은 훗날 뭇사람의 스승이 되실 분이니 부디 가볍게 처신하지 말기 바랍니다."

노보살이 일러 준 대로 황벽 스님은 백장 스님을 찾아갑니다. 그리고 백장 스님을 만나 이렇게 묻습니다.

"스님께선 예전부터 전해 내려온 일을 어떻게 가르치십니까?"

'부처님 때부터 내려온 불법을 어떻게 가르치는가?' 하는 물음입니다. 백장 스님은 아무런 대답도 하지 않습니다. 그렇지만 황벽 스님을 보자마자 속으로 '이 녀석은 손보지 않아도 클 만한 녀석이구나.'라고 생각하며 감탄합니다. 황벽 스님이 다시 이야기합니다.

"스님의 가르침이 뒷사람들에게 끊이지 않고 이어져야 할 것입니다."

이때 비로소 백장 스님이 입을 엽니다.

"나는 처음부터 그대가 그 일을 맡을 사람이라 생각했노라."

그러자 황벽 스님이 말합니다.

"제가 여기에 온 이유는 다만 그 말씀 한 마디뿐이었으니, 이로써 만족합니다."

다시 백장 스님이 응수합니다.

"좋다. 그렇다면 그대는 훗날 나를 도와서 저버리지 않기를 바란다."

이것이 스승과 제자가 만나는 소식입니다. 따로 묻고 답할 필요 없이 서로를 보자마자 첫 눈길이 마주치면서 전하고 받습니다. 목격전수目擊傳授라는 말이 있습니다. 눈길이 마주쳤을 때 주고받는다는 뜻입니다. 이는 스승과 제자만이 아닙니다. 흔히 첫눈에 반한다고 하지 않습니까? 진짜 만날 사람들은 눈길이 마주쳤을 때 그렇게 됩니다. 백장 스님과 황벽 스님이 바로 그렇게 만났습니다. 믿음과 신의로써 맺어진 것입니다. 그래서 백장 스님은 황벽 스님에게 뒷날까지도 부탁한 것입니다. 그리하여 부처님 법이 육조 스님 이래 마조, 백장, 황벽, 임제 스님의 계통으로 이어져 크게 융성합니다. 이분들은 중국 불교뿐 아니라 세계 불교에 커다란 영향을 끼칩니다. 그래서 이분들의 어록을 '4가 어록'이라 따로 부르기도 합니다. 제가 오늘 소개한 일화는 고승들의 전기를 기록한 〈조당집〉에서 인용한 것입니다.

오늘 스승의날을 맞이해 우리는 진정한 스승과 제자가 어떻게 만나는가를 되새겨야 합니다. 이때부터 황벽 스님은 백장 스님 문하에서 열심히 수행합니다.

하루는 백장 스님이 외출했다가 돌아오는 황벽 스님에게 묻습니다.

"어디를 갔다 오는가?"

"대웅산 밑에서 버섯을 따고 오는 길입니다."

황벽 스님이 답합니다. 아마도 버섯 딸 철이었나 봅니다. 이런 문답을 보면 그 당시 스님들이 탁발도 했지만, 자력으로 생활을 영위하기 위해 버섯 같은 것을 채취해서 부식으로 먹었음을 알 수 있습니다.

그러자 백장 스님이 묻습니다.

"호랑이를 보았느냐?"

돌연 황벽 스님이 호랑이 흉내를 내며 으르렁거리면서 스승에게 달려듭니다. 이날 백장 스님은 대중들을 불러 모아 놓고 이렇게 말합니다.

"대웅산 밑에 호랑이가 한 마리 있으니, 다들 조심하기 바란다. 늙은 이 사람도 오늘 한 번 물렸다."

제자인 황벽의 기량을 대중 앞에서 공인한 것입니다.

선종사에 보면 좋은 거사님들이 참 많습니다. 노보살님들뿐만 아니라 눈 밝은 거사님들이 수두룩했습니다. 그 가운데 배휴라는 분이 계시는데, 8세기부터 9세기에 걸쳐 당나라에 산 문인 관료입니다. 어려서부터 고기를 먹지 않았고, 채식만 했습니다. 그래서 사람들이 "너는 왜 고기를 먹지 않느냐?" 하고 물으면 "채식만으로도 넉넉한데 어찌 산 짐승의 고기를 먹는단 말이오?" 하고 대꾸했습니다. 매우 착실하게 배울 것을 다 배운 분입니다. 관료가 되어서는 민폐를 없애며, 당나라 역사에 기록될 정도로 올바른 선정을 펼칩니다. 그래서 임금이 무척 신뢰했습니다. 배휴는 부임할 때마다 그 지방의 절을 찾아가 참배하곤 했습니다.

그러던 어느 날, 배휴는 한 절을 찾아가서 법당에 참배한 뒤 선사들의 초상을 모신 조사당에 들르게 되었습니다. 그는 여러 초상 중에서 하나를 가리키며 그곳의 원주스님(절의 사무를 보는 스님)에게 묻습니다.

"저 영정은 누구의 초상입니까?"

"이 절에 살다 돌아가신 한 스님의 초상입니다."

원주스님의 대답을 들은 배휴가 되묻습니다.

"초상은 여기 있는데 그럼 그 스님은 지금 어디에 계십니까?"

이 말에 원주스님은 아무 대답도 하지 못합니다. 그러자 배휴가 다시 묻습니다.

"이 절에는 참선하는 스님이 없습니까?"

원주스님이 답합니다.

"요즘 어떤 스님 한 분이 와서 허드렛일을 하며 지냅니다. 그가 참선하는 스님인 듯합니다."

그러자 배휴는 "그 스님을 한번 뵙게 해 주십시오." 하고 청합니다. 이 당시 황벽 스님은 자신이 살던 황벽산을 떠나 이름을 감춘 채 대중 속에 숨어 은밀하게 정진하면서, 절 안의 궂은일을 도맡아 하고 있었습니다. 원주스님은 배휴가 참선하는 스님을 소개해 달라고 하자 허드렛일을 하던 황벽 스님을 소개해 줍니다. 일을 하다가 불려 온 황벽 스님을 향해 배휴가 말합니다.

"제가 조금 전에 물은 이야기가 있습니다만, 원주스님은 대답을 아끼셨습니다. 스님께서 대신 한 말씀 해 주시겠습니까?"

배휴의 청에 황벽 스님은 물어보라고 합니다.

"영정은 여기 있는데, 이 스님은 지금 어디 있습니까?"

이때 황벽 스님이 큰 소리로 "배 장관!" 하고 부릅니다. 배휴는 깜짝 놀라 엉겁결에 "예!" 하고 대답합니다. 그러자 황벽 스님이 "그대는 지금 어디 있는가?" 하고 묻습니다. 이 순간 배휴는 눈이 번쩍 뜨입니다.

이것은 남의 법문이 아닙니다. 우리가 알아차려야 합니다. 우리가 서 있는 자리를 살피고, 바로 그곳에서 살아야 합니다. 현재의 자리에서 헛듣지 말라는 것입니다. 정신을 딴 데 팔지 말라는 것입니다. 화두를 참구하거나 염불한다고 해서 정신을 다른 곳에 두지 말라는 가르침입니다. 배휴는 찬탄합니다.

"스님께서는 참으로 선지식입니다. 이처럼 분명하게 사람을 이끌어 주시는데 어찌하여 몸을 숨기고 계십니까?"

그날부터 배휴는 제자의 예를 갖추어, 자신이 부임한 고을에 스님을 모시고 와서 법문을 청해 듣습니다. 배휴는 황벽 스님을 만날 때마다 절을 지어 그곳에 모시겠다고 청하지만, 스님은 이를 거절하며 법문만 해 주고 돌아가곤 했습니다. 이렇게 해서 이루어진 법문을 모은 책이 지금까지 전해지는 〈전심법요〉와 〈완능록〉입니다.

요즘 참선하는 사람들은 흔히 화두를 붙들고 있기가 어렵다는 말을 합니다. 누구에게나 공통적인 현상입니다. 화두를 들고 있는 것이 쉬운 사람은 극히 드뭅니다. 선방에서 정진하는 스님이든 재가신도이든, 화두를 들고 있기가 어렵습니다. 그 일이 쉽다면 누가 정진하겠습니까? 잘 안 되니까 되게 하려고 노력하는 것입니다. 인욕정진이 그래서 필요합니다.

우리가 여러 생에 걸쳐 익힌 업 때문에 늘 졸음과 망상에 빠집니다. 이래저래 한 해 두 해 지나가 버립니다. 또 어떤 사람들은 화두가 자신에게 잘 맞지 않는다며, 이 화두를 들고 있다가 버리고 저 화두를 들고, 그 일을 계속 반복합니다. 이런 식으로는 얼음판에서 미끄러지는 참선이 되어 버립니다. 말하자면 기름 참선이 되는 것입니다. 자기가 어떻게 하고 있는가가 문제이지, 화두가 좋고 나쁜 것이 아닙니다. 아무것이나 한 가지 붙들고 거기에 일로매진하면 됩니다. 그런 과정을 통해 사람이 익어 가는 법입니다. 집에 들어서자마자 안방으로 들어갈 수 있는 경우는 극히 드뭅니다.

공부에 재미를 붙이려면 우선 관념적인 데서 벗어나야 합니다. 늘 듣던 소리에서 탈피해야 합니다. 그리고 현재에 안착해 바로 지금 이 자리를 살펴야 합니다. 생사가 어디에 있습니까? 바로 지금 이 자리에서 생사가 벌어지고 있습니다. 삶과 죽음도 지금 이 자리에서 일어나고, 삶과 죽음으로부터의 해탈도 지금 이 자리에서 이루어집니다. 다른 어느 곳에서 이루어지는 것이 아닙니다. 그리고 한 소식 하겠다는 생각을 쉬어야 합니다. 깨닫겠다는 그 생각부터 쉬어야 합니다. 깨닫겠다는 생각 자체가 하나의 망상입니다.

이 여름을 이와 같은 마음가짐으로 보낸다면 결코 허송세월하지 않을 것입니다. 분명히 알아 두십시오. 우리는 본래의 밝음을 드러내기 위해 정진하는 것입니다.

좋은 여름 되시기를 바랍니다.

부분적인 자기에서 전체적인 자기로

2003년 5월 8일 부처님오신날

어버이날이면서 불기 2547년 부처님오신날을 맞아 법회가 열린 길상사에는 연녹색 잎사귀가 돋아난 나무들 사이로 오색 연등이 걸렸다. 이틀에 걸쳐 내린 봄비로 대기가 더욱 맑고 청명해진 이 날, 일주문이 열리자마자 아침 일찍부터 법회에 참여하기 위해 많은 사람들이 모여들었다. 절에 도착한 스님에게 강원도의 날씨를 묻자 그곳에는 아직 비가 내리고 있다고 했다. 그 비 그치면 강원 도에도 드디어 봄의 시작이다. 저녁에 극락전 앞뜰에서 열린 길상 음악회에는 가수 안치환과 한동준, 이지상이 함께했다. 올해로 5 회째를 맞는 이날 음악회의 의미가 더욱 특별했던 것은 이라크의 고통받는 어린이들을 돕기 위해 마련된 자리였기 때문이다. 스님 도 이날 법문에서 어려운 이들을 도우라고, 우리 모두는 부처님의 천백억화신이라고 말했다.

부처님오신날입니다. 부처님이 어디서 오셨는지, 무엇하러 오셨는지, 오늘은 그것에 대해 말씀드리고자 합니다.

현대인들은 너나 할 것 없이 남을 배려할 줄 모릅니다. 자기 앞 챙기기에 급급합니다. 어떤 기업에서는 '일류가 아니면 살아남지 못한다.'는 비정한 광고까지 하지 않습니까? 일류가 아닌 사람도 얼마든지 살아남을 수 있고, 또한 살아남아야 합니다. 그러한 것들이 우리의 마음속에 매우 첨예한 경쟁의식을 불러일으킵니다.

아널드 토인비의 저서 〈대화〉에 보면, 그가 자신의 아들과 일본의 한 학자와 나눈 대화 내용이 소개되어 있습니다. 토인비는 인류 역사를 통틀어 자기중심성으로부터 해방된 첫 번째 사람으로 불타 석가모니를 꼽습니다. 대개 우리들 고뇌의 원인은 자기 자신에 얽매이는 데 있습니다. 모든 괴로움과 갈등의 원인을 한번 떠올려 보십시오. 자신에 대한 집착에서 시작된 것입니다. 자기중심성으로부터 벗어났다는 것은 자기 집착에서 벗어났음을 의미합니다. 집착이 생사윤회의 근본이라고 하지 않습니까? 자기 자신밖에 모르는 이와 같은 중심성은 이기주의나 다름없습니다. 동시에 반사회적인 행동의 원인이 됩니다. 자기밖에 모르면 타인을 배려할 줄도 모릅니다. 자기중심성에서 벗어났다는 것은 부분적인 자기로부터 전체적인 자기로 이동했다는 뜻입니다. 자신에게 엄격하고 타인에게는 너그럽다는 의미입니다.

나 혼자만의 세상이 아니기에 공동체를 이루고 산다는 것은 언제나 이웃과 타인을 배려해야 함을 의미합니다. 타인을 배려할 줄 모른다는 것은 조그만 자신 안에 갇혀 있는 것입니다. 남을 배려한다는 것은 부분적인 자기에서 전체적인 자기로 자신을 확대시키는 것입니다.

덕이란 무엇인가? 남을 배려하는 마음입니다. 그것이 곧 자비심입니다. 우리나라에서는 한 해 12,000여 명의 어린이들이 버려진다고 합니다. 오늘도 몇십 명이 버려질 것입니다. 주로 미혼모와 이혼한 사람들이 아이를 버린다는데, 말 못할 사정 때문이라고는 하나 그것은 자신만의 표준입니다. 자기 상황만 생각하는 일입니다. 어린 생명을 생각해 보십시오. 어린 생명을 배려한다면, 자기 상황이니 말 못할 사정이니 하는 것이 있을 수 없습니다. 이 세상에 말 못할 사정이 어디 있습니까? 다 말할 수 있는 사정입니다. 이는 이기심에서 생겨난 그릇된 행동입니다. 자기에게서 태어난 그 어린 생명을 어떻게 버릴 수 있습니까? 자신에게 맡겨진 생명입니다. 이런 짓은 인간의 도리에 어긋날 뿐 아니라, 인과법칙으로 본다면 그 일로써 끝나지 않습니다. 그것을 고비로 얽히고설켜서 주고받는 새로운 갈등이 또 생겨납니다. 우리가 한 어머니로부터 태어난 아이라는 사실을 잊어서는 안 됩니다. 어떤 희생을 감수하더라도 자신에게 맡겨진 어린 생명을, 자신을 의지하고 세상에 온 어린 생명을 버리지 말아야 합니다. 그 양육의 과정을 통해 인간이 되어 가는 것입니다. 어머니가 되어 가는 것입니다.

제가 아는 사람 집에 석 달 된 여자아이가 있습니다. 아직까지는 자기 엄마 아빠에게도 낯을 가리는 모양이었습니다. 어느 날 그 집에 갔는데, 아기가 매우 귀엽게 웃는 것이었습니다. 그래서 제가 서투르게 안아 주니 아기가 무척 좋아했습니다. 아기에게 이야기를 건네면 응답이라도 하듯 옹알거립니다. 사정이야 다 있겠지만 그런 아기를 어떻게 버립니까? 더구나 자기가 낳은 자식을 말입니다. 오랫동안 그런 업을 익혀 왔기 때문에 도저히 상상할 수도 없는 행동을 하게 되는 것입니다.

저도 철이 드는지 전에는 거의 생각하지 않던 일들을 이제 와서 새삼스럽게 생각합니다. '내가 지금까지 살아오면서 얼마나 많은 사람들의 도움을 받으며 살아왔을까?' 가끔 생각합니다. '정신적, 물질적으로 얼마나 많은 사람들로부터 도움을 받고 은혜를 입었는가?' 스물네 살 때 절에 들어왔으니, 어느덧 반세기가 가까워집니다. '그동안 내가 절에 와 시줏밥 먹고 살면서 얼마나 많은 사람들의 도움을 받으며 살았는가?' 하고 생각할 때면 스스로 부끄러워집니다. 왜냐하면 저는 남으로부터 많은 도움을 받았음에도 남을 그렇게 많이 돕지 못했기 때문입니다. 제가 받은 도움에 비하면, 남을 도운 일은 그 백 분의 일이나 천 분의 일에도 미치지 못합니다. 이것은 솔직한 이야기입니다.

사람의 덕이란 어디서 오겠습니까? 내 도움이 필요한 사람들을 선뜻 도울 때 덕이 자랍니다. 어디서 덕이 갑자기 생기는 것이 아닙니다. 어려운 사람을 기꺼이 도와줄 때 덕의 싹이 자라납니다.

아름다운 세상이란 이렇게 연등을 잔뜩 걸어 놓고, 꽃이 만발한 세상이 아닙니다. 사람들이 서로를 믿고 도우며 인정이 넘치는 곳이 아름다운 세상입니다. 그 어떤 사람도 모든 것을 혼자서 해낼 수는 없습니다. 오늘 모임만 하더라도 며칠 전부터 많은 분들이 노력한 결과입니다. 우리가 세상을 살아가려면 그때그때 누군가의 도움이 필요합니다. 선뜻 나서서 도울 때, 우리 삶의 질이 향상되고 세상을 살아가는 의미가 새로워집니다.

남을 도울 때는 자기 생각대로만 해서는 안 됩니다. 상대편의 자존심과 선택권을 존중해야 합니다. 그가 당장 필요로 하는 것이 무엇인지부터 생각해야 합니다. 그리고 자신이 상대편을 돕는다고 해서 무슨 은혜라도 베풀듯 행동해선 안 됩니다. 그것은 진정한 의미의 베풂이 아닙니다. 우리는 지금까지 수많은 사람들로부터 헤아릴 수 없이 많은 도움을 받으며 살아왔습니다. 이제는 내가, 우리가 나서서 도울 차례입니다. 기회는 한번 지나가면 다시 오지 않습니다. 그날그날 그때그때 우리에게 기회가 옵니다. 그것을 미루지 마십시오. 미루면 다시 돌아오지 않습니다. 남을 도와서 그 사람의 삶이 좀 더 나아진다면 내 삶도 그만큼 향상됩니다. 또 남을 돕고 살면 그 도움이 크든 작든, 우리가 헛된 삶을 살고 있지 않음을 알게 됩니다. 타인의 삶에 밝은 영향을 미치는 행동은, 우리 자신의 삶에도 그만큼의 의미를 가져다줍니다. 내가 누군가에게 도움을 주어서 그 영향이 밝게 미친다면, 나 자신의 삶도 의미를 지니게 되고 풍요로워질 것입니다.

이웃이 도움을 필요로 할 때 우리는 두 가지 길 앞에 마주 서게 됩니다. 한 길은 모른 체하는 것입니다. '나 살기도 빠듯한데 어떻게 그런 마음을 내겠는가?' 또 다른 길은 사람의 도리로 여겨 흔연스럽게 도움의 손길을 내미는 것입니다. 이런 기회를 우리는 일상에서 늘 마주칩니다. 절 안에서도 그렇고 절문 밖에서도 그렇고, 사소한 일상사 속에서 늘 두 갈래 길 앞에 마주 섭니다. 모른 체할 수도 있고, 모른 체하지 않고 선뜻 손을 뻗을 수도 있습니다.

선택권은 우리들 자신에게 있습니다. 모른 체 돌아서는 것은 삶에서 자신을 성장시킬 수 있는 모처럼의 기회를 스스로 포기하는 일입니다. 선뜻 나서는 것은 지난 세월의 도움을 갚는 것입니다.

내가 지난 세월 빚진 도움을 갚으면서 내 삶을 새롭게 하는 일입니다.

오래전, 어느 절에서 실제로 일어났던 일입니다. 지금도 기록으로 전해져 오고 있습니다. 한 가난한 절이 있었습니다. 밥 먹을 형편이 못 되어서 아침에는 겨우 죽을 먹고 점심에는 나물이 전부인, 대중은 많은데 매우 가난한 절이었습니다. 하루는 마을 사람이 찾아와서 절 책임자인 노스님께 자기 집안의 어려운 사정을 이야기합니다. 절이 무척 가난해서 끼니도 기약할 수 없는 마당에, 한 신도가 와서 도와 달라고 말하는 것입니다. 마침 불상을 만들 때 쓰려고 준비해 놓은 구리가 있었습니다. 어떤 시주가 불상을 조성할 때 사용하라고 준 구리동판이었습니다. 노스님은 그 구리를 마을 사람에게 주면서 양식과 바꾸라고 합니다. 그러자 젊은 스님들이 거세게 항의합니다.

"시주가 부처님께 쓰라고 보내온 동판을 어떻게 남한테 내줄 수 있습니까? 이것은 호용죄互用罪가 아닙니까?"

호용죄라는 것은 가령 시주가 법당 지을 때 쓰라고 준 시줏돈을 요사채 짓는 데 쓴다든가, 그 밖의 다른 곳에 전용하는 것을 이릅니다. 불가피한 경우에는, 사전에 시주의 양해를 구해 다른 데 쓰겠다고 승낙을 얻고 나서 써야 허물이 안 되지, 시주의 허락 없이 마음대로 명목을 바꾸어서 쓰면 그것은 호용죄에 해당하는 것입니다. 노스님이 제자들의 말을 듣고 이렇게 말합니다.

"너희들이 옳다. 이것은 호용죄에 해당하고 부처님께 쓸 제물을 내 멋대로 처분했기 때문에 지옥에 가도 좋다. 그러나 절 아래 사람이 다 굶어 죽어 간다는데, 수행자가 하루 이틀 굶은들 그것이 수행에 무슨 방해가 되겠는가? 오히려 그런 일을 통해 수행의 덕을 쌓지 않겠는가? 또 본래 내 것이 어디 있는가? 절실하게 필요한 사람이 먼저 쓰라고 우리가 맡아 갖고 있는 것 아니겠는가?"

이 말씀이 기록으로 남아 있습니다. 여기에서 대승과 소승이 나뉩니다. 소승은 곧이곧대로 따르는 것이고, 대승은 보다 큰일을 위해 규약과 규칙을 범하는 것입니다. 우리는 일상생활에서 이런 일들을 흔히 접할 수 있습니다. 보다 큰 것을 위해서는 작은 것을 희생할 수도 있습니다. 그것이 방편입니다. 그런 노스님이 사는 절이기에 좋은 절입니다. 설령 비가 새고 끼니가 어렵더라도 좋은 절입니다. 그 깨어 있는 정신이야말로 수도 정신이고, 살아 있는 정신이자 세상의 빛이 될 수 있는 정신입니다.

남을 돕는 일에 어떤 보상이 따른다면, 그 보상이란 곧 내 가슴이 그만큼 따뜻해지는 일일 것입니다. 또 내 시야가 그만큼 넓어집니다. 삶의 의미가 그만큼 깊어집니다. 남을 도우면 존재의 깊은 의미를 스스로 깨닫게 됩니다. 보시를 제1바라밀이라고 하지 않습니까? 바라밀이란 우리가 세상을 건너는 일, 세상을 사는 일입니다. 세상을 사는 일 가운데 가장 으뜸가는 덕이 무엇인가? 보시라는 것입니다. 남을 돕는 일입니다.

오늘이 부처님오신날이라고 합니다. 부처님이 오신다니 어디서 왔습니까? 무엇하러 왔습니까? 각자 한번 생각해 보십시오. 부처님은 따로 있지 않습니다. 부처님과 우리를 별개의 존재로 보지 마십시오. 우리들 자신이, 여기 계신 모든 분들이 부처님의 화신들입니다. 천백억화신들입니다. 우리들 자신이 그런 도리를 가르친, 그 부처님의 화신입니다. 저마다 우리가 그런 부처님입니다. 이웃의 어려움을 함께 나누어 가질 때, 그 자리에 자비로운 부처님이 오십니다. 그들이 곧 부처님입니다. 그 마음을 일으킨 행위를 한 그들이 부처님입니다.

　부처님오신날이 오늘 하루로 그친다면 아무 의미가 없습니다. 생일잔치를 하고 마는 것과 같습니다. 부처님의 가르침을 믿고 따르는 모든 불자는, 언제 어디서나 자신이 서 있는 그 자리에 부처님이 오시도록 마음에 새겨 끊임없이 정진해야 합니다. 어떤 특정한 날에만 부처님이 오신다면 대단한 일이 아닙니다. 그것이 뭐 대단한 일입니까? 언제 어디서든 부처님이 오셔야 합니다. 그 자리가 바로 정토요, 극락세계입니다. 그런 자리에서 함께 만나도록 오늘 부처님오신날을 맞아서 거듭 정진하십시다.

용어 해설

〈관심론觀心論〉

"마음은 모든 것의 근본으로, 모든 현상은 마음에서 일어난다. 그러므로 마음을 알면 만가지 행이 갖추어진다."로 시작하는 보리 달마의 가르침. "마음을 잘 거두고 안을 비추어 늘 밝게 관찰하여 삼독심을 영원히 녹여 없애고, 육적의 문을 닫아 다시는 침범 못하게 하면 한없는 공덕과 갖가지 장엄과 무량한 법문을 성취할 것이다."라는 내용으로 마무리된다. 삶에서 마음을 어떻게 쓸 것인지 배울 수 있는 가르침으로 널리 읽히고 있다.

교토의정서Kyoto Protocol

1997년 12월 11일 채택된 기후변화협약에 따른 온실 가스 감축 목표에 관한 의정서로, 감축 대상 가스는 이산화탄소, 메탄, 아산화질소 등 여섯 가지이며, 당사국은 온실 가스 감축을 위한 조치를 취해야 한다. 미국, 캐나다, 일본, 유럽연합 등 38개국이 회원국이었으나 미국은 2001년 자국 산업 보호를 위해 탈퇴했다. 한국은 제3차 당사국 총회부터 의무 대상국에서 제외되었으나, 몇몇 선진국은 감축 목표 합의를 명분으로 한국, 멕시코 등도 선진국과 같이 2008년부터 자발적으로 의무를 부담할 것을 요구했다.

구르는 천둥Rolling Thunder

1915-1997 체로키 부족의 치료사. 인디언 세계에서 치료사는 단순히 병을 치료하는 사람이 아니라 영적인 힘과 부족의 비밀을 전승한 주술사이자 의사이며 영적 상담자이다. 미국의 히피 세대에 영향을 미쳐 뉴에이지 운동으로 이어지게 했다. 반전 세대의 대표이자 록 음악의 전설인 밥 딜런, 존 바에즈, 비트 세대를 대표하는 시인 알렌 긴스버그 등이 그로부터 직접 영적 가르침을 얻었다. '비를 내리는 인디언'으로 불리던 구르는 천둥은 자연과 조화를 이루는 인디언 전통 방식에 따라 환자를 치료할 뿐 아니라, 지구를 하나의 생명체로 보고 인간도 지구와 조화를 이루며 살아야 한다고 주장했다.

금봉 병연錦峰秉演

?-1959 만취해서 스승 만공滿空의 귀를 잡아당겼다가 매질을 당하고 나서 깨달음을 얻었다. 일제강점기 말 만공은 수덕사 금선대에 머물며 선방의 수좌들을 지도했는데, 그중에는 금봉을 비롯한 젊은 수행자들이 있었다. 이들이 어느 날 술을 마시고 한밤이 되어서야 선방으로 돌아왔다. 방에 들어서다 만공이 혼자 앉아 있는 것을 발견하고 다들 눈치를 살피는데, 금봉만은 안으로 들어서며 "만공! 너는 조실이 아니다. 여기는 네가 있을 자리가

아니다."라고 소리치며 만공의 귀를 잡고 방을 세 바퀴나 돌더니 문밖으로 밀어 땅바닥에
주저앉게 만들었다. 하지만 만공은 화내지 않고, 말없이 일어나 금선대로 돌아갔다. 이튿
날 만공은 금봉을 불러 이理로써 그랬는지, 사事로써 그랬는지 물었다. 사로써 그랬다는
대답에 만공은 가지고 다니던 단소로 금봉을 세게 내리쳤고, 이때 금봉은 크게 깨달음을
얻었다. 제자를 남기지 않았다.

기원정사 祇園精舍

인도 코살라 국의 수도 슈라바스티에 있던 절로, 불타 석가모니 45년의 교화 기간 중 가
장 오래 머문 곳이다. 붓다와 출가승려들이 설법하고 수도할 수 있도록 당시의 대부호
수달이 건립해 기증했다. 어느 날 수달이 친구의 집을 찾았다가 그곳에 초대된 붓다를
뵙고는 환희심이 넘쳐 붓다의 사원을 짓기로 서원한다. 수달이 태자에게 자신이 원하는
땅을 팔라고 요청하자 태자는 "그러면 금화로 그 땅을 다 덮어 보라."고 응수했고, 수달
은 정말로 금화로 땅을 덮어 나갔다. 이에 놀란 태자는 결국 그 사연을 알게 되었으며,
신비의 주인공 붓다를 만나 감화되어 그 땅을 회사했다. 붓다는 이곳에서 23번의 하안
거를 보냈다. 죽림정사와 함께 2대 정사로 일컬어진다.

남악 현태 南嶽玄泰

9세기 당나라 때의 승려로 석상 경제石霜慶諸의 법을 이었다. 살던 곳은 칠보대라 불렸는
데 평생 삼베옷만 입고 고결하게 살았다. 제자를 두지 않았고, 가끔 지나는 스님들이 찾는
정도였다. 열반에 들려고 할 무렵 아무도 오지 않자, 산 어귀로 내려가 한 사람을 불러 화
장에 쓸 나무를 준비하게 하고 법의를 입고 올라앉아 임게송을 남겼다. "내 나이 올해 65
세인데 사대가 주인을 떠나려 한다. 도는 스스로 아득하고 아득해서 그 안에는 부처도 조
사도 없다. 머리 깎을 필요도 없고 목욕할 필요도 없다. 한 무더기의 이글거리는 불덩이면
두루 충분하다." 게송을 다 읊고는 불을 지피게 했다. 〈조당집〉에 그에 대한 기록이 전한다.

남양 혜충 南陽慧忠

?-775 육조 혜능 문하의 가장 뛰어난 제자 중 한 명으로, 절대 진리의 상징으로 사용되
는 일원상一圓相을 최초로 그린 인물이다. 남양 백애산에 들어가 40년 넘게 한 번도 하
산하지 않았으나, 당 숙종은 그를 국사로 추대했다. 노환으로 누워 있을 때 숙종이 병문
안을 와서 돌아가시면 무엇이 필요한지 묻자, 무봉탑無縫塔이나 하나 만들어 달라고 한
다. 그 탑이 어떤 모양이냐는 물음에 혜충은 죽은 뒤 제자인 탐원耽源에게 물어보라고
답했고, 이후 숙종은 탐원으로부터 이런 답변을 듣는다. "상강 물은 남쪽으로 흐르고 담
강 물은 북쪽으로 흐릅니다. 이것이 혜충 국사가 말하는 무봉탑입니다." 무봉탑은 아무
데나 굴러다니는 돌을 하나 세워서 이음새가 없는 탑이라는 말이다. 이 일화는 혜충이

남긴 무봉탑의 교훈을 전하며, 각자의 마음에 어떤 무봉탑을 세울 것인지를 묻는다.

남전 보원南泉普願

748-834 당나라 선승. 육조 혜능의 법손으로 마조를 만나 선의 경지에 들었다. 제자 조주가 "어떻게 하면 도를 붙잡을 수 있습니까?" 하고 물으니, 그는 "잡으려는 마음이 있으면 잡을 수 없다."고 답한다. 이에 조주가 "손에 넣을 수 없다면 그것이 '도'임을 어찌 압니까?"라고 다시 묻자, "도는 생각으로 아는 게 아니다. 생각으로 아는 것이라면 망상이 된다. 알지 못하는 것이라면 자각이 없는 것이다. 안다든가 알지 못한다든가 하는 분별을 없애면 거기서 도가 나타난다. 그것은 맑게 갠 하늘 같아 분별이 끼어들 여지가 없다."고 답한다. 이 말에 조주는 크게 깨달았다. 신라 철감澈鑑 국사가 그에게서 나왔다.

〈녹색평론〉

대구 영남대 영문학과 교수 김종철이 1991년 10월 창간한 격월간 잡지. 창간 목적은 사람과 사람, 사람과 자연 사이의 분열을 치유하고 공생적 문화가 유지될 수 있는 사회를 만드는 데 기여하는 것이다. 생태 관점에서 지속 가능한 미래의 대안을 모색하고 있다. 2009년 5월 현재 통권 106호(2009년 5-6월호)가 발간되었으며, 서울, 대구, 대전 등 전국 각지에서 독자 모임이 전개되고 있다. 잡지에는 출판사 광고 외에 일반 광고가 없다.

덕산 선감德山宣鑑

782-865 용담 숭신龍潭崇信의 법을 이은 당나라의 선승. "대답해도 30방, 못해도 30방."이라는 말이 전해질 정도로 가르칠 때 엄격했다. 청년 시기 이미 〈금강경〉에 정통해 '주금강周金剛'이라 불렸다. 하루는 남방에 선종이 성하다는 소문을 듣고 도전하고자 금강소를 챙겨 넣고 가다가 떡장수 노파를 만나는데, 바랑에 든 게 무엇인지 궁금해하는 노파에게 자랑스레 〈금강경〉이라 하자 노파는 "〈금강경〉에 이르기를 과거의 마음도 얻을 수 없고, 현재의 마음도 얻을 수 없으며 미래의 마음도 얻을 수 없다 했는데 그대는 어느 마음에 점을 찍겠소."라 질문하며 맞혀야 떡을 팔겠다고 했다. 대답 못한 덕산을 노파는 용담 스님에게로 이끌었으며 이 만남에서 그는 〈금강경〉이 무너져 내리는 경험을 하며 크게 깨닫는다. 문하에서 설봉 의존雪峰義存을 비롯한 많은 제자들이 배출되었다.

동산 양개洞山良价

807-869 당나라의 선승. 21세에 출가한 그는 영적인 추구가 강했고 자유로운 정신의 소유자였다. 당대의 선승 남전 보원을 찾아갔을 때 남전이 몇 마디 해 본 뒤 "젊지만 닦으면 큰 인물이 되겠다."고 하자 "자유인을 노예로 만들지 마시오."라고 대꾸한 일화는 유명하다. 신풍산에서 후학을 지도하며 크게 선풍을 일으켰다. 그의 입적 후 대중들이

슬피 통곡하자 홀연히 눈을 뜨더니 "출가사문이라면 마음에 걸리는 것이 없어야 진정한 수행이다. 죽는 것은 괴로운 삶을 마감하는 일인데 이리 소란스럽게 야단을 떠니 무슨 도움이 되겠느냐."고 말했다. 그러고는 어리석음을 깨우치고 수행을 경책하는 우치재를 준비하게 하여 7일간 삶을 연장했다. 우치재가 갖춰지자 "승가대중이 무사하려면 세상 떠날 때 야단법석 떨지 말아야 한다."고 이른 뒤 단정히 앉아 입적했다.

마가다

인도의 비하르 주를 중심으로 번영했던 옛 왕국. 붓다 시대 인도 중부 최강국으로, 수도는 왕사성으로 불리는 라자그리하이다. 토지가 비옥하여 경작에 적합했기에 농업이 발전했다. 삼림은 건축용 목재와 군사용 코끼리를 공급했고, 매장량이 풍부한 철광산은 도구와 무기 제작을 가능케 했다. 기원전 328년 알렉산더 대왕이 침입했을 때도 강대한 군사력으로 막아 냈다. 이후 아소카 왕 때는 남인도로 세력을 넓히고, 대제국을 창설하여 불교에 기초한 복지국가를 실현시켰다.

마조 도일馬祖道一

709-788 당나라의 선승. 용모가 기이하여 소걸음으로 걸었고 호랑이 눈빛을 가졌으며 혀를 빼물면 코끝을 지났고 발바닥에는 법륜 문신 두 개가 있었다고 전한다. 관념의 허구성을 비판했고 탈속의 기상을 강조했다. "즉심즉불卽心卽佛, 평상심이 도다."라는 가풍을 주창했는데, 중국 선의 실질적인 개조자로서 일상에서 선을 실천하는 선종이 이 무렵부터 시작되었다. 문하에서 백장, 대매大梅, 염관鹽官 등 〈전등록〉에 오른 인물만도 139명이 배출되어 임제종 및 위앙종의 시초가 되었다. 조동종에도 깊은 영향을 끼쳤다.

무학 조원無學祖元

1226-1286 임제종 스님으로 열두 살에 부모와 함께 산사에 놀러 갔다가 한 승려가 "대 그림자 뜰을 쓸어도 먼지 일지 않고, 달이 연못에 들어도 물에는 흔적 없네." 하고 읊는 것을 듣고 출가를 결심했다. 조원이 머무르는 절에 원나라 군대가 들어와서 칼을 겨누고 위협하자 "천지간에 외로운 지팡이 세울 땅 없으나 기쁘도다. 인공人空 법공法空 모두 깨달았도다. 소중한 원나라 삼 척 장검도 봄바람 칼로 베는 그림자로다."라고 게송을 읊는다. 군졸들은 이 게송을 듣고 뉘우쳐서 물러갔다. 임종 때 "백억 개나 되는 털끝마다 사자가 나타나고 나타난 백억 사자가 모두 사자후를 토한다."라는 게송을 남겼다.

바나프라스타

힌두교에서는 인생을 크게 네 단계로 나눈다. 독신 수련기인 브라마차리, 가정에 머무는 시기인 그리하타, 산을 바라보는 시기인 바나프라스타, 구도자가 되어 돌아다니는 시기인 산야신을 가리켜 인생의 4주기라 불렀다. 각 단계별로 인간으로서 충실해야 할 과정과 목적 등이 나열되어 있는데, 전통적으로 가장이 첫 손자를 보면 바나프라스타를 시작한다. 자손을 얻어 구원을 보장받은 상황이므로 은둔 과정에 들어가는 것이다. 하지만 오늘날에 은둔은 상징적인 의미이며, 가업과 집안일 등의 세상살이로부터 물러남을 뜻한다. 자식들을 키우며 먹고사는 데 급급하던 삶에서 벗어나 존재의 의미를 추구할 나이라고 해석할 수 있다. 육체의 삶을 줄이고 정신의 삶을 늘리는 것이다.

〈발심수행장發心修行章〉

신라의 승려 원효가 지었다는 불교 입문서. 706자의 짧은 운문체 문장으로 교훈이 풍부하고 문장이 평이하여 사미승이 제일 먼저 읽는 책으로 알려져 있으며, 불교 초심자에게 적절한 교과서인 까닭에 세월을 넘어 지금까지도 널리 읽힌다. 고려시대인 1233년에 간행된 합천 해인사본이 있으며, 조선시대에도 많은 사찰에서 간행되었다. 1945년에는 이종욱이 번역한 한글판이 처음 출간되었다. 욕심을 끊고 수행할 것, 참된 수행자가 될 것, 늙은 몸은 닦을 수 없으니 부지런히 공부할 것 등의 내용을 담고 있다.

배휴裴休

797-870 절도사 지위에까지 오른 고위 관료로 불교에 심취해 진리를 찾아다니다가 황벽 선사 밑에서 깨달음에 이른다. 그가 황벽과의 문답 내용을 기록하여 세상에 알린 책이 〈전심법요〉이며, 배휴라는 훌륭한 기록자의 존재를 통해 비로소 황벽의 법문이 세상에서 크게 빛을 보게 되었다. 〈전심법요〉는 문장이 간명하고 평이하면서도 선의 이치를 논리적으로 전개하고 있기 때문에, 선의 개론서로서만이 아니라 조계정전의 정통 선사상을 이해하는 긴요한 어록으로 평가받고 있다.

백운 경한白雲景閑

1299-1375 고려 말의 대표적 선승. 원나라 석옥 청공石屋淸珙 스님의 법을 받고 돌아와 해주 신광사에서 크게 선풍을 날렸다. 저서 〈불조직지심체요절〉은 선가의 주옥같은 일화를 모은 책으로 팔만대장경의 요점을 한 권에 모아 놓았다고 평가받을 정도로 중요하다. 법호 그대로 흰 구름 같이 유유자적하면서도 고고한 선승으로 일생을 마친 백운은 공민왕 6년에 왕의 부름을 받았으나, 병으로 나아가지 못함을 안타깝게 여긴다고 하면서 훌륭한 선객들이 숲처럼 많으니 그들에게 자문을 구하라며 사양하였다.

백장 회해百丈懷海

720-814 당나라 때 선승으로 마조 도일 문하에서 도를 깨치고, 〈백장청규〉를 제정해 수도 생활의 규칙을 문서화하는 업적을 남겼다. 선원의 직책에서부터 식사하는 법에 이

르기까지 선종 종단의 규율은 백장에 의해 시작되었다고 할 수 있다. "하루 일하지 않으면 하루 먹지 않는다."고 말한 것으로도 유명한데, 이는 백장 선사가 90세가 되어서도 다른 사람들처럼 일을 하자 주위 사람들이 그의 농기구를 감추었더니 그가 한 말이다. 걸출한 제자들 중 황벽 희운과 위산 영우는 뒷날 임제종과 위앙종의 시발점이 되었다.

〈벽암록碧巖錄〉

송나라 때 임제종의 원오 극근圜悟克勤이 지은 선어록의 결정판. 선문화의 백미로 일컬어지며, 선수행자들이 읽어야 하는 필독서이다. 〈전등록〉에 실린 1,700개의 화두 중 100개를 골라 시와 해설을 덧붙였다. 인간과 우주에 관한 참된 진리는 말이나 글로는 올바로 전달될 수 없으며, 오직 마음에서 마음으로만 전달하고 깨칠 수 있을 뿐이라는 중국의 전통적인 선문사상을 담고 있다. 10권으로 구성되어 있고 1125년 완성되었다. 원오의 제자에 의해 편찬 발간된 뒤 한국과 중국, 일본 등에서 널리 읽혀 왔다.

보리 달마菩提達磨

?-528 중국 남북조시대 때 인도에서 건너와 9년의 면벽수행 끝에 좌선을 통해 수행하는 새로운 불교, 곧 중국 선종을 창시했다. 사람의 마음은 본래가 청정하다는 이치를 깨달아야 한다고 주장했으며, 그 선법을 혜가慧可에게 전수했다. 달마의 전기에는 분명치 않은 점이 많으나 선종의 발전과 더불어 1대조로서의 달마상達磨像이 역사적 사실과 별도로 확립되었다. 북위 말의 귀족 불교와 수행 체험을 도외시하는 행태의 불교를 비판했으며, 부처와 중생이 동일한 본성을 지니고 있음을 믿고 선의 실천 수행에 전력했다.

〈보왕삼매론寶王三昧論〉

원말명초의 선승 묘협妙犀이 지은 수행에서의 장애를 극복하기 위한 10가지 지침을 담은 경전. 삶의 어려움 속에서 터득하는 자기 관리법으로 첫째가 "몸에 병 없기를 바라지 말라. 몸에 병이 없으면 탐욕이 생기기 쉽다. 그래서 성인이 이르시기를 '병고로써 양약을 삼으라.' 하셨다."이다. 법정 스님은 〈보왕삼매론〉 강의에서 "역경을 이겨 내지 못하면 자신이 지닌 생명의 씨앗을 꽃피울 수 없다. 하나의 씨앗이 움트기 위해서는 흙 속에 묻혀서 참고 견디는 인내가 필요하다. 거기에 감추어진 삶의 묘미가 있다."고 말했다.

본래무일물本來無一物

'본래 집착할 한 물건도 없다.'는 뜻으로 육조 혜능의 게송 "내 마음은 보리수, 이 몸은 명경대. 거울(마음)은 본래 깨끗한 것인데 어디에 티끌(번뇌)이 묻을 것인가. 깨달음은 형상이 없으므로 본래 보리수가 아니고 밝은 마음 또한 형상이 있는 경대와 같은 게 아니다. 본래 한 물건도 없는데 어디에 먼지(번뇌)가 일어날까."에서 유래했다. 돈황본〈육조법보단경)에 나오는 혜능 대사의 두 번째 오도송 "마음은 보리수요, 몸은 명경대."는 신수神秀 대사의 오도송을 전적으로 부정한 것이다. 신수는 몸이 보리수라 했는데 혜능은 마음이 보리수라 읊었고, 또한 신수는 마음이 밝은 거울이라 했는데 혜능은 몸이 밝은 거울이라며 몸과 마음을 바꾸었다. 혜능의 이 오도송은 매우 유명한데, 무엇에도 집착하지 않는 무소유의 마음, 어디에도 얽매이지 않는 깨달음의 경지를 비유한 것이다.

불일암佛日庵

전라남도 송광사 뒷산에 위치한 암자. 송광사 탑전 아래 편백숲 사이로 난 오솔길을 따라 올라가다 보면 평지길이 나타나고, 갈림길에서 작은 개울을 건너 대나무 숲길을 지나면 불일암이 나온다. 고려시대 자정慈靜 국사가 지어 자정암이라 불렸으나, 폐허가 된 자리에 1975년 법정 스님이 다시 지어 불일암이라 불렀다. 경내 북동쪽에 위치한 자정 국사 부도는 모양새가 단아하고 기품 있는 작품으로, 600여 년의 세월에도 온전한 모습으로 남아 있다. 법정 스님은 이곳에서 17년 동안 홀로 생활했다.

빔비사라

기원전 6세기에서 기원전 5세기 초에 인도 마가다국을 통치한 왕. 당시 강력한 왕권을 가지고 있었으며 행정 군사 제도도 갖추어 고대 인도의 통일국가를 형성하는 터전을 만들었다. 붓다가 활약한 시대의 왕으로 불교를 따르고 불법을 보호했지만, 말년에 왕자 아자타샤트루에게 왕위를 빼앗기고 옥사했다.

산치 탑

인도 중부 보팔 인근의 산치 시에는 불교 기념물이 많다. 기원전 1, 2세기에 아소카 왕이 건설한 탑과 사원 등, 미술사에서 중요한 위치를 차지하는 문화재들로 현재 유네스코 세계문화유산으로 지정되어 있다. 그중 산치 탑은 거대할 뿐만 아니라 4대 탑문과 주위 난간 조각이 아름답고 가장 오래된 탑이다. 특히 동서남북 4대 탑에 새겨진 그림 양식은, 붓다의 행적 및 불교 신앙과 관련 있는 것으로 대단히 섬세하다. 탑 주변에 다른 2기의 탑이 있으며, 사원과 수도용 건물이 함께 자리하고 있다.

산티데바

7세기 인도 날란다 대학에서 대승사상을 펼친 불교 시인. 남인도 왕국 왕자로 태어난 그는 해탈불모解脫佛母가 문수보살의 머리 위에 물을 뿌리며 "왕국은 지옥 열탕과 같다."고 하는 꿈을 꾸고 왕위에 오르기 하루 전 출가했다. 숲 속 요가 수행자에게 가르침을 받아 삼매 경지에 오른 뒤 날란다에서 지나데바에게 출가, 산티데바란 이름을 얻었다. 〈학처요집〉과 〈제경요집〉을 지어 삼매 수행을 완성했으나, 밥만 먹고 잠만 자는 것처럼 행동하여 사람들로부터 먹고 싸고 자는 것밖에 모르는 사람이라 비난받기도 했다. 신통력이 있어 외도外道의 교주 상크라데바가 만다라를 세우려 할 때 폭풍을 일으켜 파괴하고 불교에 귀의시켰다. 아름다운 시로 이루어진 저서 〈입보리행론〉이 유명하다.

삼무일종三武一宗의 법난

인도에서 일어난 불교는 중국 전래 후, 삼국과 동진16국 시대를 거치며 통치 사상만이 아닌 문화를 이끄는 역할도 수행하게 된다. 그러나 전통 사상, 특히 유와 도, 양가의 도전에 항상 시달리지 않을 수 없었고 심각한 위기를 맞기도 했다. 그중 전제 황권의 핵심인 황제로부터 비롯된 '삼무일종의 법난'이라는 폐불廢佛 사태가 대표적인데, 이는 연대순으로 북위 태무제, 북주 무제, 당 무종, 후주 세종에 의해 진행된 정권의 불교 탄압을 가리킨다. 가장 두드러진 발생 이유는 유교와 도교의 외래 종교인 불교에 대한 반격이라 볼 수 있으며, 법난 당시 불교계가 비대해져 내부적으로도 상당한 문제를 안고 있었다는 점도 간과할 수 없다.

서산 휴정西山休靜

1520-1604 조선시대의 고승. 어린 나이에 고아가 되어 고향 평안도의 안주목사를 따라 한양에 올라와 공부했다. 이후 뜻이 맞는 동급생들과 함께 지리산에 들어가 경전을 공부하여 선가의 법을 깨닫고 승려가 된다. 21세에 영관靈觀 대사에게 인가를 얻어 마을을 다니며 수행하다가 정오에 닭 울음소리를 듣고 홀연히 깨닫는다. 임진왜란이 발발하자 의승 5천 명을 모집하여 관군을 도와 공을 세웠으나, 늙음을 이유로 군사를 사명四溟과 처영處英에게 맡기고 산으로 되돌아간다. 따르는 제자가 천여 명에 이르렀으며, 묘향산 원적암에 제자들을 모아 설법했다. 그의 제자들이 조선 후기 불교계를 주도했다.

석두 보택石頭寶澤

1882-1954 한국 불교 중흥의 토대를 마련한 선지식이다. 석왕사 백하白荷 스님에게 법명을 받아 출가한 뒤 3년 만에 명천 쌍계사 주지로 발탁되지만 사임하고 선원에 들어가 정진했다. 25세 겨울 해인사 퇴설당에서 제산霽山 스님을 모시고 정진하던 중 깨달음의 경지에 이른다. "다른 복을 짓는다 해도 (부족한 것이 있으니) 너희들은 참선하라."고 할 만큼 참선 정진을 강조했다. 〈준제경准提經〉에 나오는 '좋은 향'을 구하려고 중국과 러시아까지 갔으나, 결국 그 향은 다른 데 있는 것이 아니라 '마음의 향'임을 깨닫고 돌아온다. 그 뒤, 후학들을 양성하며 미륵사에 머물다 73세에 입적했다.

〈선가귀감禪家龜鑑〉

서산 대사가 지은 불교 수행 지침서로, 당시 불교개혁의 이론적 기틀을 마련했다. 불교

경전의 방대한 내용 중에서 핵심만을 추려 수행의 길잡이로 제시한 점이 특징이다. 어떻게 공부해야 하는지뿐만 아니라 깨달음을 얻기 위한 수행 과정도 중요하게 여겨 화두 수행법을 비롯하여 주력과 예배, 염불의 의미도 함께 설명했다. 〈깨달음의 거울〉이란 제목으로 법정 스님이 번역 출간했다.

선재동자善財童子

〈화엄경〉 '입법계품'에 나오는 젊은 구도자. 깨달음을 얻기 위해 53명의 선지식을 차례로 찾아가는데, 마지막으로 보현보살을 만나 진리의 세계에 든다. 만나는 이는 보살, 비구, 선인, 바라문, 왕, 천신을 비롯해 장사꾼, 뱃사공, 다른 종교 수행자 등 다양하며 이 모든 선지식들이 선재동자 보살행의 스승이자 안내자 역할을 한다. 110개의 성을 지나는 전 구도 과정에서 믿기 어려운 일을 보기도 하고 심하게 의심하다가 참회한 뒤 불구덩이에 몸을 던지기도 한다. 이름의 '동자'는 어리다는 뜻도 있지만, 도를 구함에 있어 지극히 순수하고 정성스럽고 겸손해서 순진한 어린이와 같다는 의미이기도 하다.

소동파蘇東坡

1036-1101 송나라의 대문호. 황제가 식사를 멈출 정도로 뛰어난 문장가이며, 동파요리가 전해질 만큼 탁월한 요리사이자 천 명의 병자를 치료한 의사이다. 만 권의 책을 읽은 지식인으로 한번 붓을 들면 1천여 자의 문장을 써 냈다고 한다. 자유인이었던 동파는 신법을 싫어했고, 그로 인해 당시 낙후되어 있던 중국 최남단의 해남도로 유배당한다. 60세의 고령에도 불구하고 그는 해남 사람들에게 글과 도덕을 가르쳤으며 그들 또한 동파를 매우 존경했는데, 여기서 '동파는 불행해도 해남은 행운이다.'라는 말이 생겨났다. 시문서화에 훌륭한 작품을 남겼으며 좌담에 뛰어나고 유머를 좋아해 주위에 문인들이 모여들었다. 그의 작품 '적벽부'는 불후의 명작으로 애창되고 있다.

수보리

주로 〈금강경〉에 등장하는 붓다의 10대 제자 중 한 사람이다. 분노를 잘 조절 못하는 성격이었지만, 붓다의 설법을 듣고서 문제를 깨쳐 곧장 출가한다. 그가 해공제일解空第一이라 불리는 것은 우주의 평등한 진리, 공空한 이치를 깊이 체득했기 때문이다. 〈증일아함〉은 그를 가리켜 "행이 본래 청정하여 항상 공적을 즐기고 공의 뜻을 분별해 공적의 미묘한 덕업에 뜻을 두고 있다. 그래서 은둔자 중에 제일이다."라고 전한다. 은둔한다고 해서 산속에 홀로 숨어 지냈다는 의미가 아니라, 사람들 속에서 생활할지라도 내면의 고요를 응시하며 대립과 다툼이 끊긴 생활을 했음을 뜻한다. 사물의 본성을 꿰뚫는 그의 식견은 대승불교에 와서 부각되었다. 석굴암에 나타난 그의 모습은 은둔자로서의 개성을 강조하려는 듯 잔뜩 웅크리고 있다.

십자가의 성 요한St. John of the Cross

1542-1591 사제이자 시인으로, "만약 누구든지 나를 따르고자 한다면 자신을 버리고 매일 자기 십자가를 져야 한다."는 성경 구절을 평생에 걸쳐 실천했다. 그래서 '십자가'라는 이름이 붙었다. 젊은 가르멜 수도자였던 그는 초창기 수도자들의 단순한 삶을 회복하고자 가르멜 수도회 개혁에 동참해 스페인 전역에 새로운 수도원을 열네 군데 세웠다. 이 같은 그의 개혁 활동은 기존 수도회와 갈등을 빚었고, 결국 납치당해 9개월간 수도원 지하창고에 억류되기까지 한다. 그곳에서 그는 육체적 고통과 정신적 번민, 하느님의 부재를 경험하지만, 이 시련의 극복과 함께 신앙의 새로운 단계에 접어들게 된다. 자신의 내적 체험, 고민과 깊은 기쁨들을 영성이 담긴 문학적 표현으로 후세에 전했다.

아난다

붓다의 10대 제자 가운데 가장 오래 붓다를 모셨고 가장 많이 설법을 들었으며 한 번 들은 것은 절대 잊어버리지 않아 붓다의 말씀을 기록으로 남기는 데 기여했다. 붓다의 사촌동생으로 시자가 되어 그림자처럼 곁을 떠나지 않았다. 또한 붓다를 설득, 여성의 출가를 허락받는 업적도 남겼다. 하루는 아난다가 탁발을 마치고 돌아오는 길에 우물에 들러 한 처녀에게 물을 청했는데, 처녀는 자기 신분으로는 공양을 올리기 죄스럽다며 엎드렸다. 당시 제도로는 당연했으나 아난다는 붓다의 가르침에는 상하 귀천이 없다 했고, 이에 처녀는 물공양을 올린 후 불법에 귀의하여 비구니가 되었다. 대부분의 불교 경전이 '나는 이와 같이 들었다如是我聞.'로 시작하는데, 이 '나'는 바로 아난다를 칭한다.

아잔타

인도 중부 뭄바이에서 450킬로미터에 위치한 인도의 대표적 고대 불교 석굴사원이다. 기원전 2세기부터 7세기까지 데칸고원의 숲을 지나며 흐르는 와고라 강 계곡 암벽에 만들어진 29개의 석굴로, 길이가 1.5킬로미터에 이른다. 5세기 바카타카 왕조하에서 대승불교 신도들이 대규모의 개굴 작업을 진행했는데 당시 불상 예배가 성행했기 때문에 전면에 커다란 불상을 안치했고, 벽면에 많은 불상을 조각했다. 벽면에 그려진 회화 또한 대단한 걸작으로, 중앙아시아와 중국을 거쳐 한국에도 그 양식이 전해졌다. 1819년에 영국 병사에 의해 우연히 발견되어 천 년 만에 세계에 알려지게 된다. 세계가 인정하는 불교예술의 보고이며 건축·미술·불교사 연구의 중요한 역사 자료로 인정받고 있다.

〈아함경阿含經〉

아함은 처음 전승된 가르침이란 뜻의 산스크리트어 아가마를 음역한 말로, 붓다 사후 초기에 엮어진 경전들의 총칭이다. 붓다를 신격화하는 후기 대승경전들과 달리, 붓다의 인간적인 모습이 돋보인다. 여기서 붓다는 형이상학적 교설이 아닌 인간 현실의 고찰을 통해 궁극적인 진리에 이르는 길을 말하고 있다. 대승불교의 모든 사상도 〈아함경〉의 교리가 근간이다. 붓다의 언행록이라 할 만큼 인간 붓다의 체취를 느끼게 하는 아함의 경전들은 다른 경전보다 사상의 변화 혹은 이설이나 분파의 경향이 없다. 또한 여러 불전의 원형으로, 소승불교의 교리는 이를 이론적으로 조직하고 해석한 것이다. 실제적이고 평이한 교훈이 담겨 있으며, 대승경전도 결국 여기에서 변화 발달했다.

알베르토 자코메티Alberto Giacometti

1910-1966 스위스 출신의 조각가. 그림도 그렸지만 조각가로 더 유명하다. 혼돈의 시대, 불변의 주제인 인간의 고독을 작품에 담았다. 선적인 요소를 부각시키면서 수직성을 강조한 그의 작품에서는 시간을 초월한 영속성이 느껴진다. 육신의 군살을 남김없이 덜어 낸 그의 조각들은 극한의 상황에 선 인간의 고독한 내면을 드러내면서, 고도로 정련된 정신세계를 보여 준다. 초기 자코메티의 예술 작품에는 현대의 두 사상, 실존주의와 초현실주의가 함께 얽혀 있다고 평가받는다.

야보 도천冶父道川

송나라의 고승으로 생몰연대가 정확하지 않으며 임제종의 법통을 이었다. 〈금강경〉의 해설에 능해, 당송의 문장을 꿰뚫는 실력으로 당송의 시와 문장을 인용하거나 차용하여 〈금강경〉을 자신의 시로 새롭게 탄생시켰다. 간결하면서도 한 번에 내리치는 듯한 활구活句가 백미이다.

에이헤이 도겐永平道元

1200-1253 교토 출신의 승려로 당대의 대표적인 종교 지도자이자 사상가로 활동했다. 일본 조동종의 개조. 황실 귀족 출신으로 13세에 출가해 천태종의 중심지인 히에이 산에서 불경을 공부했으나 영적 갈망을 채우기에는 불충분하다 느끼고 중국으로 떠난다. 4년간의 정진을 통해 선승 천동 여정天童如淨 밑에서 깨달음을 얻은 뒤 일본으로 돌아와 여러 사찰을 다니며 좌선을 전파했다. 첫 저작으로 〈보권좌선의〉를 써서 좌선법을 소개했으며, 불교 수행과 깨달음에 관한 95권의 소책자를 모은 〈정법안장〉으로 유명하다.

여래如來

붓다의 호칭 중 하나로. 대승경전에서는 주로 여러 붓다의 이름을 들 때 여래라 하고 있다. 유래가 명확하지는 않으나 산스크리트어의 타타가타 또는 타타아가타를 번역하는 과정과 관련이 있다고 본다. 타타가타는 '여如로부터 온다.', 타타아가타는 '여如에게 간다.'는 뜻으로, '여如'란 있는 그대로의 진실眞如, 진리 그 자체'를 뜻한다. 따라서 붓다가 진리를 깨달았다는 체험 위에서 깨달음으로 향하는 지혜에 중심을 두면 '진리로 간다.', 곧 '여거如去'가 되며, 반대로 진리를 깨달은 결과 나타난 힘, 즉 자비의 이타행 면에서 보면 '진리에서 우리 쪽으로 오는 것', 곧 '여래如來'가 된다. 한역에서는 진리에 따라 이 세상에 와서 진리를 가르치는 사람의 뜻으로 여래가 사용된다.

운문 문언雲門文偃

?-949 운문종의 개조. 교학과 계율에 뛰어났지만 그것이 본성은 밝히지 못한다고 느낀 그는, 선의 길로 나아가 당대의 명승 설봉 의존 문하에서 깨달음을 얻었다. 이후 운문산 광태선원에서 운문종을 개창하여 크게 종풍을 떨쳤다. 그는 "요즘 선사들은 북쪽으로 가서 문수에게 예배하고 남쪽으로 가서 형악에 오르며, 헛되이 시주들의 공양만 없앤다. 그러다가 누군가가 불법의 도리를 묻기라도 하면 칠을 담은 통처럼 깜깜하면서, 그것도 모른 채 기분대로 노닐며 시간을 보내고 있다. 만일 진실한 후학, 조실이라면 모름지기 정신을 차리고 부질없이 남의 말만 기억하지 말라. 뒷날 스스로를 속일 뿐이다."라고 설파했다. 덕산과 동산 같은 뛰어난 제자들을 배출했다.

원효元曉

617-686 신라의 승려. 당나라 유학길 중 간밤에 마신 물이 해골에 괸 것이었음을 알고 크게 깨달음을 얻었다는 일화는 유명하다. 일정한 스승을 모시지 않고 타고난 총명함으로 경전을 섭렵해 한국 불교사에 길이 남는 사상가가 되었다. 당시 승려의 대부분이 왕실과 귀족의 존경을 받으며 성안의 대사원에서 귀족 생활을 하던 것과 대조적으로 촌락의 시장 거리와 골목을 다니며 그들의 언어로 대화했다. "모든 것에 걸림이 없는 사람은 단번에 생사를 벗어나리라."는 무애가를 노래하며 교화에 힘썼다. 천민, 어린아이까지 그를 허물없이 따랐다. 설총의 아버지이다.

위산 영우潙山靈祐

771-853 백장 회해의 제자이며 앙산 혜적仰山慧寂과 향엄 지한香嚴智閑의 스승으로, 선종 5가 가운데 가장 먼저 등장한 위앙종의 개조이다. 어느 날 위산이 밤늦게 스승을 뵈러 갔더니, 백장이 화로에 불씨가 있는지 살펴보라고 했다. 불씨가 없다고 위산이 답하자, 백장이 일어나 몸소 화로의 재를 헤쳐 조그만 불씨를 찾아 들어 보이며 말했다. "이 것이 불씨가 아니고 무엇인가?" 위산은 그 자리에서 단박에 깨달음을 얻었다.

육조 혜능六祖慧能

638-713 기독교의 종교개혁가 루터에 비견되는 불교 혁명가. 홀어머니를 모시고 나무꾼으로 살다가 우연히 〈금강경〉의 한 구절인 "응무소주 이생기심應無所住 而生其心, 머무는 바 없이 그 마음을 내라."는 대목을 듣고 출가해 달마 대사로부터 내려오는 선맥을

이었다. 제자가 43인을 헤아렸고 중국 선종은 혜능 문하의 시대부터 융성하게 된다. 인도 불교와 경전의 권위를 부정하고 '마음 밖에 따로 부처가 없다.'는 심외무불心外無佛을 강조했다. 부처 되는 일은 본성을 깨달은 누구나 가능하다는 해방 사상을 열었다.

임제 의현臨濟義玄

?-867 당나라 말기 선승. 황벽 희운 문하에서 도를 깨쳤으며 임제종의 종주가 되었다. 남성적이고 행동적이며 거친 선법으로 제자를 가르쳤다. 임제의 스승 황벽은 자신의 스승이었던 백장 선사가 물려준 선판禪板을 임제에게 깨달음 인가의 징표로 주었으나, 임제는 고향으로 돌아가 제일 먼저 스승이 물려준 이 인가의 신표들부터 불살라 버렸다. 부처를 만나면 부처도 죽여야 한다고 설한 그는 틀에 갇히면 자유에 도달할 수 없음을 알았기에, 이런 것을 타파해야 견성을 도모할 수 있다고 주장했다. 임제를 영원한 자유인으로 보는 까닭도 이 때문이다.

장혼張混

1759-1828 조선 후기 시인이며 학자. 역사, 문학 분야의 많은 저술을 남겼다. 소아마비를 앓아 한쪽 다리가 불편했으나, 독서에 매진하여 아는 것이 많은 데다 꼼꼼하며 일하는 속도도 빨라 각종 문집이나 책의 교정에 뛰어났다. 32세에 규장각 소속 감인소 사준이 되는데, 책을 출판하는 일이 쉽지 않았던 시기에 여기서 25년간 일하며 이이의 〈율곡전서〉, 정조의 〈홍재전서〉 등을 펴내는 한편, 중인들의 작품을 모아 발간했다. 각종 아동교육서를 펴내 '한국의 페스탈로치'라 불리기도 한다. 〈이이엄집〉이 전한다.

〈전등록傳燈綠〉

1004년 중국 송나라 때 고승 도언道彦이 쓴 책으로, 과거칠불에서 붓다를 거쳐 달마에 이르는 인도 선종의 스승과 달마 이후의 법맥과 법어를 수록하고 있다. 인도와 중국, 드물게 등장하는 우리나라의 중국 유학승들을 열거하고, 각 조사와 선사의 속성, 속가의 가계, 출생지, 수행 경력, 입적 연대 등을 밝혀 사전식으로 기술했다. 30권으로 되어 있는 이 책 1권은 비바시불로부터 붓다에 이르는 7불과, 제1조인 마하가섭으로부터 제14조 용수에 이르는 14인에 대한 기록이 실려 있고, 제2조 아난다에게서 방계로 뻗은 말전저 등 천축 15조사의 이름을 담고 있다.

조르주 루오 Georges Rouault

1871-1958 피카소, 마티스 등과 20세기 전반을 대표하는 프랑스 출신 화가이다. 고요한 인간 내면의 세계를 표현하는 데 주력했으며, 후기에는 종교화가로 꽃을 피웠다. 가난한 어린 시절 외할아버지로부터 미술을 배웠고 20세 되던 해 국립미술학교에

입학해 정식 교육을 받았다. 정신적 지주였던 스승 귀스타브 모로가 세상을 떠나자 정신적인 방황과 함께 위기를 맞지만, 파리를 떠나 자연 속에서 안정을 취하고 돌아와 역동적인 선, 날카로우면서 강렬한 붓 터치가 특징인 자신의 미술 세계를 완성하게 된다. 시류에 휩쓸리지 않아 '영혼의 자유를 지킨 화가'라고 평가받았으며 창녀와 서커스단원을 그리고, 판사와 부르주아를 우스꽝스럽게 형상화해 부조리를 폭로하기도 했다.

조주 종심 趙州從諗

778-897 당나라 때 선승으로 송대에 형성된 선종오가에 큰 영향을 끼쳤다. 특히 화두를 많이 남겨 후대 선승의 수행 과제가 되었는데, 〈벽암록〉에 전하는 100개의 화두 중 12개가 조주의 것이다. '개에겐 불성이 없다.'는 조주구자趙州狗子는 1,100년이 지난 오늘날의 한국 선원에서 가장 영향력 있는 화두 가운데 하나로 꼽힌다. 지푸라기 하나조차 불성을 갖고 있다는 붓다의 교시를 정면으로 배반한 강력한 도전이자 자유이다. 열일곱에 깨달아 40년 동안 스승 남전 곁에 머물며 정진을 거듭했고, 스승이 세상을 떠나자 삼년상을 치른 뒤 순롓길에 올라 당대의 선사들을 만나 가며 배움을 거듭했다. 이때 그는 "내가 100세 노인을 만나서도 가르쳐 줄 게 있으면 가르칠 것이요, 7세 소년을 만나서도 그가 내게 가르쳐 줄 게 있으면 배울 것이다."라는 말을 남겼다. 검소하고 시주를 권하는 일이 없어 고불古佛이란 칭송을 들었다.

종색 자각宗賾慈覺

1009-1092 운문종 스님으로 옛 백장청규의 전통을 되살리고자 당시 선종사의 독자적 계율이라 불리던 10권 분량의 〈선원청규〉를 저술했다. 이는 한국 불교의 실천적 수행에 중요한 영향을 미쳤으며, 오늘날 우리나라의 여러 선원에서는 그의 〈좌선의〉를 규범으로 좌선하고 있다. 간략하지만 좌선 방식의 골격이 고루 갖춰진 이 책에는 좌선의 기본 법칙 열 가지도 밝혀져 있는데, 큰 원을 발하는 것, 모든 인연을 놓는 것, 음식을 조절하는 것, 잠을 조절하는 것, 처소를 선택하는 것, 호흡을 고르는 것 등이 그것이다.

〈초발심자경문初發心自警文〉

처음 승려가 된 사미가 배우는 지침서로 〈계초심학인문〉, 〈발심수행장〉, 〈자경문〉을 합쳐 후세에 한 권으로 만든 것이다. 고려의 보조 국사 지눌이 지은 〈계초심학인문〉은 불교계가 안일과 사치에 빠져 폐단이 많아지자, 기강을 바로잡고 불교에 뜻을 둔 사람들이 경계로 삼을 수 있도록 수행 규범의 핵심을 뽑아 구성한 것이다. 〈발심수행장〉은 운문으로 된 706자의 짧은 문장으로, 욕심을 버리고 수행을 완성하라는 내용이다. 현대에도 불교를 알고자 하는 이의 필독서이다. 〈자경문〉은 수행할 때 스스로 경계해야 할 사항을 서술한 책으로 고려의 야운 대사가 썼다. 수도자가 배워야 하는 이유와 붓다의 가르침을 받고도 괴로움에서 벗어나지 못하는 까닭을 적고 있다.

칠불통계七佛通戒

본래 칠불통계는 과거 일곱 붓다의 공통된 가르침, 즉 보편적이고 타당한 진리를 상징한다. 원시 불교에 의하면, 붓다는 석가모니 이전에도 여섯 분이 계셨고 석가모니는 일곱 번째 붓다이다. 이 일곱 붓다를 가리켜 7불이라 하는데, 이들에게 두루 통하는 가르침이 칠불통계인 만큼 칠불통계는 보편적인 진리라는 의미이며, 그 취지는 선을 위해 노력하되 제 마음을 맑히는 것이다. 여기서 선은 스스로 발동하는 순수한 마음을 뜻한다.

〈침묵의 봄〉

무분별한 살충제 사용으로 파괴되는 야생 생물계의 모습을 적나라하게 공개해 화학물질의 유해성에 경종을 울린 책이다. 1926년 미국의 생물학자 레이첼 카슨이 발표했다. 평화롭고 아름다운 한 시골 마을이 어느 날부터 갑자기 원인 모를 질병과 죽음으로 고통받는다는 우화로 시작하는 이 책은 언론의 비난과 출간을 막으려는 화학업계의 방해에도 불구하고 환경오염에 대한 대중적 인식과 정부의 정책 변화를 이끌어 냈다. 20세기 환경학을 이야기할 때 손에 꼽히는 고전이다.

학명 계종鶴鳴啓宗

1867-1929 20세 되던 해 부모가 모두 세상을 떠나자 인생무상을 느끼고 집을 나선다. 각지를 방랑하던 어느 날, 전북 순창에 있는 구암사에 이르러 설법을 듣고 출가했다. 지리산 영원사와 벽송사, 조계산 선암사와 송광사 등에서 이름 난 선지식을 두루 참방하기를 10여 년, 경 · 율 · 론에 널리 통달했다. 1902년 가을 홀연히 문하의 학인들을 해산시킨 다음 밤낮을 가리지 않고 정진하여 크게 깨닫고 나서 "전생에는 누가 나였으며前生誰是我 내세에는 내가 그 누가 될 것인고來世我爲誰, 현재에 내가 누구인지 알면現在是知我 미혹에 빠진 나를 돌이켜 참 나를 찾으리라還迷我外我."고 노래했다. 근대 한국 불교를 대표하는 선승으로, 승려도 일을 해야 한다는 선농일치를 주창했다. 불교 혁신을 주도했으며, 그의 생활불교 주창은 원불교 창교에도 영향을 미쳤다.

헨리 데이비드 소로우Henry David Thoreau

1817-1862 미국 매사추세츠 콩코드에서 태어나 하버드 대학을 졸업했다. 28세에 월든 호숫가에 오두막을 짓고 살기 시작한 그는 노예제도와 멕시코 전쟁에 항의해 인두세 납부를 거부했다는 이유로 투옥되기도 한다. 생전에 자신의 저술로 어떤 성공을 거둔 것은 아니었지만, 월든 호숫가에서 생활한 2년의 경험을 기록한 〈월든〉은 19세기에 쓰인 가장 중요한 책 가운데 하나로 평가받고 있다. 또한 개인의 자유에 대한 국가 권력의 의

미를 성찰한 〈시민의 불복종〉은 세계사를 바꾼 책으로 꼽힌다. 사후에 나온 〈메인의 숲〉이나 〈케이프 코드〉는 그가 순수 자연에 접근한 기록이며, 〈소로우의 일기〉는 엄격한 자연 관찰의 정점을 보여 준다.

환경위기시계Doomsday Clock

지구환경이 나빠짐에 따라 사람들이 느끼는 인류 존속의 위기감을 시간으로 표현한 것으로, 리우환경회의가 처음 열린 1992년부터 일본의 아사히 글라스 재단이 각계의 환경 전문가를 대상으로 매년 설문을 실시해 발표해 오고 있다. 12시가 되면 인류가 멸망하는 것으로 규정하고 있는데, 6시부터 9시까지는 '꽤 불안', 9시 이후는 '매우 불안'한 상태를 나타낸다. 2008년에는 9시 33분이었다.

황벽 희운黃檗希運

?-856 마조 도일과 백장 회해를 잇는 당나라 선승으로 임제 의현의 스승이다. 때로는 몽둥이를 들어 일격을 가하는 등 형식에 거리낌 없이 고유한 깨침의 방법을 보였다. "모든 붓다와 일체중생은 한마음일 뿐 다른 어떤 진리도 없다. 이 한마음 그대로가 부처이니 부처와 중생이 새삼스레 다르지 않다."고 설파했다. 황벽립자黃檗笠子는 그가 삿갓을 쓴 일화에서 유래한 화두인데, 어느 날 황벽이 남전 보원에게 하직을 고하자 남전이 "그렇게 큰 몸집에 겨우 야자椰子만한 삿갓을 썼구나." 했다. 이에 황벽은 "삼천대천세계三千大天世界가 모두 그 속에 있습니다."라고 응수한다. 남전이 이 말을 듣고 "왕 노사王老師여." 했고 황벽은 삿갓을 쓰고 떠났다.

효봉 학눌曉峰學訥

1888-1966 평양 출생. 일본 와세다 대학 법학부를 졸업한 뒤 귀국하여 우리나라 최초의 판사가 되었으나, 1923년 한 피고인에게 사형 선고를 내린 후 '인간이 인간을 벌하고 죽일 수 있는가?'라는 회의에 빠져 법관직을 버리고 전국을 방랑하다가 금강산 절에서 출가한다. 출가 후 고승을 찾아 전국을 순례했으나 뜻을 이루지 못하고 돌아와 밤낮으로 수행을 거듭했는데, 한번 앉으면 움직이지 않아 '절구통 수좌首座'라는 별명을 얻기도 했다. 당대의 고승 한암漢巖과 만공으로부터 도를 인가받았으며, 송광사 삼일암에서 후학을 지도하며 정혜쌍수의 구도관을 확립했다. 평소 계율을 철저히 지키고 제자들을 엄하게 가르쳐 문하에서 인재가 많이 배출되었다. 법정 스님의 은사스님이다.

일기일회 一期一會

법정 스님 법문집 • 1

1판 1쇄 발행 2009년 5월 27일
1판 69쇄 발행 2010년 3월 18일

저작권자 ⓒ 법정 2009
이 책의 저작권자는 위와 같습니다. 저작권자의 동의 없이
내용의 일부를 인용하거나 발췌하는 것을 금합니다.

표지와 본문 그림 ⓒ Fumiko Hori
〈꽃의 화첩花のスケッチ帳(JTB Publishing, 2007)〉에서

발행처   문학의숲
발행인   고세규

신고번호   제300-2005-176호
신고일자   2005년 10월 14일

주소   서울시 마포구 동교동 200-19번지 202호(121-819)
전화   02-325-5676
팩스   02-333-5980

값은 표지에 있습니다.
ISBN 978-89-959049-8-5 04810
       978-89-959049-0-9 (세트)